Séduction au clair de lune

CAROL FINCH

Aveuglée par l'amour	*J'ai lu* 3777/**6**
Séduction au clair de lune	*J'ai lu* 3946/**6**

Carol
Finch

Séduction au clair de lune

Traduit de l'américain
par Daniel Garcia

Éditions J'ai lu

Titre original :

MOONLIGHT ENCHANTRESS
Zebra Books, published by Kensington Publishing Corp., N.Y.

1

Independence, Missouri
1866

Comme un fauve en cage, Kane Callahan faisait les cent pas dans son bureau lambrissé de ronce de noyer. A force, l'empreinte de ses pieds commençait à tracer un sillon dans l'épais tapis qui recouvrait le sol. La plupart des gens préféraient s'asseoir et fermer les yeux pour réfléchir, mais Kane était persuadé que battre la semelle les mains croisées dans le dos était la meilleure façon de s'éclaircir les idées.

En fait, il bouillait littéralement de rage. Maudite Mélanie Brooks ! Kane s'était absenté pendant quelques semaines, et Mélanie en avait profité pour épouser un dandy m'as-tu-vu de Saint Louis. Sans un mot d'explication, ni même un avertissement. Rien ! Après une année de fiançailles avec Kane, Mélanie avait finalement décidé qu'elle ne supportait plus de le voir régulièrement partir dans des missions qui le conduisaient d'un bout à l'autre du pays.

— Ah, les femmes ! grommela Kane avec dégoût. On ne peut décidément pas leur faire confiance.

L'histoire qui venait de lui arriver s'était déjà produite dans sa famille. La mère de Kane avait quitté son mari alors que le garçon entrait dans sa treizième année, un âge très vulnérable. Et, chose encore moins pardonnable, elle ne s'était pas davantage souciée du sort de son petit frère, qui n'avait à l'époque que trois ans. Kane et Noah avaient dû faire une croix sur l'affection maternelle et suivre leur père de ville en ville le long du fleuve Missouri. Daniel Callahan avait fondé une compagnie de bateaux et s'était tué à la tâche pour oublier la trahison de sa femme.

Mélanie venait de réduire à néant le peu d'estime que Kane éprouvait encore envers les femmes. Il n'était pas certain d'avoir vraiment aimé Mélanie, mais du moins avait-il toujours apprécié sa compagnie. Et pour elle, il aurait été prêt à renoncer à ses errances perpétuelles et à profiter de la fortune dont il avait hérité avec son frère. Certes, Mélanie s'était souvent plainte de ces missions secrètes qui lui enlevaient son fiancé à l'improviste. Mais on sortait tout juste d'une guerre, que diable !

La vérité, c'était que Mélanie tenait trop à ses divertissements mondains pour se préoccuper de la guerre, sauf si celle-ci menaçait de lui gâcher ses sorties avec son fiancé. Finalement, elle avait résolu le problème en se jetant dans les bras d'un autre homme — un certain Jonathan Beezely.

Kane fut distrait de ses pensées par l'entrée de

Gédéon Fox, qui apportait un plateau d'argent avec une carafe de brandy et un verre en cristal.

— J'ai pensé que vous auriez besoin d'un petit remontant, suggéra le domestique.

Kane éclata de rire et vint lui-même se servir à boire.

— D'accord pour noyer mes soucis, dit-il en s'emparant de la carafe, même si je préférerais noyer cette satanée Mélanie Brooks.

— Je suis navré de n'avoir pas réussi à la faire rentrer dans votre bouteille, s'excusa Gédéon avec ironie.

Un sourire apparut sur ses lèvres lorsqu'il vit son maître avaler d'un trait le verre de brandy.

— En voudrez-vous un autre, monsieur ?

Kane soupira profondément avant de considérer de ses yeux bleus le serviteur. Celui-ci était au service de sa famille depuis plus de quinze ans.

— Seras-tu donc toujours aussi cérémonieux, mon pauvre Gédéon ? demanda-t-il en vidant un deuxième verre.

Gédéon se retint de sourire. D'ordinaire, Kane savait parfaitement maîtriser ses émotions et n'était pas le genre d'homme à récriminer pour des broutilles. Mais le mariage inopiné de Mélanie Brooks avec un autre l'avait rendu fou furieux.

— J'essaierai d'être moins... guindé, mons... Kane.

Kane soupira et tourna vers lui un regard d'excuse.

— Et moi, j'essaierai d'être moins irascible ! répondit-il en se servant un troisième verre.

— J'étais aussi venu vous prévenir qu'il y a ici un homme qui souhaite vous rencontrer. Il prétend être l'un de vos clients et il arrive de Saint Louis exprès pour vous voir.

— Je ne suis pas sûr d'avoir envie de parler avec qui que ce soit de Saint Louis, grommela Kane. J'ai bien peur d'avoir une dent contre cette ville.

— Pardonnez-moi, mais toute la ville de Saint Louis ne peut être tenue pour responsable de ce qui vous arrive, commenta Gédéon d'un ton narquois. J'ai plutôt le sentiment que ce sont vos fréquentes absences qui ont éloigné votre fiancée. D'autant plus que vous n'en avez pas besoin pour vivre...

Kane fronça les sourcils. Le franc-parler de Gédéon le surprenait. Il savait que le domestique n'avait jamais approuvé ses nombreux déplacements, mais il s'était toujours gardé de formuler la moindre critique à haute voix. Que lui arrivait-il, aujourd'hui ?

— As-tu l'intention de m'infliger un sermon ? rétorqua Kane d'un ton un peu sec.

Sans se démonter le moins du monde, Gédéon regarda son maître en souriant.

— N'oubliez pas que vous m'avez demandé d'être un peu moins formel.

Kane eut une moue amusée.

— Moi ? Je t'ai demandé ça ?

— Oui, mons... Kane, confirma Gédéon en hochant respectueusement la tête. Et pendant que j'y suis, puis-je vous suggérer de décliner toute proposition que pourrait vous faire ce visiteur ? Si vous voulez mon avis, vous feriez mieux de rester tranquillement à la maison et de trouver quelque jolie dame à courtiser plutôt que de vous mêler des affaires des autres.

Sa tirade terminée, Gédéon pivota sur ses talons pour aller chercher le visiteur.

« Rester à la maison ? » Cette perspective tira à Kane une grimace. Il avait toujours été incapable de demeurer longtemps au même endroit. Même la très séduisante Mélanie Brooks n'était pas parvenue à le retenir. Parfois Kane se demandait si, au fond, il n'était pas comme sa mère. Lui non plus ne se voyait pas s'enterrer dans un même lieu pour le restant de ses jours.

Pendant la guerre, Kane avait accepté diverses missions d'espionnage au profit des Nordistes. Depuis la fin du conflit, il avait repris ses anciennes activités, pour le compte de clients privés. Ses enquêtes l'obligeaient à se déplacer ici et là, parfois pendant des semaines. Après chaque mission, Kane était toujours content de retrouver Noah et Gédéon... mais il était également toujours content de repartir.

Kane fronça les sourcils en reconnaissant le corpulent visiteur à la chevelure rousse qui entra en trombe dans son bureau. Patrick O'Roarke lui adressa un bref salut de la tête avant de se laisser choir dans un fauteuil. Kane détailla du regard ses vêtements coûteux et le gros diamant qui ornait son épingle de cravate. Patrick était un homme d'affaires avisé et rusé qui avait construit un empire dans le transport par diligences. Depuis les bords du Missouri jusqu'aux côtes californiennes, il n'existait pas de contrée qui ne possédât sa succursale de la O'Roarke Express. Kane avait eu l'occasion de travailler pour lui avant la guerre.

— J'ai besoin de vous pour m'enlever une sacrée épine du pied, déclara Patrick sans autre préambule. Je suis prêt à vous donner tout de suite cinq mille dollars, et deux mille dollars de plus quand le travail sera fait.

Un sifflement admiratif salua cette proposition. Kane et Patrick se retournèrent en même temps vers la porte du bureau restée ouverte. Noah Callahan se tenait dans l'embrasure, les yeux écarquillés.

— Tu écoutes aux portes, maintenant ? le réprimanda sévèrement son frère.

— S'il ne veut pas de l'affaire, monsieur O'Roarke, moi je la prends ! lança Noah avant de s'esquiver en refermant le battant derrière lui.

— Votre jeune frère fait donc le même métier que vous ? questionna Patrick en reportant son regard sur Kane.

Celui-ci poussa un soupir.

— Noah rêve de suivre mes traces. J'ai essayé de l'en dissuader, mais il est très obstiné. Il croit avoir gagné ses galons de détective dans les petites missions que je lui ai confiées pendant la guerre. En réalité, il a encore beaucoup à apprendre.

Patrick considérait son hôte avec une pointe d'admiration. Il pouvait parfaitement comprendre que Noah idolâtrât son frère. Kane Callahan, alias

Jack MacCord ou Peter Flannigan — deux des nombreux pseudonymes qu'il utilisait dans ses missions —, était célèbre dans le monde de l'espionnage.

Son calme inébranlable, sa parfaite maîtrise de soi, même dans les situations les plus périlleuses, son sang-froid et son sens de l'observation étaient extraordinaires. Grâce à toutes ces qualités, Kane était capable de résoudre les cas les plus épineux avec une facilité déconcertante. Sa renommée lui avait valu d'être recruté comme agent secret par le président Lincoln en personne. Et les plus grandes entreprises du pays faisaient appel à ses services pour résoudre des problèmes que la police n'avait pu éclaircir. Lorsqu'une livraison d'or était volée, par exemple, Kane n'avait pas son pareil pour retrouver rapidement la trace du butin.

Kane tirait une partie de sa force dans son étonnante capacité d'adaptation, digne d'un caméléon. Il pouvait porter n'importe quel déguisement et endosser n'importe quel rôle. Et quelle habileté ! Patrick lui faisait toute confiance, et il se sentait déjà mieux du simple fait d'être dans son bureau, avant même de lui avoir confié ses tourments. Kane avait la réputation de ne jamais abandonner une mission tant qu'elle n'était pas couronnée de succès. Il le tirerait d'affaire, Patrick en était persuadé.

— Quel est le problème au juste ? se décida à demander Kane, voyant que son visiteur tardait à lui donner des précisions.

Patrick s'enfonça un peu plus dans son fauteuil et soupira bruyamment.

— Le problème est Denver, lâcha-t-il enfin.

Kane éclata brusquement de rire.

— Denver est un problème ? Si vous êtes venu me demander de rayer la ville de la carte, j'ai bien peur que le gouvernement ne désapprouve un tel projet. La région regorge de mines d'or et le Département du Trésor s'y approvisionne pour frapper une bonne partie des pièces de monnaie de la Fédération.

— Je le sais très bien puisque c'est moi qui transporte presque tout l'or là-bas, rétorqua Patrick, bougon.

— Dans ce cas, vous conviendrez aisément qu'il m'est tout à fait impossible de raser Denver.

— Il ne s'agit pas de la ville, grommela Patrick qui restait insensible à l'humour de son hôte. Mais des bandits qui s'en prennent à mes convois. Voilà bientôt six mois qu'ils attaquent régulièrement les transports d'or. L'un d'entre eux, qui se fait appeler le Dandy Masqué, a attaqué plusieurs de mes diligences en laissant à chaque fois derrière lui des petits mots insolents. D'autres bandes terrorisent les passagers et blessent mon personnel. Les effectifs policiers ont été renforcés, mais c'est encore nettement insuffisant. Denver aurait bien besoin d'être nettoyée de ces hors-la-loi une bonne fois pour toutes.

Patrick fit une courte pause pour reprendre sa respiration, avant de continuer :

— Je veux quelqu'un qui puisse s'introduire dans la ville sans éveiller les soupçons. C'est parce que vous avez toujours refusé de dévoiler votre véritable identité que vous avez réussi là où d'autres détectives avaient échoué. C'est vous qu'il me faut ! conclut Patrick avec emphase.

— Combien ces bandits ont-ils déjà coûté à votre compagnie ? demanda Kane par curiosité.

— Plus de quatre mille dollars en moins de six mois ! Sans compter l'argent qui semble mystérieusement disparaître des caisses de l'agence... Mais s'il n'y avait que cela...

Kane fronça les sourcils. Depuis qu'il connaissait Patrick, il n'avait jamais vu cet Irlandais vigoureux se laisser abattre par une difficulté.

— Dites-moi donc ce qui vous inquiète vraiment, Patrick, demanda-t-il à brûle-pourpoint.

O'Roarke bondit de son fauteuil et se mit à arpenter la pièce comme un tigre en cage.

— Mon vrai souci, c'est ma fille, jeta-t-il enfin en passant une main nerveuse dans ses cheveux poil de carotte. Après la mort de ma femme, j'ai commis l'erreur de laisser Célia mettre le nez dans mes affaires. Je veux bien admettre que je l'ai sans doute trop gâtée, car elle est tout ce que je possède. Je l'avais envoyée étudier dans les meilleurs collèges de Philadelphie, mais quand elle m'a demandé, il y a deux ans, de lui donner un poste dans mon entreprise, j'ai tout de suite accepté. Depuis qu'elle est revenue de l'Est, elle n'a pas pris un jour de vacances. Le croirez-vous, mais elle travaille plus que moi !

Patrick se laissa retomber dans son fauteuil et se renfrogna.

— Quand je me suis aperçu que ma succursale de Denver perdait anormalement de l'argent, Célia, dans son obstination à prouver qu'elle peut réussir partout aussi bien qu'un homme, a décidé de prendre l'affaire en main. J'ai eu beau m'y opposer, elle a fait ses valises et est partie là-bas. Résultat : elle a foncé tête baissée dans une fourmilière grouillante de voyous, de gangsters et Dieu sait quoi encore. Je veux qu'elle revienne à la maison et qu'elle n'en bouge plus ! vociféra Patrick avec une rage impuissante.

Maintenant, Kane comprenait pourquoi Gédéon avait difficilement pu retenir un sourire quand il avait vu son maître s'énerver, tout à l'heure. Les problèmes d'autrui semblent toujours moins graves que les nôtres. Kane avait du mal à compatir à ceux de Patrick. Un homme qui jusque-là avait réussi dans toutes ses entreprises et qui brusquement se laissait démonter... par quoi, bon sang ? Une femme ! Décidément, elles étaient à l'origine de tous les maux de la terre !

— Si j'ai bien compris, vous m'offrez sept mille dollars pour que j'identifie vos voleurs et que je persuade votre fille de rentrer sagement à la maison ? résuma-t-il.

— *Persuader ?* explosa Patrick. Célia est impersuadable... si tant est que le mot existe, se corrigea-t-il. Je suis désolé de dire cela, mais ma fille est têtue comme une mule. Ce ne sont pas quelques cajoleries qui la décideront à rentrer à la maison.

Il n'était pas difficile de deviner de qui la jeune

fille tenait un tel caractère. Il suffisait à Kane de regarder Patrick pour se faire une idée de sa fille. Et ce n'était pas une vision paradisiaque ! Patrick O'Roarke était tout sauf un bel homme et sa corpulence rappelait les rondeurs d'une barrique. Mais il avait une volonté à toute épreuve et était capable de remuer ciel et terre pour faire aboutir ses projets. Selon toute vraisemblance, Célia O'Roarke était de la même étoffe.

— Êtes-vous en train de suggérer qu'il me faudra employer la force pour ramener votre fille ? demanda Kane.

— Non, pas la force non plus. Si Célia est ramenée à Saint Louis contre son gré, elle repartira à Denver dès qu'elle le pourra.

— Alors, que proposez-vous ?

Patrick eut un geste de découragement.

— Si je savais comment m'y prendre avec Célia, je ne l'aurais jamais laissée partir là-bas ! Dieu du ciel ! J'ai été jusqu'à lui écrire pour la supplier de rentrer à la maison avant qu'il ne lui arrive malheur. En pure perte, évidemment.

Il vrilla ses grands yeux verts sur Kane.

— J'ignore quelle sorte de plan vous allez échafauder pour me la ramener, mais vous avez toute ma confiance. Si vous décidez de la kidnapper, alors faites-le.

— La kidnapper ? répéta Kane sans chercher à cacher sa stupéfaction. Le procédé ne vous paraît pas un tantinet démesuré ?

— Vous ne connaissez pas ma fille. Elle a fait de

Denver sa croisade et elle est résolue à prouver au monde entier qu'elle triomphera.

Kane avait pleinement conscience que Patrick était beaucoup plus tourmenté par la sécurité de sa fille que par les larcins dont était victime sa succursale. Du reste, la somme mirobolante qu'il venait de lui offrir le prouvait assez.

— Retrouver les jeunes filles fugueuses n'est pas le genre de mission qu'on me confie habituellement, commenta-t-il. Je ne suis pas baby-sitter.

— Huit mille dollars ! proposa Patrick en guise de réponse. C'est ma fille, sacrebleu ! Et mon héritière.

Il s'enfonça un peu plus dans son fauteuil et soupira profondément.

— Je suppose qu'il faut être père pour comprendre ce que je ressens actuellement. Célia me rend malade d'inquiétude. J'ai beau connaître ses qualités et sa force de caractère, je sais qu'elle va au-devant d'une catastrophe en restant à Denver. En vérité, je suis prêt à parier qu'elle a projeté de se débarrasser toute seule des bandits. Je ne sais pas ce qu'elle veut prouver en se comportant ainsi. Depuis qu'elle est revenue de Philadelphie, elle ne semble s'intéresser qu'au travail et à l'argent. Pourtant, je ne peux pas lui donner plus d'amour. Toute ma tendresse et mon affection, c'est elle qui les reçoit !

Kane ne savait trop quoi penser. A priori, rien ne l'obligeait à accepter cette mission. Il devait se trouver à Denver une bonne poignée de détectives privés assez compétents pour s'acquitter d'une pareille tâche. La trahison de Mélanie l'avait en outre remonté contre les femmes et il n'avait aucune envie de se coltiner la version féminine de Patrick O'Roarke. D'autre part, le kidnapping n'était pas son style, même s'il avait tendance à penser que toutes les femmes de la planète méritaient d'être déportées au bout de la terre, pour être punies de faire connaître l'enfer aux hommes avant le Jugement dernier. Pour Kane, les femmes n'étaient utiles qu'à une seule chose : la satisfaction des besoins physiques de l'homme.

— Je crois qu'il serait préférable de vous adresser à quelqu'un d'autre, finit-il par répondre à son visiteur. Si vous le souhaitez, je peux vous donner plusieurs noms de personnes tout à fait capables de...

Soudain la porte du bureau s'ouvrit à la volée et Noah fit irruption dans la pièce.

— *Moi*, je me charge de votre affaire ! clama-t-il en venant fièrement se planter devant Patrick.

Kane fusilla son frère du regard.

— Écouter aux portes n'est pas digne de toi, le réprimanda-t-il.

— Sans doute, mais c'est un sacrément bon moyen pour obtenir des renseignements, tu n'es pas d'accord avec moi ?

— Dehors ! rugit Kane en lui montrant la porte du doigt. Je ne t'ai pas suffisamment enseigné les bonnes manières. Gédéon a raison, il serait temps que je reste un peu ici pour remettre de l'ordre dans ma maison.

Noah avait perdu toute sa superbe. Il quitta la pièce sans broncher.

— Quel âge a-t-il ? demanda Patrick avec un sourire.

— Vingt-deux ans, marmonna Kane. Il est encore très immature, il n'a pas idée des embûches que lui réserve la vie.

— J'imagine que vous avez dû être inquiet quand il a rejoint les Nordistes pendant la guerre...

Kane se rapprocha de son visiteur.

— J'en étais malade, si vous voulez tout savoir, dit-il à voix basse pour que les oreilles qui étaient sans doute collées derrière la porte ne puissent rien entendre. J'ai imaginé tous les stratagèmes possibles pour qu'il ne participe à aucune action vraiment dangereuse. Noah est resté cantonné dans les missions de sabotage : faire sauter un pont ou une voie de chemin de fer, couper les fils du télégraphe... Il n'était pas préparé à se battre et...

— Alors peut-être comprendrez-vous mieux mes inquiétudes au sujet de Célia, le coupa Patrick. A vingt et un ans, elle est partie s'aventurer seule dans un territoire à peine civilisé, loin de sa maison.

Patrick O'Roarke ne manquait pas d'habileté. Il avait su trouver le point faible de Kane et avait frappé en conséquence. Non seulement Noah représentait pour Kane toute sa famille, mais en plus un lien particulier les unissait. Au cours de toutes ces années passées le long du Missouri, tandis que leur père s'anéantissait dans le travail pour oublier le naufrage de sa vie conjugale, Kane avait été le seul soutien affectif du garçon. A maintes reprises il avait dû le réconforter quand Noah réclamait leur mère. Lui-même avait eu le cœur brisé par son départ, mais il avait caché son chagrin, comme un homme, pour ne pas désespérer encore plus son petit frère.

— C'est encore pire pour moi, poursuivit Patrick qui cherchait à exploiter au maximum la sympathie de Kane, tous les moyens étant bons pour le décider à accepter la mission. Pensez donc : une jeune femme seule est une proie facile pour des hommes peu scrupuleux. Et ce n'est pas cela qui manque dans ces territoires à moitié sauvages. Célia est très innocente, elle pourrait tomber à la merci de rustres qui voudraient assouvir sur elle leurs plus bas instincts...

Très honnêtement, Kane trouvait que Patrick s'inquiétait inutilement. Si Célia avait hérité des rondeurs de son père, si elle arborait la même masse hirsute de cheveux roux, son apparence physique constituait le plus sûr des chaperons.

— Dix mille dollars, plus les frais, renchérit Patrick. Et vous pourrez emmener Noah et Gédéon. Vous ne serez pas trop de trois pour venir à bout des bandits et convaincre ma fille de vous suivre.

— Non, Patrick, trancha Kane. Cette affaire n'est pas pour moi. J'ai l'intention d'abandonner mon travail. Comme Gédéon me l'a fait remarquer, même si je vivais jusqu'à cent ans, je ne réussirais pas à dépenser toute ma fortune. L'argent ne m'intéresse donc pas.

Patrick accusa le coup sans broncher. Après un instant de réflexion, il décida de changer de tactique.

— Eh bien, vous ne me laissez guère le choix... commença-t-il en s'étirant négligemment dans le fauteuil. Je vais être obligé de louer les services de Noah, puisque lui m'a fait clairement comprendre qu'il était partant. Évidemment, s'il devait perdre la vie dans l'aventure...

Patrick laissa sa phrase en suspens, devinant qu'il était en train de remporter cette partie de bras de fer.

Évidemment, Kane ne pouvait prendre le risque de laisser son jeune frère partir seul à Denver. Il ne suffit pas de se faire appeler « détective privé » pour en avoir les compétences ! Noah était trop novice pour une telle mission. Kane, dans ses débuts, avait appris à ses dépens qu'une farouche détermination ne remplace pas le bon sens et l'expérience. Ses cicatrices à l'abdomen et à l'épaule étaient là pour en témoigner.

— J'accepte la mission pour la moitié de la somme ! annonça Noah en faisant de nouveau irruption dans la pièce.

— Il n'en est pas question ! tonna Kane avec une virulence qui cloua son frère sur place. C'est moi qui m'en charge, déclara-t-il en se tournant vers Patrick.

— Je n'ai jamais douté du contraire, répliqua celui-ci avec un sourire amusé.

— Pour dix mille dollars, plus les frais. Et pas un penny de moins !

Kane était furieux de s'être laissé acculer dans ses derniers retranchements. Ce n'était guère son habitude, et Patrick O'Roarke pouvait se vanter d'être l'un des rares hommes à avoir réussi cet exploit.

— Je croyais que l'argent ne vous intéressait pas, railla son visiteur en se levant pour sortir.

— A chaque fois que vous m'obligerez à faire quelque chose qui me déplaît, cela vous coûtera cher, riposta Kane.

Patrick s'arrêta devant la porte et se retourna pour le dévisager.

— Maintenant, je sais que ma fille sera en de bonnes mains, et que les bandits croupiront bientôt derrière les barreaux : je vais enfin pouvoir dormir sur mes deux oreilles !

Redevenant plus sérieux, il ajouta :

— Soyez vigilant avec Célia. Vu sa détermination à rester à Denver, il se pourrait que l'arrestation des bandits vous paraisse un jeu d'enfant...

— Aucune femme n'est impossible à dominer, bougonna Kane qui n'avait toujours pas digéré la manœuvre de Patrick.

Celui-ci haussa un sourcil.

— Vous croyez ? Attendez de faire connaissance avec ma fille ! Vous risquez fort d'être amené à reconsidérer votre opinion...

Kane essaya une nouvelle fois de se représenter la fille de Patrick. Elle était sûrement si laide qu'aucun homme ne voudrait jamais la toucher, à moins d'être payé !

— Tenez-moi au courant de tous les détails,

reprit Patrick. Quel soulagement de savoir que ma fille ne craint plus rien, désormais.

Kane s'obligea à contenir sa rage. Il s'était fait manipuler comme un débutant. Patrick O'Roarke avait le don de savoir tirer les bonnes ficelles. Apparemment, il était capable de manœuvrer n'importe qui, excepté sa propre fille. Mais Kane ne se laisserait pas amadouer par cette jeune femme laide à faire peur. Il la ramènerait à Saint Louis de gré ou de force.

Soudain, une pensée lui traversa l'esprit.

— Dites-moi, avez-vous déjà entendu parler d'un dénommé Jonathan Beezely ? demanda-t-il à Patrick.

Celui-ci réfléchit une seconde avant d'acquiescer.

— Oui, j'en ai entendu parler. C'est l'un des actionnaires de la compagnie de chemin de fer d'Edward Talbert. Célia ne cesse de me répéter que je devrais moi aussi investir dans ce moyen de transport, mais je préfère m'en tenir à mes diligences. Je n'ai aucune envie de m'associer avec des parvenus prétentieux dans le genre de Talbert ou Beezely... Mais pourquoi me parlez-vous de Beezely ? Enquêtez-vous sur lui ?

Kane haussa nonchalamment les épaules.

— Je voulais juste savoir si vous le connaissiez. Il a épousé une de mes amies, précisa-t-il du ton le plus neutre possible.

Dès que Patrick fut parti, Noah s'approcha de son frère.

— Quand partons-nous pour Denver ? questionna-t-il.

Kane observa le jeune homme qui se tenait devant lui. Noah bouillait d'impatience de suivre les traces de son aîné. Peut-être le temps était-il venu de le satisfaire. Cette mission représentait l'occasion rêvée de lui permettre de faire ses preuves. Pendant leur voyage pour le Colorado, Kane aurait tout loisir de lui apprendre les ficelles du métier... avant qu'ils aient besoin de les mettre en pratique.

— Mons... Kane, intervint Gédéon, qui n'avait pas quitté la pièce depuis l'arrivée de Patrick mais n'avait pas dit un mot pendant leur entretien, je ne crois pas qu'il soit raisonnable d'emmener Noah. Vous ne pourrez pas le laisser seul pendant que vous serez occupé à...

— As-tu déjà été à Denver, Gédéon ? le coupa Kane.

— Non, jamais. Et je n'ai nulle envie d'y aller, après tout ce que M. O'Roarke a raconté sur cette ville, répondit le domestique avec une grimace de dégoût.

Un sourire courut sur les lèvres de Kane.

— Prépare tes valises, Gédéon. Je t'emmène avec Noah.

— Mais, monsieur, je...

Kane l'interrompit d'un geste de la main.

— Nous partirons avant la fin de la semaine. Que tout soit prêt.

Noah ne se tenait plus de joie à l'idée d'accompagner enfin son frère dans une de ses missions. Mais dès que le jeune homme fut parti rassembler ses propres affaires, Gédéon tenta de revenir à la charge :

— Franchement, monsieur, je ne vois pas en quoi je pourrais vous aider dans ce territoire de sauvages.

Kane sourit à son serviteur, qu'il considérait presque comme un ami.

— Précisément, Gédéon, tu apporteras la note d'élégance et de savoir-vivre qui semble faire cruellement défaut à ce pays.

— Vous allez vous servir de cette affaire pour vous distraire de votre infortune avec Mélanie, supposa Gédéon. Je commence à réaliser que rien ne peut vous faire tenir en place, même si on vous clouait les pieds au sol !

Sur cette dernière remarque, Gédéon tourna les talons et sortit de la pièce, rigide comme à son habitude. Kane resta à méditer les paroles de son domestique. Ce voyage à Denver le distrairait effectivement de ses idées noires après la trahison de Mélanie. Mais il y avait autre chose. Depuis toujours, il ressentait l'appel de l'aventure et rien, ni la fortune, ni ses fiançailles avec Mélanie, n'avait pu lui apporter la même satisfaction. Son plus grand plaisir était de courir le monde au fil de ses enquêtes. Fonder un foyer avec une femme et des enfants convenait sans doute à beaucoup d'hommes. Mais lui n'était pas fait pour ça.

Une fois encore, il tenta de se représenter Célia O'Roarke et ne put l'imaginer autrement que sous les traits d'une hideuse sorcière. Subir sa compagnie pendant le trajet de retour ne serait guère agréable. « Mais peut-être ai-je besoin de cette expérience pour comprendre définitivement que les femmes n'apportent que des ennuis », songea-t-il. Après avoir enduré la fille de Patrick, Kane serait immunisé contre les femmes pour le restant de ses jours.

2

Denver, Colorado
1866

La sonnette de la porte du bureau fit sursauter Célia O'Roarke. Elle leva la tête des papiers qu'elle était en train de classer et regarda par-dessus les lunettes perchées sur son petit nez retroussé. Célia n'avait besoin de lunettes que pour lire et écrire, mais en fait elle les portait constamment. Elles lui donnaient un air appliqué qui convenait parfaitement à l'image qu'elle désirait donner d'elle. Les lunettes, comme ces robes austères et boutonnées au col qu'elle affectionnait, étaient censées gommer sa féminité. Avant toute chose, Célia se considérait comme une femme d'affaires, et elle ne voulait pas que ses clients l'oublient.

En reconnaissant le gentleman tiré à quatre épingles qui entrait dans le bureau, Célia réprima un soupir. Chaque fois que Peter Alridge se montrait, il lui faisait perdre son temps.

— Bonjour, miss O'Roarke, la salua Peter en soulevant respectueusement son chapeau melon.

Célia considéra un instant son visiteur. Il était très maigre, presque chétif, et ses vêtements de prix flottaient sur lui.

— En quoi puis-je vous aider ? demanda-t-elle poliment, bien qu'elle connût d'avance la réponse.

Peter était simplement venu rendre visite à son frère, qui travaillait comme comptable à l'agence.

— Je suis venu discuter quelques minutes avec Lester, confirma Peter.

« S'il ne s'agissait que de quelques minutes ! » songea Célia. Hélas ! ils seraient bien chanceux si Peter se décidait à partir au bout d'une demi-heure. Son cabinet d'avocat lui laissait apparemment beaucoup de temps libre.

— La justice n'a donc pas de travail aujourd'hui ? questionna Célia en replongeant dans ses papiers.

— Je suis bien le premier à le déplorer, confessa-t-il avec un soupir. Dans une ville comme celle-ci, le tribunal devrait être débordé. Mais malgré tous nos efforts, il y a plus de crimes impunis que de procès, hélas ! J'imagine quelle a dû être votre tristesse quand le shérif Whitcomb a été blessé en poursuivant les voleurs qui ont attaqué une de vos diligences, la semaine dernière.

Célia hocha la tête sans lever le nez de ses papiers.

— J'ai été lui rendre visite pour m'assurer qu'il allait bien et pour le remercier de tous ses efforts, expliqua-t-elle.

— Tant que Whitcomb restera alité, la situation risque encore d'empirer.

Pour s'en débarrasser, Célia désigna le couloir d'un signe de tête.

— Lester est dans son bureau. J'apprécierais beaucoup que vous ne le reteniez pas trop longtemps. Nous avons tous beaucoup de travail.

En voyant Peter s'éloigner de sa démarche nonchalante, Célia leva les yeux au ciel. Pourquoi diable fallait-il qu'il vînt tuer son ennui à l'agence ? Après tout, Peter partageait avec son frère une maison à la lisière de la ville. Ils ne manquaient donc pas d'occasions de se parler.

— Notre visiteur préféré est de retour, commenta Owen Graves avec un rire niais.

Célia se retourna et découvrit Owen négligemment affalé dans son fauteuil, occupé à la regarder.

— Monsieur Graves, je m'efforce de faire tourner cette agence du mieux possible, lui fit-elle courtoisement remarquer. Ce n'est pas parce que Peter vient ici pour ennuyer son frère que vous devez en profiter pour vous tourner les pouces et me contempler comme si j'étais un morceau de fromage et vous une souris.

Owen la fixa avec insolence.

— Quand c'était moi qui dirigeais cette agence, nous faisions notre travail et *tout* notre travail, sans pour autant nous sentir obligés de nous tuer à la tâche.

Tout en parlant, Owen déshabillait Célia du regard, espérant trouver dans cette silhouette parfaite un quelconque défaut. Mais il n'en trouva pas.

— Je suppose que vous ne me laissez aucun répit

pour que je n'aie pas le temps de m'apercevoir combien vous êtes séduisante, reprit-il.

Célia s'efforça de garder son calme devant l'ancien directeur de l'agence, dont elle avait pris la place. Une fois de plus, il était parvenu à la rendre furieuse, et elle devait bien reconnaître qu'il était très fort à ce petit jeu.

La première semaine après son arrivée, Owen avait essayé de lui faire la cour. Voyant qu'elle repoussait ses avances, il s'était alors montré protecteur, espérant gagner ainsi ses bonnes grâces. Comme cela ne marchait pas non plus, la troisième semaine il avait ouvert les hostilités. En retour, Célia l'avait surchargé de travail, pour lui faire comprendre que c'était elle qui dirigeait l'agence, désormais. Depuis lors, leurs relations n'avaient fait que se dégrader.

— Pour votre information, monsieur Graves, répondit Célia avec condescendance, je me sens obligée de vous occuper parce que je vous paie pour un plein temps. Je suis donc en droit d'attendre de votre part un travail à plein temps. Il me semble que nous sommes encore loin du compte, précisa-t-elle en lui lançant un regard acéré par-dessus ses lunettes. J'ajouterai que si les comptes de cette agence n'étaient pas déficitaires, ma présence ici serait parfaitement inutile. C'est votre faute si nous en sommes arrivés là. Et maintenant, remettez-vous au travail.

Owen jeta un regard morne aux factures empilées devant lui.

— Espèce de mégère ! maugréa-t-il à voix basse.

— J'ai tout entendu ! siffla Célia en lui décochant un regard assassin.

S'exhortant une nouvelle fois au calme, elle recommença à classer ses papiers, bien décidée à se débarrasser tôt ou tard de cet Owen Graves qui jouait les Casanova mais n'était qu'un poids mort pour l'agence. Elle n'arrivait pas à s'expliquer les raisons qui avaient conduit son père à embaucher un tel incapable !

— Pourquoi ne tenterions-nous pas une trêve ? suggéra Owen d'une voix radoucie, changeant de tactique. Nous pourrions déjeuner tous les deux, en tête à tête...

Célia supposa qu'il avait déguisé sa voix par pure provocation : il s'était soudain mis à ronronner comme un chat !

— Je suis convaincu que vous m'apprécieriez si vous me connaissiez mieux, assura Owen. Je sais me montrer d'une compagnie agréable...

Célia en doutait sérieusement. Owen cherchait à la courtiser dans le seul but de travailler moins. Mais il gèlerait en enfer avant qu'elle se laissât berner par les manœuvres grossières de ce don Juan de pacotille.

— Il n'est pas question de s'arrêter pour déjeuner, aujourd'hui, déclara-t-elle d'un ton ferme. Les deux heures que vous avez prises hier nous ont déjà trop retardés.

— Vous êtes jalouse parce que j'ai été retenu par une charmante jeune femme qui sait m'apprécier à ma juste valeur, se moqua Owen.

— Oh ! Et quel est le nom de cette femme ? fit Célia d'une voix sirupeuse. Franchement, je lui tire mon chapeau. Bien que je sois incapable de me représenter à quoi vous pouvez servir, à part nous faire perdre notre temps, peut-être m'éclairera-t-elle sur les qualités qu'elle a pu vous trouver.

Owen accusa le coup en grimaçant comme s'il avait effleuré une épine. Il décida de renoncer définitivement à tenter de toucher le cœur de Célia. Ou ce qui lui servait de cœur. Mais si elle avait l'intention de faire de sa vie un enfer, il lui rendrait coup pour coup. Et au bout du compte, il espérait bien que cette harpie finirait par quitter les lieux pour rentrer chez son père, d'où elle n'aurait jamais dû partir !

Satisfaite d'avoir remis Owen à sa place, Célia quitta le bureau pour aller vérifier les balances qui servaient à peser l'or. *Maudits soient tous les hommes !* fulminait-elle. Elle était lasse d'être toujours traitée comme une écervelée incapable de comprendre quoi que ce fût. Les hommes refusaient d'admettre que les femmes puissent être aussi intelligentes qu'eux. Et Owen, comme presque tous ses congénères, ne voyait en Célia qu'une *femelle*. Dans leur esprit, les femmes n'avaient été créées que pour satisfaire les désirs charnels des hommes...

Une fois, Célia s'était fait berner par l'un d'eux, mais elle s'était juré de ne plus jamais s'y laisser prendre. Elle était définitivement immunisée contre les coureurs de la trempe d'Owen Graves.

Soit il se décidait à l'accepter pour ce qu'elle était — son nouveau patron —, soit il irait chercher du travail ailleurs. Célia lui donnait un mois de sursis, après quoi elle écrirait à son père afin d'exiger son renvoi. Et tant pis pour lui s'il devait être licencié pour avoir refusé de travailler sous les ordres d'une femme !

En s'asseyant sur une des chaises du saloon, Kane Callahan se retrouva littéralement collé à son siège. Il y avait eu tellement de whisky éclaboussé partout que tout le mobilier était poisseux. Grimaçant de dégoût, Kane chercha des yeux un endroit propre, mais il n'en vit aucun.

Après deux semaines de voyage en diligence, Kane, Noah et Gédéon étaient arrivés à Denver. Ils avaient commencé par acheter des chevaux dans un petit ranch à l'est de la ville, pour se familiariser avec la contrée par de longues promenades. Kane avait pu vérifier que les communautés de mineurs étaient conformes à la description de Patrick : c'étaient des hommes rustres, violents, toujours prêts à la bagarre. A contrecœur, Kane avait dû admettre que ce n'était vraiment pas un pays pour une jeune femme seule et sans protection.

Le trio avait choisi pour repaire une cabane de trois pièces, dans les montagnes au nord-est de Denver. La cabane surplombait la piste qu'empruntaient régulièrement les diligences de la O'Roarke Express pour transporter les passagers, les vivres, le courrier et l'or. Kane avait scruté les alentours avec des jumelles et repéré tous les endroits qui pouvaient se prêter à des attaques surprises. Puis il était parti s'installer seul à Denver, tandis que Noah et Gédéon restaient dans la cabane pour surveiller la route.

Kane était convaincu que le meilleur moyen pour un détective de moissonner des renseignements était de s'infiltrer discrètement dans la population. A chacune de ses missions, il s'efforçait de dévoiler le moins possible ses intentions réelles. Il avait pu régulièrement constater que les gens se montrent tout de suite plus méfiants lorsqu'ils sont directement interrogés par des enquêteurs officiels, comme si le simple fait de leur poser une question les rangeait aussitôt parmi les suspects.

Kane s'était donc fait passer pour un joueur professionnel et depuis son arrivée à Denver, quatre jours plus tôt, il fréquentait nuit et jour les saloons et les tables de jeu de la ville. Les informations qu'il avait pu glaner jusqu'ici, en devisant de manière anodine avec ses compagnons de jeu, l'avaient déjà conduit à une conclusion : la plupart des hold-up avaient sans doute été commis par un seul et même bandit.

Un certain Grizzly Vanhook passait pour le suspect le plus probable. Mais personne n'avait jamais relevé la moindre preuve contre lui et Griz produisait toujours plus d'alibis qu'il n'en fallait. Mais alors que ni Griz, ni les deux comparses pendus à ses basques n'occupaient d'emploi bien défini, Kane avait pu constater qu'ils n'étaient jamais en peine pour payer leurs tournées avec des pépites d'or. Griz Vanhook était fort comme un bœuf et sa seule carrure suffisait à intimider les plus audacieux. Même à jeun, il se conduisait comme une fripouille sans foi ni loi, mais sa violence éclatait dès qu'il avait bu... ce qui était presque toujours le cas.

Alors qu'il était précisément en train de penser à eux, Kane vit les trois compères faire leur entrée dans le saloon. Le Critérion était l'un des « abreuvoirs » favoris de Griz. Cet établissement s'enorgueillissait de posséder la plus grande salle à manger de la ville, accolée à un hôtel d'une cinquantaine de chambres. L'établissement comportait également un dancing et une salle de jeu, et la cave du Critérion était toujours bien remplie.

Griz fréquentait pratiquement tous les saloons. Il partageait son temps entre l'Éléphant, le Louisiana, le Cibola et le Critérion. Presque tout le monde le connaissait en ville, mais personne ne l'aimait. C'était le genre d'individu capable de se faire détester en cinq minutes par toute une assistance. En quinze jours, Kane l'avait déjà croisé plusieurs fois et il avait pu se faire une idée du personnage. A vrai dire, il lui devenait de plus en plus difficile de ne pas réagir en voyant ce vaurien effrayer tout le monde sur son passage. Mais s'il voulait réussir sa mission, Kane était bien obligé de se contenir. C'est donc ce qu'il fit une fois de plus, ce soir-là, tandis que Griz bousculait des clients pour se frayer un chemin vers le bar.

Et comme d'habitude, Griz ne tarda pas à semer la pagaille. Il réclama à boire en tapant du poing sur le comptoir et en sortant de ses poches une pépite d'or. Mais quand le barman lui tendit une bouteille, Griz l'empoigna par le col et lui colla son colt entre les deux yeux.

— Sers-moi autre chose que le tord-boyaux que tu donnes à tes clients ! brailla-t-il d'une voix avinée. Je veux de la bonne camelote.

Instinctivement, Kane approcha la main du revolver qui pendait à sa ceinture, prêt à dégainer. Tremblant de la tête aux pieds, le barman attrapa une autre bouteille sur l'étagère derrière lui. Kane était résolu à prendre la défense du pauvre homme, même si cela devait nuire à la discrétion de son plan. Il n'arrivait pas à comprendre pourquoi les habitants de Denver ne s'étaient pas encore débarrassés de cette fripouille. Griz représentait pour eux une menace permanente, mais ils semblaient encore plus terrifiés à l'idée des représailles qui les attendaient s'ils parlaient contre lui.

Finalement, Griz rangea son arme, tout en continuant de menacer le barman du regard.

— Ne t'avise pas de me resservir cette cochonnerie, le prévint-il d'une voix mauvaise. Sinon t'es un homme mort, compris ?

Sans quitter le voyou des yeux, Kane attrapa le jeu de cartes qui traînait sur la table devant lui et se mit à le battre distraitement. Il avait appris à jouer pendant son adolescence — quand son père le délaissait pour s'occuper de ses affaires — et s'était mesuré aux meilleurs joueurs du Missouri. Il connaissait les ruses et les astuces qui permettaient de gagner à tous les coups.

Alors que Griz et ses deux acolytes avalaient whisky sur whisky, Jim Metcalf, l'adjoint du shérif, fit son entrée dans le saloon. Il vint s'asseoir à la table de Kane et celui-ci, négligemment, lui distribua quatre cartes de son jeu. Quatre as ! Le jeune homme roula des yeux stupéfaits.

— Comment avez-vous fait cela ? demanda-t-il, éberlué.

Avec un air blasé, Kane récupéra les cartes, mélangea le jeu... et ressortit la même donne. Jim n'en revenait toujours pas.

Sans dire un mot, Kane jaugea le jeune homme du regard. Il avait un visage poupon de gosse attardé et ne semblait pas taillé pour la lourde tâche qui lui incombait. Du reste, personne ne paraissait lui prêter attention.

Jim coula un bref regard en direction du bar où Griz et ses compères continuaient de vider leur bouteille. De toute évidence, il n'avait aucune envie de se colleter avec ces trois fauteurs de troubles. Sa tactique était plutôt de les éviter. Chaque fois qu'une bagarre menaçait d'éclater, Jim s'éclipsait discrètement et ne revenait que lorsque tout était fini.

— Tout m'a l'air en ordre, ici, déclara-t-il en tirant sa montre de son gousset pour la consulter. Je crois que je vais aller faire une petite ronde.

Un des habitués du saloon assis juste derrière

Jim l'entendit parler. Aussitôt, il éclata d'un rire tonitruant.

— Allons, ne nous la fais pas, Jim ! T'as envie d'aller reluquer miss O'Roarke, c'est plutôt ça. Tu fais toujours ta ronde à l'heure où elle quitte son bureau pour rentrer à son hôtel.

— Une jeune lady comme miss O'Roarke a besoin de protection, commenta Jim pour se justifier. Il faut que quelqu'un garde un œil sur elle.

Kane se demandait bien pourquoi. Depuis son arrivée à Denver, il n'avait pas encore croisé la Sorcière, mais avec l'idée qu'il s'en faisait, il doutait fort qu'elle eût à redouter les assauts d'un homme. Il attendait pour la rencontrer d'avoir d'abord identifié tous les suspects des attaques à main armée. Et le premier d'entre eux était pour l'instant en train de s'enivrer au bar du Critérion.

— Allez, avoue-le, Jim, t'es tombé amoureux de la demoiselle, railla l'habitué. Tout le monde est au courant !

— J'y vais, marmonna Jim en se levant brusquement de sa chaise. J'ai du travail par-dessus la tête, depuis que le shérif est alité.

Kane était à peu près certain de connaître l'identité de celui qui avait tendu une embuscade au shérif Whitcomb : Griz Vanhook, évidemment. Après tant d'années de métier, Kane savait repérer les fauteurs de troubles au premier coup d'œil, et Griz portait le crime écrit sur son visage.

Quand il entendit ce ruffian s'éloigner du bar et marmonner quelque chose à propos d'une femme qu'il voulait se trouver sur-le-champ pour satisfaire ses envies, Kane s'inquiéta. Si jamais Griz venait à descendre la rue précisément au moment où la fille de Patrick la remontait pour aller à son hôtel... Kane savait que Griz n'était pas très difficile en matière de femmes, et s'il décidait de s'en prendre à elle, le pauvre Jim serait bien incapable de la défendre.

Kane se sentit responsable des deux jeunes gens, et il se leva à contrecœur pour suivre discrètement Griz. Avec un peu de chance, celui-ci se tiendrait tranquille et la Sorcière pourrait regagner sa chambre sans encombre. Avec un peu de chance...

Célia regagnait son hôtel après douze heures passées à son bureau. Depuis son arrivée à Denver, elle n'avait guère pris de repos. Elle avait trouvé l'agence dans un état de complète désorganisation, au point que la succursale perdait autant d'argent qu'elle en gagnait. Et les attaques répétées des bandits n'avaient bien sûr rien arrangé.

Entre l'indolence d'Owen, qui oubliait de noter la plupart des choses, et les manies de Lester Alridge, le comptable, qui avait une façon bien à lui d'inscrire les transactions, Célia avait du mal à s'y retrouver. Après avoir soigneusement épluché les livres de comptes pendant six semaines, elle n'avait pas encore trouvé la source du problème, mais à coup sûr il y en avait un !

Non seulement l'agence perdait de l'argent, mais il était impossible de connaître précisément le nombre de ses débiteurs. La société O'Roarke Express ne se contentait pas d'assurer le transport des biens et des personnes, elle faisait également office de banque pour ses clients les plus réguliers. Or Célia ne pouvait admettre qu'Owen eût manqué totalement de rigueur dans l'enregistrement de ces opérations. Ce genre de fautes professionnelles, ajoutées à ses manœuvres grossières pour la courtiser, exaspéraient la jeune femme et pesaient sur leurs relations de travail. Après s'être affrontés à l'heure du déjeuner, ils s'étaient encore querellés en fin d'après-midi ! Célia soupira en réajustant son chapeau d'une main distraite, puis elle reporta son attention sur le décor qui l'entourait.

Denver s'étendait entre la South Platte River et les contreforts des Rocheuses. La haute silhouette du Pike's Peak, l'un des plus hauts sommets de la chaîne, se profilait au loin, comme la Porte du Paradis. Bien que l'endroit pût paraître inhospitalier pour abriter une ville, Denver comptait déjà plus de cinq mille habitants. La cité était devenue une plaque tournante pour le commerce de l'or que l'on extrayait des mines environnantes. Il n'y avait pas de port, car le fleuve n'était pas assez profond pour être navigable, sauf quand les crues venues des montagnes grossissaient soudainement son débit. Deux ans plus tôt, un torrent de boue avait envahi les rues et anéanti plusieurs maisons, mais la vie avait repris très vite grâce à la présence de l'or. Denver comptait près d'une trentaine de magasins de toutes sortes, une quinzaine d'hôtels ou de pensions et vingt-trois saloons. Sans oublier une dizaine de restaurants, deux écoles, deux théâtres et un journal. Il y avait aussi des docteurs, des avocats, des tailleurs, des barbiers... Tout le monde semblait faire des affaires ici, sauf l'agence de la O'Roarke Express !

— Bonsoir, miss O'Roarke, lança Jim, tirant Célia de sa rêverie.

Elle reconnut l'adjoint du shérif et lui rendit son salut d'un simple geste de la tête, ne souhaitant pas engager la conversation. Mais Jim ne tint pas compte de sa froideur.

— J'ai pensé que je pourrais peut-être vous accompagner jusqu'à votre hôtel, ce serait plus sûr, expliqua-t-il en calquant son pas sur celui de Célia.

Il avait rarement vu une femme marcher aussi vite. Célia ne flânait jamais et elle faisait toujours le trajet entre son bureau et l'hôtel d'une seule traite. Jim s'émerveillait de voir une telle énergie chez une si ravissante créature.

— Belle soirée, n'est-ce pas ? se borna-t-il à constater, ne sachant trop quoi dire.

Selon Jim Metcalf, chaque soirée était une belle soirée. Sa conversation débutait toujours par la même platitude. S'efforçant de ne pas sourire, Célia opina du bonnet, espérant que son mutisme découragerait le jeune homme. Mais, risquant le tout pour le tout, Jim lança l'invitation qu'il ruminait depuis longtemps :

— J'ai pensé que peut-être un soir... quand vous aurez le temps... nous pourrions souper ensemble.

Jim était généralement intimidé par les femmes. Mais Célia éveillait en lui des sensations très fortes. Elle se montrait toujours froide et distante, comme si elle voulait décourager les hommes. Même si ceux-ci n'avaient d'yeux que pour elle. Avec un peu de chance, Jim espérait que Célia finirait par le remarquer et lui sourire.

Célia s'attendait si peu à cette invitation à souper qu'elle faillit trébucher.

— Je suis très occupée, Jim, répondit-elle en lui accordant un regard neutre. En fait, je...

Le reste de sa phrase se perdit dans un petit cri. Au coin de la rue, Célia venait de heurter la silhouette massive de Griz Vanhook. Elle recula instinctivement, frissonnant de dégoût en sentant son haleine imprégnée d'alcool. Mais il y avait pire encore que cette odeur de whisky. Griz ne devait pas prendre souvent de bains, et de toute évidence l'hygiène était le cadet de ses soucis. La seule pensée d'avoir touché ses vêtements crasseux donna à Célia la nausée.

Elle voulut s'écarter au plus vite mais il l'encercla d'un bras puissant, la déshabillant du regard avec un sourire lubrique qui découvrait ses chicots. Célia tenta de se dégager, mais Griz avait la force de deux hommes. D'un geste brusque il l'attira contre lui et pencha la tête avec l'intention de lui voler un baiser. Sa bouche ressemblait à celle d'une grenouille — gluante et sans lèvres — et son odeur pestilentielle suffoqua la jeune femme.

Elle n'avait jamais été autant écœurée de sa vie !

Beaucoup d'hommes avaient essayé de l'approcher depuis son arrivée à Denver, mais jusqu'ici aucun n'avait osé la traiter de la sorte. Elle avait appris à regarder les hommes d'une manière si glaciale qu'elle parvenait à décourager même les plus audacieux. Mais cela ne marchait pas avec Griz Vanhook. Ce voyou avait l'habitude de prendre tout ce qui lui faisait envie parce qu'il se savait fort et que personne n'osait lui résister.

La plupart des gens s'accommodaient de lui en affectant d'ignorer son existence. Mais Célia pouvait difficilement en faire autant. Du moins, pas quand Griz était en train de l'enlacer !

3

— Lâchez-moi, espèce de brute ! ordonna Célia d'un ton qu'elle souhaitait sans réplique.

— Vous avez entendu la dame ! aboya Jim en s'approchant.

Mais avant qu'il ait pu tenter quoi que ce fût, les deux acolytes de Griz s'emparèrent de lui et le retinrent prisonnier. Célia n'attendait de toute façon aucune aide. Résolue à se tirer d'affaire toute seule, elle mordit profondément son agresseur à la main.

Avec un rugissement d'ivrogne, Griz la gifla violemment. Le coup fit tituber Célia, et malgré les moulinets de ses bras pour garder son équilibre, son talon heurta le trottoir. Elle tomba à la renverse et son chapeau alla rouler dans la poussière.

— Je t'apprendrai à me tenir tête, sale tigresse, pesta Griz en empoignant le corsage de sa robe vert sombre. Ça fait un peu trop longtemps que tu te pavanes en ville comme une reine. Mais je vais te montrer où est ta vraie place.

— Essaie, Griz, et tu auras affaire à moi... s'interposa Kane Callahan d'un ton menaçant.

Il avait d'abord été abasourdi en découvrant la beauté qui avait osé résister aux avances de Griz. Il s'attendait si peu à cela qu'il lui avait fallu quelques secondes pour réagir.

De toute évidence, Kane s'était lourdement trompé en imaginant la jeune femme sous les traits d'une sorcière. Bien que Célia portât des lunettes cerclées — que la gifle de Griz avait tordues — et une robe très pudique, sa séduction éclatait au premier regard. Qui croyait-elle abuser sous ce déguisement austère ? se demandait Kane. Aucun artifice n'aurait pu altérer sa beauté naturelle. N'importe quel homme possédant des yeux pour voir s'en serait aperçu. Et Kane ne faisait pas exception. Célia O'Roarke avait une silhouette de rêve. Sans parler de son visage angélique et de ses yeux d'un extraordinaire vert émeraude. Kane comprenait mieux maintenant pourquoi Jim lui courait après. Et pourquoi Griz voulait la posséder. Cette femme avait le don d'attirer les hommes, en dépit de tous ses efforts pour les décourager.

Le grognement menaçant de Griz tira Kane de sa rêverie. Sans lâcher sa victime, le bandit fixait de ses yeux injectés de sang l'homme qui osait le défier.

— Tire-toi, étranger, si tu tiens à la vie ! Au cas où tu ne serais pas encore au courant, personne ne se frotte à moi, ici.

— C'était avant que j'arrive en ville, corrigea Kane d'une voix dangereusement calme.

La réplique produisit l'effet escompté : Griz

oublia Célia pour se concentrer uniquement sur son adversaire.

— Je vais te faire avaler ta langue de fils de garce, ricana-t-il.

Folle de rage, Célia bondit sur ses pieds pour s'interposer entre les deux hommes.

Elle n'avait encore jamais rencontré l'inconnu aux cheveux de jais qui se prenait pour son sauveur, mais elle le jaugea au premier coup d'œil. Objectivement, il était plutôt beau et très viril. Mais ses habits indiquaient qu'il était l'un de ces joueurs professionnels qui venaient plumer les mineurs. Célia détestait ce genre d'individus. Le défi qu'il venait de lancer à Griz prouvait qu'il avait la gâchette facile. Sans doute avait-il l'intention de se faire une réputation à Denver en tuant Griz.

— Arrêtez ! Je refuse d'être la complice d'une fusillade ! fulmina-t-elle.

— Célia, éloignez-vous ! l'implora Jim en essayant une nouvelle fois de fausser compagnie aux deux gaillards qui le maintenaient fermement.

Kane n'accorda même pas un regard à la jeune femme. Il ne quittait pas des yeux son adversaire, cependant qu'une foule commençait à s'attrouper dans la rue.

— Ramasse le chapeau de la dame et excuse-toi, ordonna Kane d'une voix menaçante.

— Fais-le toi-même, répliqua Griz.

C'était l'impasse. Ni l'un ni l'autre n'était décidé à céder le moindre pouce de terrain.

— J'ai dit : ramasse-le... répéta Kane sur un ton glacial.

— Jamais de la vie, espèce de sale bâtard !

Maudissant les deux hommes, Célia se dirigea vers l'objet du délit. Elle le piétina rageusement puis se retourna vers eux :

— Je déteste ce chapeau ! cria-t-elle. Et je ne le remettrai plus jamais. Si vous voulez vous entre-tuer, trouvez donc un autre prétexte...

Griz en avait sans doute un en réserve, car il approcha la main de son arme avec un sourire sadique. Mais Kane fut plus rapide que lui. Vif comme l'éclair, il tira son colt et le pointa sur la poitrine de son adversaire. Griz n'avait même pas eu le temps de dégainer !

— Jim, pourquoi n'escorterais-tu pas ces gentlemen jusqu'à la prison, où ils pourraient cuver tranquillement leur whisky ? suggéra Kane en lançant un regard sévère aux deux acolytes de Griz.

Il savait qu'ils ne broncheraient pas. Ils dévisageaient tous deux Kane avec des yeux incrédules. Manifestement, ils n'en revenaient pas de voir leur chef réduit à l'impuissance.

Jim se libéra et, pointant son pistolet vers les deux hommes, leur fit prendre le chemin de la prison. Deux mineurs courageux sortirent de la foule pour porter assistance à Kane, mais ils hésitaient encore à s'approcher de Griz. Malgré l'arme qui le menaçait, le géant lançait des regards assassins à l'homme qui avait osé l'humilier en public.

— Tu me paieras ça, étranger, lâcha-t-il d'une voix haineuse.

— Tu ne vivras pas assez longtemps pour te venger si tu continues d'agresser les jeunes femmes dans la rue, répliqua Kane sans sourciller.

Griz coula un regard meurtrier à Célia.

— Tu n'as pas fini d'entendre parler de moi, saleté, dit-il méchamment.

Quand les deux mineurs se décidèrent enfin à s'emparer de Griz, il les écarta énergiquement.

— Ne me touchez pas ! aboya-t-il en leur emboîtant le pas, sans perdre de vue Kane et Célia à qui il adressa un dernier regard vengeur.

Kane avait suffisamment d'expérience pour savoir qu'il ne fallait jamais baisser son arme trop vite. Ce n'est qu'après que Griz fut entré dans le bureau du shérif qu'il se décida à rengainer son colt.

En deux enjambées il alla ramasser le chapeau de Célia. Il le secoua pour en ôter la poussière et essaya de lui redonner forme. Mais quand il le tendit à la jeune femme, celle-ci le laissa tomber et le piétina de plus belle.

Kane la regarda faire en fronçant les sourcils. Il avait cru bien faire en sauvant son chapeau, mais elle le fusillait du regard comme s'il avait commis un péché impardonnable.

— Je me serais contenté d'un simple remerciement, ironisa-t-il.

— Je ne vous ai pas demandé de venir à mon secours, répliqua-t-elle sur un ton de reproche. Et n'essayez pas de vous servir de moi pour asseoir votre réputation de tueur. J'étais en train de me tirer d'affaire toute seule quand vous êtes arrivé pour tout gâcher.

Kane ne put retenir un éclat de rire.

— Vous tirer d'affaire ? répéta-t-il, sarcastique. Alors que vous étiez à deux doigts d'être violée ?

Célia releva le menton en signe de défi.

— Si vous espérez que je vais vous couvrir d'éloges pour votre exploit, vous perdez votre temps. Ce sont des hommes comme vous ou Griz Vanhook qui ont donné à Denver sa mauvaise réputation. Je ne tiens pas à vous revoir, ni l'un ni l'autre.

Kane ne pouvait s'empêcher d'admirer Célia. Elle était têtue et effrontée, mais elle avait plus de cran qu'aucune autre femme. Avec ses traits si fins, sa silhouette parfaite et son courage étonnant, elle incarnait le rêve de tous les hommes... *Sauf le mien*, se corrigea aussitôt Kane. Après sa mésaventure avec Mélanie Brooks, il s'était juré de renoncer aux femmes pour au moins un siècle.

Quand Célia, après avoir secoué la poussière de sa robe, reprit fièrement son chemin, Kane lui emboîta le pas sans réfléchir. La jeune femme avait encore besoin de sa protection, songeait-il, qu'elle le voulût ou non. Mais il refusait d'admettre qu'il était tombé sous le charme de cette délicieuse friponne.

— Que faites-vous donc ? lui demanda Célia lorsqu'elle s'aperçut qu'il la suivait comme son ombre.

Ce qu'il faisait ? Il était tout simplement hypnotisé par le balancement gracieux de ses hanches. Et pour être plus précis, il essayait de se représenter cette parfaite déesse en costume d'Ève, pendant qu'il serait occupé à lui faire des choses... qui lui auraient sans doute valu une bonne gifle.

— Je veux juste m'assurer que vous rentrez chez vous sans encombre, se contenta-t-il de répondre.

Célia se retourna pour jauger l'inconnu qu'elle avait décidé de détester au premier coup d'œil. Certes, il était fort séduisant, mais ce n'était qu'un homme après tout. Et de surcroît, un joueur et un bagarreur ! C'était l'un de ces propres à rien qui passaient leur temps dans les saloons, à jouer, boire et chercher noise aux autres clients.

— Vous voulez vous assurer de ma sécurité ? répéta-t-elle avec désinvolture. N'est-ce pas comme si le loup se chargeait de garder l'agneau ?

Kane la regarda en souriant. Elle était incroyablement féminine, mais elle se comportait comme une vieille fille qui cherche à éviter les hommes par tous les moyens. En réalité, il aurait fallu être impotent pour ne pas succomber à ses provocations inconscientes.

— Non... répondit-il enfin. D'après ce que j'ai vu de vous, je dirais plutôt que c'est le loup se chargeant de garder la *louve*.

Si Kane avait espéré vexer Célia, il en fut pour ses frais. Elle prit sa pique pour un compliment. Ne s'efforçait-elle pas de prouver qu'elle était en tous points aussi compétente que n'importe quel homme ?

Elle sourit et ses beaux yeux verts brillèrent comme des émeraudes. Kane faillit s'étrangler. La petite friponne avait le plus beau sourire qu'il eût jamais vu. C'était comme si le soleil brillait sur ses lèvres. Bon sang, comment avait-il pu se tromper à ce point sur son compte ?

— Je préfère de loin être comparée à une louve plutôt qu'à un agneau, monsieur...

Elle s'arrêta, lui laissant le soin de compléter le blanc. Ce qu'il fit avec une voix si enjôleuse qu'elle aurait bouleversé le cœur de n'importe quelle femme. Mais Célia gardait le sien sous clé, et il n'était pas question de l'ouvrir. Elle s'était laissé prendre une fois, il n'y en aurait pas une deuxième.

— Callahan, Kane Callahan, précisa-t-il en inclinant respectueusement la tête.

Avant de venir à Denver, Kane avait songé à prendre un pseudonyme, puis il y avait renoncé. Il n'avait encore jamais employé son vrai nom dans aucune de ses missions, mais cette fois cela n'avait pas d'importance. Il ne connaissait personne dans la région et ne comptait pas y rester longtemps. Maintenant qu'il avait identifié Griz Vanhook comme le suspect numéro un, il allait lui tendre un piège. Dès que le bandit serait tombé dedans, Kane disparaîtrait, abandonnant à un autre le bénéfice de sa capture.

Célia fronça les sourcils. Où avait-elle déjà entendu ce nom ? Peut-être l'avait-elle lu sur un avis de recherche pendant qu'elle traversait le pays pour rejoindre Denver. La tête de ce Callahan était vraisemblablement mise à prix.

— Si vous me trouvez plus combative qu'un

timide agneau, monsieur Callahan, alors vous admettrez que je n'ai pas besoin de votre protection. Bonsoir, monsieur.

Et elle le planta là.

Malgré ce refus explicite, Kane recommença à la suivre. Avant qu'elle traversât le hall de son hôtel, il agrippa son bras.

— Avez-vous déjà soupé ? demanda-t-il tout à trac.

— Non, mais je...

— Moi non plus, coupa-t-il en l'entraînant vers le restaurant de l'hôtel.

Célia détestait être touchée par un homme, de quelque manière que ce fût. Elle dégagea brusquement son bras.

— Je préfère dîner seule.

— Mais moi je préfère la compagnie, insista Kane en réprimant un sourire.

Il n'avait encore jamais rencontré de femme aussi obstinée et batailleuse. Il se flattait d'avoir toujours conquis l'attention du beau sexe, à chaque fois qu'il l'avait désiré. Et si Mélanie avait fini par se fatiguer de ses fréquentes absences, elle avait longtemps espéré l'épouser. Mais ce lutin aux yeux verts se comportait avec lui comme s'il avait contracté la lèpre !

Lorsqu'ils furent arrivés devant la salle à manger, la jeune femme se planta sur le seuil et refusa de faire un pas de plus. Kane se pencha à son oreille.

— Vous n'avez rien à redouter de moi. Il est assez peu probable que j'entreprenne quoi que ce soit d'inélégant dans un restaurant plein de monde. J'ai l'intention de me conduire comme un gentleman, ma chérie, murmura-t-il avec un sourire désarmant.

— J'imagine que passer pour un gentleman est au-dessus de vos forces, compte tenu de votre vraie nature, ironisa Célia. Et je ne suis pas *votre chérie*.

— Aimeriez-vous le devenir ?

Il adorait la provoquer.

— Certainement pas ! se récria Célia en lui décochant un regard glacial.

Mais à son grand désarroi, elle constata qu'il ne réagissait pas. Rien de ce qu'elle pouvait faire ou dire ne semblait l'impressionner. Au contraire, il continuait de lui sourire.

— Dois-je comprendre que vous me laisserez toute liberté pour abuser de vous, tant que je ne vous appellerai pas *ma chérie* ?

Les yeux de Célia lancèrent des éclairs.

— Désolée, je suis fatiguée...

Mais Kane l'entraîna à travers le restaurant jusqu'à une table vide.

— J'ai pensé que nous pourrions peut-être nous rendre service l'un à l'autre, Célia...

— Miss O'Roarke, le corrigea la jeune femme.

— Célia... reprit-il en ignorant délibérément sa remarque. Si on me voit en votre compagnie, les gens penseront que je possède un minimum de savoir-vivre. Et d'autre part, ils concluront que vous n'êtes peut-être pas aussi mégère qu'ils l'imaginent.

Totalement prise au dépourvu par cette attaque, Célia resta muette de stupeur. Elle laissa Kane lui tendre une chaise, et quand il fut assis à son tour en face d'elle, elle le dévisagea avec curiosité.

— Les gens croient-ils que je suis une mégère simplement parce que j'ai repris la direction de l'agence et que je veux la faire marcher ? demanda-t-elle, incrédule.

Kane avait le don de repérer les faiblesses des gens et de s'en servir pour les déstabiliser. Dans son métier, c'était un atout considérable. Célia O'Roarke était têtue comme une mule et avait érigé autour d'elle un mur pour décourager tous les hommes. La seule façon de l'approcher était de la prendre à revers. Avec elle, aucune des techniques habituelles pour aborder une femme ne marcherait jamais.

— J'ai l'impression que vous n'avez pas beaucoup de tolérance envers les gens qui ne pensent pas comme vous ou qui ne font pas ce que vous attendez d'eux, commenta Kane. Selon moi, un tel comportement chez une femme provient soit d'une aigreur d'estomac, soit d'un échec amoureux.

Kane, voyant Célia se renfermer en elle-même comme un escargot dans sa coquille, comprit qu'il avait été un peu trop loin.

— Ma santé et ma vie sentimentale ne vous regardent pas ! siffla-t-elle.

Kane se maudit d'être allé trop vite. Il commençait tout juste à faire des progrès avec Célia et voilà que de toute évidence il avait touché un point particulièrement sensible. Cela ne faisait qu'aiguiser sa curiosité, mais il jugea que pour l'instant il valait mieux ne pas poursuivre dans cette voie.

L'arrivée de la serveuse obligea Célia à reprendre contenance. Elle enrageait de l'audace de ce parasite qui se permettait de lui donner des leçons ! A elle, qui rendait service par son travail à toute la communauté.

— Qu'avez-vous envie de manger ? demanda Kane, la tirant de ses pensées.

— Votre cœur. Cuit à point, répliqua-t-elle en lui décochant un regard méprisant.

La serveuse tressaillit et Kane lui adressa son plus charmant sourire.

— Elle plaisante, bien sûr.

— Non, je ne crois pas, le contredit la serveuse. Miss O'Roarke a déjà largement prouvé qu'elle ne supportait pas les hommes.

Une fois leur repas commandé, Kane se cala confortablement sur sa chaise et regarda Célia avec un sourire amusé.

— Vous voyez : vous avez la réputation d'éconduire tous les hommes sans motif apparent. A mon avis, ce n'est pas bon pour le commerce.

Célia grinça des dents. Ce type la faisait enrager au-delà du possible !

— Je dirige une agence de transports, pas une maison close, monsieur Callahan, précisa-t-elle d'un ton sarcastique.

— Encore heureux ! Sinon vous auriez fait faillite depuis longtemps !

— Rien ne m'oblige à rester assise ici pour écouter vos insultes, s'insurgea Célia, indignée.

— Préféreriez-vous être debout, alors ? la provoqua Kane.

— Ce que je préférerais, c'est vous voir disparaître dans un nuage de fumée. J'aurais enfin la paix !

— Et moi, j'aimerais que vous vous acceptiez enfin pour ce que vous êtes, au lieu de vous cacher derrière ces lunettes et cette robe bien trop démodée pour vous. Ce déguisement n'arrive pourtant pas à cacher votre beauté. Vous êtes une femme très séduisante, malgré votre tempérament insupportable. La plupart des femmes seraient prêtes à tout pour avoir un visage aussi ravissant que le vôtre.

— Je ne suis pas *la plupart des femmes !* se récria Célia, furieuse.

— Cela, je vous l'accorde bien volontiers, admit Kane en souriant.

Ils furent interrompus par le retour de la serveuse qui leur donna à chacun une assiette fumante. Stupéfait, Kane vit Célia tourner son assiette et changer la disposition de la nourriture afin que l'ensemble ressemblât à un cadran d'horloge. La viande était à midi, les pommes de terre à trois heures, la salade à six et le pain à neuf. Le plus étonnant encore, c'est que Célia commença de manger avec une même précision horlogère, aliment par aliment. Kane n'arrivait pas à croire à un tel sens de l'ordre ! L'envie le démangeait d'attraper l'assiette de la jeune femme et de la secouer pour tout mélanger.

— Je n'ai jamais rien vu d'aussi ridicule ! laissa-t-il échapper à haute voix.

— De quoi parlez-vous ? demanda Célia en levant les yeux.

Elle ne se rendait même pas compte de son acharnement à tout régenter dans sa vie, y compris le contenu de son assiette.

— De ça ! répondit Kane en brandissant sa fourchette pour désigner les aliments. Qu'arriverait-il si le cuisinier plaçait accidentellement vos légumes à la place réservée à la viande ?

— Je bougerais simplement...

Elle s'arrêta et se sentit rougir. Mais sa confusion céda vite la place à la colère :

— N'y a-t-il donc rien que je fasse qui n'attire vos critiques, monsieur Callahan ?

Leurs yeux se croisèrent un bref instant et Kane eut l'impression que quelque chose de surnaturel venait de se produire. Quelque chose que son esprit rationnel ne parvenait pas à s'expliquer. C'était comme une sensation de...

Il chassa les étranges pensées qui l'assaillaient et se concentra sur le visage si charmant de Célia.

— Je crois que je me suis en effet montré un peu trop critique, s'excusa-t-il. En réalité, j'admire beaucoup votre esprit.

Ce compliment inattendu amena une ombre de sourire sur les lèvres de la jeune femme.

— Vraiment ? Même si je vous disais que mon esprit est aussi organisé que mon assiette ?

Kane avait du mal à l'admettre, mais il était littéralement fasciné par cette femme. Célia avait une personnalité complexe, volontaire, indépendante... et en même temps capricieuse, qui l'intriguait beaucoup. Il se sentait un peu honteux de l'avoir tourmentée sans répit. C'était sans doute une déformation professionnelle. Il avait depuis si longtemps l'habitude de juger les gens, qu'il avait d'emblée condamné Célia, simplement parce qu'elle voulait mener sa propre barque dans ce monde d'hommes. Il n'y avait là rien de répréhensible. Après tout, lui-même n'avait jamais voulu se conduire comme tout le monde.

Mû par une impulsion, il tendit la main pour effleurer son ravissant minois.

— Pardonnez-moi, Célia, murmura-t-il. J'ai encore besoin de faire des progrès avant de devenir un vrai gentleman. J'ai eu tort de vous taquiner. La vérité, c'est que j'apprécie votre courage. Beaucoup de femmes voudraient être comme vous, vous savez...

La tendresse de sa caresse et le son rauque de sa voix déconcertèrent Célia. Cet homme était incroyablement sensuel. Elle ne se serait jamais attendue à tant de gentillesse de sa part. Et le contact de sa main, aussi doux que le murmure du vent, la fit frissonner involontairement.

Ce qu'Owen Graves n'avait pas réussi à faire en plusieurs semaines de cour assidue, cet inconnu aux cheveux de jais semblait pouvoir y parvenir très facilement. Mais Célia ne se laissait plus séduire par un simple sourire enjôleur ou une tendre caresse. Plus depuis que Michael...

L'évocation de ce douloureux souvenir l'extirpa de sa torpeur.

— Pourrions-nous finir de manger, monsieur Callahan ? demanda-t-elle, dépitée de constater que sa voix tremblait un peu.

Ils mangèrent en silence, mais au fur et à mesure que les minutes passaient, Célia ne pouvait s'empêcher de glisser de discrets coups d'œil à son vis-à-vis. Cet homme la troublait. Pour la première fois depuis des années, elle avait l'impression de manquer d'assurance. Callahan... elle était sûre d'avoir déjà entendu ce nom. Mais où ? Elle avait beau chercher, elle ne trouvait pas. Le plus embêtant de toute façon, ce n'était pas son nom, mais sa présence en face d'elle et la fascination grandissante qu'elle éprouvait pour ce joueur à la gâchette facile. Depuis son expérience humiliante avec Michael Dupris, Célia avait réussi à mettre ses sentiments de côté. Même son père n'avait jamais su le chagrin d'amour qu'elle avait vécu à Philadelphie. Elle avait refermé son cœur sur cette blessure et s'était juré de ne plus laisser aucun homme s'approcher assez d'elle pour l'humilier une seconde fois. Auparavant, elle était trop naïve et innocente pour déjouer les fourberies masculines, mais aujourd'hui elle était vaccinée !

Et voilà qu'un homme faisait de nouveau irruption dans sa vie. Qui plus est, un bon à rien, un débauché, un tueur ou Dieu sait quoi... Bien sûr, elle n'avait aucune confiance dans ses intentions. Cependant elle se sentait physiquement attirée par lui. Non seulement il avait de superbes cheveux noirs et des yeux d'un bleu intense, mais il était incroyablement grand et bien bâti. Une montagne de muscles parfaitement sculptée...

En fait, cet homme était un paradoxe, songea Célia. Il semblait avoir reçu une bonne éducation, pourtant il fréquentait la lie de la société. Et pourquoi recherchait-il sa compagnie, alors qu'elle lui avait fait clairement comprendre qu'il ne devait rien espérer d'elle ?

— Quelque chose vous trouble, Célia ?

Kane pouvait lire sur son visage les sentiments contradictoires qui agitaient la jeune femme.

— Oui, vous, reconnut-elle. Je n'arrive pas à vous comprendre.

Kane se leva de table avec beaucoup de prestance et jeta quelques pièces d'or à côté de son assiette, avant de venir galamment reculer la chaise de Célia avec un nouveau sourire dévastateur.

— Il n'y a rien à comprendre, chérie, dit-il en lui prenant le bras. Je m'inquiète simplement de votre sécurité dans cette ville pleine de racaille.

— Vous ne sauriez mieux dire, riposta Célia qui avait retrouvé tout son à-propos.

D'un geste vif elle libéra son bras, puis quitta le restaurant à grands pas. Kane ne put s'empêcher de soupirer en suivant ce satané garçon manqué à travers le hall de l'hôtel et jusque dans l'escalier qui menait à sa chambre.

— Si je pouvais vous donner quelques conseils...

— C'est inutile, rétorqua Célia sans même lui accorder un regard.

Arrivé sur le palier, il saisit son bras pour l'obliger à se retourner. Leurs visages se trouvèrent si proches que Kane dut lutter contre la tentation soudaine de l'embrasser.

— Une jeune fille de bonne famille n'a rien à faire dans une ville comme celle-ci, dit-il en refrénant son désir de l'enlacer.

Célia se hérissa.

— A votre avis, où donc est ma place, monsieur Callahan ?

— Kane, la corrigea-t-il.

Célia ignora sa requête.

— Je suppose que comme la plupart des hommes, monsieur Callahan, vous estimez que la place d'une femme est à la maison, à attendre bien sagement son seigneur et maître ?

Kane ne put retenir un éclat de rire.

— Indépendante comme vous l'êtes, j'ai bien peur que vous ne trouviez aucun plaisir à vivre dans l'ombre d'un homme, reconnut-il. Mais il n'en demeure pas moins que Denver n'est pas une ville pour vous.

De quoi se mêlait-il ? Qui croyait-il être pour lui dire ainsi ce qu'elle devait faire ?

— Je vous serais reconnaissante de vous mêler de vos propres affaires et de me laisser tranquille avec les miennes, répliqua-t-elle vertement, libérant son bras et lui tournant le dos pour rejoindre sa chambre.

Il laissa échapper un soupir d'exaspération. Patrick avait raison, sa fille était vraiment impossible ! Mais Kane était aussi fermement décidé à-

remplir sa mission que Célia était résolue à remettre l'agence sur pied. Contrairement à ce qu'elle semblait penser, elle n'aurait pas le dernier mot !

Plus déterminé que jamais, il repartit à sa poursuite. Elle ne lui échapperait pas aussi facilement ! Célia O'Roarke était le genre de femme qui provoquait un homme juste pour savoir jusqu'où elle *pouvait* aller. Eh bien, elle ne tarderait pas à s'apercevoir qu'elle était déjà allée trop loin avec Kane Callahan !

4

— Soyez un peu sérieuse, grommela Kane quand il eut rattrapé le diablotin en satin vert. Vous n'êtes pas capable de vous défendre toute seule contre des hommes de la trempe de Griz Vanhook, vous avez besoin de quelqu'un pour vous aider.

Célia fouilla nerveusement dans son réticule à la recherche de sa clé.

— Êtes-vous en train de m'offrir vos services comme garde du corps ? demanda-t-elle d'un ton désagréable. Si c'est le cas, vous perdez votre temps, monsieur Callahan.

— Kane, la corrigea-t-il encore.

Il s'était approché pour lui murmurer son prénom et Célia se dépêcha d'appuyer son épaule contre la porte pour échapper à cette proximité troublante. A cause des fortes pluies de ces derniers jours, l'air était très humide et le panneau de bois avait gonflé, si bien qu'il fallait s'arc-bouter pour pousser le battant. Dès qu'elle fut à l'intérieur, la jeune femme voulut claquer la porte sur son poursuivant mais il fut plus rapide qu'elle et se glissa dans la pièce avec l'agilité d'un serpent.

Se retrouver dans sa chambre avec un homme était bien la dernière chose que souhaitait Célia. Et surtout pas avec celui-là ! Il la dépassait d'une bonne tête et avait prouvé qu'il pouvait mettre en fuite le pire des bandits. S'il le voulait, il ne ferait qu'une bouchée d'elle ! Sapristi, pourquoi ne la laissait-il pas tranquille ?

— Alors c'est ça, hein ? lança-t-elle quand elle crut enfin avoir deviné ses mobiles.

— Quoi donc ? interrogea Kane qui se demandait bien de quoi elle voulait parler.

Apparemment, il était impossible d'avoir avec Célia une conversation suivie. Elle changeait de sujet sans crier gare.

Elle lui jeta un regard accusateur.

— J'ai entendu parler des gredins dans votre genre qui s'installent dans les villes de l'Ouest où la loi a encore du mal à régner. Ils démontrent leur habileté au tir, et ensuite ils proposent aux commerçants de les protéger contre les bandits. Vous êtes l'un d'eux, bien sûr. D'abord, vous me faites comprendre que je suis incapable d'assurer ma propre sécurité et que je ferais mieux de partir. Comme je ne veux pas, vous vous offrez pour me protéger. Si je refuse vos services — qui doivent se payer très cher, je suppose — ce sera à mes risques et périls.

Célia prit une profonde inspiration avant de continuer sa diatribe :

— Je suis prête à parier que vous êtes de mèche avec Griz Vanhook. Et ça ne m'étonnerait pas que vous ayez mis en scène l'incident de tout à l'heure juste pour m'effrayer !

Kane n'en croyait pas ses oreilles. Ce joli dragon faisait preuve d'une imagination délirante. Il n'avait encore jamais rencontré quelqu'un d'aussi suspicieux. « Attends-toi toujours au pire ! », telle était la devise de Célia O'Roarke.

— Êtes-vous cynique et méfiante tous les jours de la semaine, ou seulement le mercredi ? se moqua-t-il.

— Seulement le mercredi, répliqua-t-elle du tac au tac. Le jeudi, je suis aussi sarcastique que vous. Si ce n'est plus !

Kane se retourna pour fermer la porte en laissant échapper un juron. Cette gamine était encore plus insupportable que ne l'avait dit son père.

— Écoutez, chérie, vous...

— Ne m'appelez pas chérie ! protesta Célia en se précipitant pour rouvrir la porte.

S'il voulait rester ici, alors c'est elle qui partirait. La pièce était trop petite pour eux deux et se retrouver enfermée avec lui était une perspective effroyable.

La bataille fit rage. Célia était aussi résolue à vouloir sortir que Kane à la garder avec lui. Quand elle tirait, il poussait. Quand elle le martelait de ses poings, il esquivait tous ses coups. Mais lorsqu'elle essaya de lui donner un coup de pied dans les tibias, il l'attrapa et la plaqua sans ménagement contre le battant de la porte.

Célia poussa un petit cri au moment où sa tête

heurta le bois. Et ses lèvres laissèrent échapper un gémissement lorsque Kane se colla à elle pour l'empêcher de bouger. Elle comprit qu'il était inutile de chercher à lui résister. Cet homme était un extraordinaire spécimen de force virile... et elle se trouvait en bien mauvaise posture !

Kane n'avait pas prémédité de la tenir ainsi contre lui, mais cette furie l'y avait forcé. Maintenant qu'ils étaient dans une position où chacun pouvait sentir battre le cœur de l'autre, sa colère retombait. Il n'était plus conscient que d'une seule chose : ces courbes éminemment désirables moulées contre son corps.

Il baissa les yeux pour contempler les lèvres de Célia. La jeune femme avait la bouche la plus délicieusement sensuelle qu'on pût imaginer. La tentation était grande de s'en emparer...

Quand elle vit briller dans ses yeux des reflets inquiétants tandis qu'il regardait sa bouche, Célia paniqua.

— Vous n'oserez pas m'embrasser, goujat ! siffla-t-elle en tentant de se dégager. Je crierai si fort que j'ameuterai tout l'hôtel.

— A quel moment crierez-vous ? demanda-t-il en rapprochant encore sa tête de la sienne, jusqu'à lui cacher la lumière. Avant, pendant ou après mon baiser... ?

— Avant, pendant *et* après ! répondit-elle d'une voix qu'elle aurait souhaitée plus assurée.

Célia aimait toujours avoir le dernier mot. Aussi n'avait-elle pu retenir cette repartie, au lieu de crier tout de suite. Maintenant il était trop tard. Quand les lèvres sensuelles de Kane se posèrent sur les siennes avec une douceur inattendue, la jeune femme se sentit happée dans un tourbillon de sensations dont elle n'avait encore jamais fait l'expérience, malgré ses vingt et un ans. La caresse ensorcelante de sa langue lui coupait le souffle. Elle se sentait fondre comme un glaçon soudain précipité dans un brasier ardent.

Célia avait cru qu'elle serait aussi dégoûtée par ce baiser que lorsque Griz avait voulu poser sa bouche empestant l'alcool sur la sienne. Mais pas du tout ! Kane faisait preuve d'un art de la séduction beaucoup plus subtil et efficace que la méthode brutale de Griz. Et donc plus difficile à combattre !

D'ordinaire, Kane se flattait de toujours savoir comment allaient évoluer les rencontres qu'il faisait. Mais cette fois-ci, il était le premier étonné de la tournure que prenaient les événements. Il avait eu l'intention de traiter Célia comme sa petite sœur et de la convaincre de quitter la ville avant que sa vie ou sa vertu ne soient en danger. Mais avec ce baiser qui mettait le feu dans ses veines, c'était *lui* qui, brutalement, devenait un danger pour elle ! Lui, l'homme à qui son père avait offert dix mille dollars pour la protéger !

Dieu du ciel ! Pourquoi agissait-il ainsi ? Et d'où lui venait cette idée encore plus audacieuse de l'allonger sur le lit pour apaiser le désir qui le rongeait ? N'avait-il pas juré de renoncer aux femmes ? Et pourquoi désirait-il précisément celle-là, qui faisait tout pour décourager les hommes ?... Était-il devenu fou ? C'était probable. Mais Kane voulait bien être pendu si Célia n'aimait pas ce qu'il lui faisait subir. Il sentait son corps répondre à son baiser avec une sensualité qui ne faisait qu'attiser son propre désir.

Furieux de se laisser ainsi dominer par ses instincts, Kane se recula brutalement et Célia, qui n'était plus retenue par ses bras musclés, se sentit vaciller sur ses jambes. Ce baiser fiévreux lui avait littéralement coupé le souffle.

— Malgré tout ce que vous devez penser, je n'avais pas l'intention de faire cela, déclara-t-il d'une voix qui trahissait son émotion.

Reprenant lentement sa respiration, Célia s'appuya contre la porte et observa le beau profil de ce débauché qui avait balayé ses défenses en un clin d'œil. Un frisson la parcourut quand elle réalisa ce qui s'était passé, et surtout ce qui *aurait pu* se passer. Kane n'aurait eu aucun mal à abuser d'elle s'il avait exigé plus qu'un simple baiser.

— Vous ne vouliez pas le faire ? murmura-t-elle d'une petite voix.

Elle avait mis tellement de temps à lui répondre que Kane, lui-même troublé par ce qui venait d'arriver, ne se souvenait plus de ce qu'il avait dit !

— Faire quoi ? coassa-t-il, furieux de constater que le désir qui paralysait tout son corps lui avait également noué les cordes vocales.

— Vous n'aviez pas l'intention de m'embrasser ? insista-t-elle. Et pourquoi non ? Je croyais que c'était précisément cela que tous les hommes attendaient d'une femme — lui voler un baiser et la culbuter dans un lit, pour lui prouver leur supériorité.

Comme à chaque fois qu'il était contrarié, Kane se mit à faire les cent pas, les mains croisées dans le dos. Il avait besoin de marcher pour se reprendre.

Célia l'observa aller et venir avec un amusement grandissant. Quand elle avait besoin de réfléchir, ou se calmer, elle s'asseyait tranquillement et regardait dans le vide. Lui, il marchait d'un mur à l'autre sans s'arrêter. Elle se reconnaissait bien quelques petits défauts — il ne s'était pas privé de les énumérer — mais Kane n'était pas parfait non plus. Elle était sans doute organisée jusqu'à l'excès, mais lui cherchait trop à analyser les choses. Elle s'en était aperçue au cours du dîner. Et si *elle* était indépendante, *lui* était autoritaire et dominateur. Il était de ces gens qui aiment commander à tout le monde, qu'on ait envie ou non de les suivre. Et Célia pour sa part n'en avait aucune envie !

Quand il s'aperçut qu'elle le dévisageait avec un sourire amusé, Kane s'arrêta brusquement. Poussant un soupir agacé, il passa une main dans ses épaisses boucles noires.

— Si vous savez ce qui est bon pour vous, vous déguerpirez de cette ville le plus tôt possible. Et si vous ne le savez pas, alors c'est moi qui vais vous l'apprendre.

Il s'interrompit un instant. Bon sang, son cœur cognait encore dans sa poitrine, plusieurs minutes après leur baiser passionné !

— Votre place n'est pas ici, reprit-il. Les femmes vertueuses ont toutes un mari ou un fiancé pour les protéger. Et les autres vivent dans des maisons de passe. Votre indépendance est votre plus grande faiblesse. Ce qui est arrivé tout à l'heure avec Griz peut se reproduire à n'importe quel moment. Griz voudra se venger, et il peut se montrer très violent, vous le savez bien. Si vous restez, je ne donne pas cher de votre peau... sans parler du reste.

Célia tira un grand coup sur la porte pour l'ouvrir, puis montra à Kane la direction de la sortie.

— Merci de votre sollicitude, dit-elle sur un ton de pure politesse. Bonne nuit, monsieur Callahan.

— Kane, bon sang ! explosa-t-il.

— Bonne nuit, Kane-bon-sang ! lança-t-elle avec un sourire moqueur.

Ce qui se passa ensuite, Kane aurait bien été en peine de l'expliquer. Sans réfléchir, il attrapa Célia et la pressa dans ses bras, tandis que ses lèvres s'emparaient de celles de la jeune femme pour un baiser impérieux, possessif, beaucoup plus sauvage que le précédent. Et il n'en était pas le seul responsable. Il devinait que le corps de Célia la trahissait de plus belle, l'obligeant à répondre à son baiser avec une ardeur égale. Lui-même ne se maîtrisait plus. Comme si elles étaient soudain dotées d'une vie propre, ses mains caressaient les courbes de la jeune femme, s'insinuaient sous sa robe...

Célia poussa un petit gémissement. Elle se sentait incapable de résister à cette sensualité dévastatrice qui la grisait comme un parfum ensorcelant. Son corps était parcouru de mille petits picotements, elle voguait sur un nuage de plaisir... et elle se surprenait à lui rendre son baiser, alors que c'était bien la dernière chose au monde qu'elle aurait souhaitée. Mais elle ne pouvait pas davantage endiguer le désir qui la submergeait qu'elle n'aurait pu voler jusqu'à la lune.

Pendant quelques minutes, Kane abandonna lui aussi tout espoir de se contrôler. Sa volonté lui échappait au point qu'il se demandait s'il en avait jamais fait preuve en trente-deux ans d'existence. Il était devenu le prisonnier d'instincts primitifs qui réclamaient leur assouvissement.

Finalement, cependant, la raison l'emporta et Kane trouva la force de renoncer à l'exquise tentation.

— Je n'avais pas non plus prémédité cela, murmura-t-il, sidéré d'avoir perdu deux fois le contrôle de lui-même en si peu de temps. Vraiment, je n'arrive pas à comprendre pourquoi je l'ai fait.

Célia se sentit vexée par sa remarque.

— Moi non plus, je n'arrive pas à comprendre, siffla-t-elle. Je ne vous y avais pas invité !

— Mais vous n'avez pas fait grand-chose pour m'en empêcher.

Célia réagit instinctivement. Elle le gifla si fort que la marque de ses doigts resta imprimée sur sa joue bronzée.

— Sortez d'ici et ne revenez jamais ! cria-t-elle.

— Je me demande bien pourquoi j'aurais envie

de revenir, ironisa Kane en passant à côté d'elle. Vous êtes une femme impossible.

— Et vous, l'homme le plus exaspérant de la terre ! répliqua-t-elle en claquant la porte derrière lui.

Dans le couloir, Kane se retourna pour lancer un coup d'œil à la porte.

« Inutile de vouloir la persuader avec des arguments logiques », songea-t-il. Patrick avait raison : la détermination de sa fille à rester dans le Colorado paraissait inébranlable. Elle avait décidé de prendre racine ici, comme un sapin des montagnes, et ses aiguilles piquaient comme des épines. D'autre part, Kane ne parviendrait pas à lui faire entendre raison tant que son propre désir prendrait le pas sur ses actes. Il s'était laissé aller à l'embrasser, l'imbécile. Non pas une, mais deux fois par-dessus le marché ! Il n'arriverait à rien s'il se montrait incapable de résister aux appas de ce ravissant petit lutin.

Kane tourna le dos à la porte et prit une profonde inspiration. Bon sang, il n'avait pas acquis sa réputation en pliant bagage à la première difficulté qui se présentait ! D'une manière ou d'une autre, il trouverait le moyen de convaincre miss Tête-de-mule O'Roarke de rentrer à Saint Louis. Mais ce ne serait pas de tout repos et Kane devinait qu'avant de réussir, il aurait le temps de gagner penny après penny la somme rondelette promise par Patrick.

Il fallait s'y prendre autrement. Et surtout ne plus permettre à son corps de gouverner ses actes.

Kane s'éloigna en ruminant cette noble détermination. Il pourrait peut-être boire un verre... ou deux... pour faire passer le goût de ces baisers qui laissaient sur ses lèvres une soif inassouvie. Après quelques rasades de whisky, il oublierait les courbes ensorcelantes de Célia, la façon dont il les avait caressées...

« La barbe ! Calme-toi ! » se gronda-t-il en descendant l'escalier. Il était venu à Denver pour un travail très précis, et il n'allait pas se laisser attendrir par la délicieuse friponne qui faisait partie de sa mission. Non, il n'allait pas se laisser attendrir...

5

Quand le bruit des pas de Kane se fut éloigné, Célia soupira de soulagement. Elle aurait préféré mourir plutôt que de l'avouer, mais ses lèvres étaient encore brûlantes des baisers sensuels de ce débauché. Il était joueur et batailleur, mais de toute évidence il employait aussi son temps à autre chose qu'au maniement des cartes ou des armes à feu. Dieu du ciel, lorsqu'il embrassait une femme, ce n'était pas à moitié ! Quelle leçon !

Bien sûr, Célia ne cherchait pas le moins du monde à apprendre quoi que ce fût sur ce sujet. Depuis longtemps elle était arrivée à la conclusion que l'amour était une notion très largement surestimée. Sa romance avec Michael Dupris le lui avait enseigné ; elle avait innocemment offert son cœur à un vaurien qui ne s'intéressait en réalité qu'à sa fortune. Du jour où elle avait surpris Michael avec une autre femme, dans une attitude qui ne laissait aucun doute sur la nature de leurs relations, elle n'avait plus éprouvé pour lui — et pour tous les hommes — qu'un insondable mépris.

Et voilà qu'une autre fripouille avait soudain réveillé ses sens endormis !

Célia se reprocha sévèrement de s'être laissé à ce point subjuguer par les caresses de Kane Callahan. Elle n'aurait dû éprouver que de la répulsion, et pourtant le goût de ses baisers flottait encore délicieusement sur ses lèvres. Et le parfum de sa subtile eau de Cologne avait durablement imprégné ses vêtements, ses cheveux, jusqu'à sa chair, même. A chaque inspiration, Célia croyait encore le sentir près d'elle. Il fallait faire quelque chose, et vite !

Elle ouvrit sa porte et appela une femme de chambre afin qu'on lui préparât un bain. Moins d'un quart d'heure plus tard, Célia s'immergeait dans l'eau chaude pour se débarrasser définitivement de l'odeur de cet homme méprisable, grossier, bestial.

Si Kane Callahan osait encore s'approcher d'elle, elle serait capable de traverser les murs pour lui échapper. Il n'était pas question qu'elle se laissât séduire par un homme. Ni lui, ni aucun autre ! Elle était venue à Denver dans un but bien précis : montrer à son père et au reste du monde qu'elle pouvait parfaitement gérer l'entreprise familiale. Elle entendait être la seule maîtresse de ses actes et n'avait aucune intention de se tenir dans l'ombre d'un homme...

Elle se rappela soudain avec quelle rapidité Kane l'avait jugée. Cet individu était redoutablement perspicace. Raison de plus pour l'éviter, conclut Célia. C'était à peine croyable, mais il semblait deviner ce qu'elle ressentait. Or elle avait éprouvé...

Célia avala difficilement sa salive. Dieu lui pardonne, mais elle avait éprouvé pour ce ruffian aux yeux bleus une attirance manifeste.

« Tu t'es conduite comme une folle, Célia O'Roarke ! se morigéna-t-elle avant de plonger sa tête dans l'eau du bain. Ne recommence jamais ça. Une fois de plus, tu as eu la preuve que tu te laissais berner trop facilement par les hommes. Moins tu auras de rapports avec eux, mieux cela sera ! »

Bien résolue à s'en tenir à cette philosophie, Célia sortit du bain, se sécha et alla se mettre au lit. Demain, un travail considérable l'attendait à l'agence. Elle n'allait pas perdre son temps en pensant une seconde de plus à ce Kane Callahan. Leur rencontre avait été déplaisante, mais ne se reproduirait plus, heureusement. Elle était débarrassée de lui, et lui d'elle !

Puisque Gédéon était trop loin pour lui servir ce dont il avait le plus besoin en ce moment, Kane acheta lui-même une bouteille de whisky qu'il monta boire dans sa chambre, louée au-dessus du Critérion. Même après plusieurs rasades d'alcool, le souvenir de Célia O'Roarke continuait de hanter son esprit.

Kane n'arrivait pas à comprendre pourquoi elle avait éveillé à ce point son désir. De toute évidence, Célia exécrait les hommes. De plus elle avait une façon bizarre de manger, elle était méfiante, suspicieuse et indépendante. Sans oublier son insolence ! Autant d'excentricités avaient de quoi faire fuir n'importe qui.

L'intérêt de Kane était donc d'éviter à l'avenir tout contact avec la jeune femme. Mais elle représentait une partie, et non la moindre, de sa mission. Il était prêt à parier toute sa fortune que Célia n'avait encore jamais couché avec un homme. Il l'avait senti dans son baiser, passionné et maladroit en même temps. Or, Kane n'avait aucun goût particulier pour les vierges. Et cependant, le manque d'expérience de Célia excitait son imagination. Apprivoiser cette friponne représentait un défi tentant...

Mais bien sûr, lui-même ne nourrissait pas réellement le projet de la séduire. Ce n'était qu'une simple hypothèse, une vue de l'esprit... et une belle perte de temps !

Kane soupira longuement et se servit un nouveau verre de whisky. Il aurait voulu que Noah et Gédéon soient à ses côtés pour le distraire. Il trouvait désagréable d'être seul alors que l'image de Célia O'Roarke continuait de danser devant ses yeux.

Il se leva de sa chaise et commença à arpenter la petite chambre. Bon sang, comment allait-il s'y prendre pour convaincre Célia de quitter la ville avant qu'elle n'en sortît les pieds devant ? Elle avait provoqué Griz Vanhook et il ne le lui pardonnerait pas. Il était déjà sûrement en train de méditer sa vengeance...

Kane étouffa un juron. La seule pensée de cette brute s'en prenant à Célia le faisait enrager. Si seulement il avait la preuve que Griz était impliqué dans les attaques de diligences, tout serait plus simple : le voyou ne tarderait pas à croupir définitivement derrière les barreaux. Mais jusqu'ici Griz avait toujours présenté des alibis solides et trouvé des témoins prêts à jurer qu'ils étaient avec lui au moment de l'attaque.

Kane but une gorgée et reprit ses déambulations. A quelle tactique devait-il recourir pour faire partir Célia ? La force ne réussirait pas. La persuasion amicale non plus : il avait déjà essayé, sans aucun succès.

Soudain, Kane eut une inspiration, et un sourire flotta sur ses lèvres. Et s'il fallait tout simplement employer une autre méthode de persuasion ? En courtisant Célia, il avait peut-être de bonnes chances de l'obliger à quitter la ville pour le suivre. Kane ne s'était jamais considéré comme un don Juan, mais il savait que son charme agissait sur le beau sexe. S'il flirtait avec Célia et si elle tombait amoureuse de lui...

Non, ça ne marcherait pas... Et il serait ensuite obligé de lui faire du mal pour la chasser de Denver. Le procédé lui répugnait. Cependant, y avait-il une autre solution ? Il n'en voyait aucune...

— Maudit Patrick ! jura Kane à haute voix. Vous m'avez confié une mission impossible !

C'est alors qu'il se rappela le sourire de Patrick quand celui-ci avait quitté son bureau, trois semaines plus tôt. Kane venait juste de lui déclarer qu'aucune femme n'était impossible à manier. Avec un sourire, l'Irlandais lui avait répondu : « Attendez de faire connaissance avec ma fille... »

A présent, Kane avait fait la connaissance de Célia O'Roarke et c'était comme s'il s'était précipité tête baissée contre un mur.

Furieux, il se resservit un verre et recommença à faire les cent pas jusqu'à l'épuisement. Mais cette fatigue-là ne résolvait en rien son problème. Célia hantait toujours son esprit !

— Miss O'Roarke, le cha-chargement d'or vient d'a-d'arriver, l'informa Lester Alridge. Pui-puisque vous voulez une double vé-vérification, je vais aider O-Owen à peser les pé-pépites.

Célia marqua avec son doigt la page du registre qu'elle consultait et leva les yeux vers le comptable. Lester Alridge, qui travaillait à l'agence depuis son ouverture quatre ans plus tôt, était un petit homme chétif d'une trentaine d'années — cinq de moins que son frère, avait précisé Peter à la jeune femme lors d'une de ses visites. Par son apparence physique, Lester donnait l'impression d'avoir été conçu pour le métier qu'il exerçait. On l'imaginait mal ailleurs que derrière un bureau, occupé à compter et recompter des traites, des factures ou de l'argent liquide. Ses grosses lunettes de myope ne quittaient jamais son nez et il tremblait de nervosité chaque fois qu'il devait adresser la parole à quelqu'un. Mais c'était un homme doux, agréable, et Célia n'avait trouvé aucun motif de s'en plaindre.

Repoussant le registre, la jeune femme se leva et d'un geste de la main ordonna à Lester de regagner son bureau.

— C'est moi qui vais peser l'or, précisa-t-elle en passant à côté de lui.

Lester ouvrit la bouche pour faire un commentaire, mais finalement y renonça. Sans plus se soucier de lui, Célia rejoignit Owen Graves dans la pièce de derrière.

— Je me doutais que vous voudriez le faire vous-même, maugréa celui-ci. J'imagine que notre bonne vieille méthode ne vous satisfait pas.

Célia le fusilla du regard. Ce balourd ne supportait décidément pas d'avoir été rétrogradé. Et avec le pois chiche qui lui servait de cervelle, il était incapable de comprendre qu'elle était ici pour faire des affaires et non pour s'amuser. Et aussi qu'elle commençait à en avoir plus qu'assez de ses commentaires acides.

— Tenez-vous à votre emploi ? lui demanda-t-elle de but en blanc tandis qu'elle rangeait les sacs d'or par ordre de taille — du plus petit au plus grand.

— Personne ne s'est jamais plaint de ma façon de peser l'or avant votre arrivée, répondit Owen en grinçant des dents.

Ignorant sa remarque, Célia le poussa du coude pour régler la balance.

— Vous semblez oublier que ma présence ici se justifie par l'inefficacité de votre travail, monsieur Graves.

Dans son dos, Owen lui décocha un regard assassin. Célia avait beau être ravissante, c'était une enquiquineuse invétérée ! Elle avait en tout cas toutes les qualités requises pour devenir gardienne de prison.

— Je suppose que si c'était moi qui avais eu l'idée d'introduire des serpents dans les coffres-forts, je n'aurais pas perdu mon poste, commenta-t-il presque pour lui-même.

Il s'en voulait de ne pas avoir pensé à ce stratagème ingénieux imaginé par Célia. Maintenant que le piège était connu, il était beaucoup moins efficace, car les voleurs étaient préparés à affronter les reptiles. Mais les premières fois, le succès avait été complet. Les bandits avaient été tellement paniqués de se retrouver face à ces bestioles en ouvrant les coffres, que les gardes n'avaient eu aucun mal à les maîtriser.

— Vous voulez encore vous plaindre d'autre chose ? lui demanda Célia d'un ton bourru, voyant qu'il se tenait sur son chemin.

— Ce sera tout pour le moment, rétorqua Owen avec fiel. Je ne voudrais pas freiner la marche du progrès.

— Au moins, vous savez reconnaître l'efficacité quand vous la voyez, ironisa Célia. C'est un début.

Les mains d'Owen le démangeaient, mais il se retint pourtant d'étrangler cette mégère. Elle l'exaspérait tellement qu'il ne savait jamais comment lui répondre, sauf par des imprécations fort peu polies. Cela finirait par lui coûter son emploi, il le savait.

Comme un client venait d'entrer dans l'agence, Owen alla l'accueillir. Débarrassée de lui, Célia esquissa un sourire. Elle adorait remettre à sa place ce coureur de jupons.

Elle s'était replongée dans sa pesée quand un messager du bureau de poste vint lui apporter deux télégrammes. Le premier était signé de son père. Il lui demandait de rentrer à la maison : *Tu me manques*, concluait-il. Célia sourit affectueusement en pensant à son père. Chaque semaine, invariablement, il lui écrivait la même chose. Et chaque semaine Célia lui répondait qu'elle restait. Elle n'avait pas l'intention de quitter Denver tant que l'agence ne serait pas redevenue bénéficiaire.

La jeune femme se rembrunit en lisant le second télégramme. Le Dandy Masqué avait encore frappé ! Cette fois il avait arrêté une diligence en pleine montagne et s'était emparé du coffre qu'il avait chargé sur un mulet. Comme à son habitude, il s'était abstenu de dévaliser les passagers, mais il avait laissé un petit mot à l'intention de la O'Roarke Express pour la remercier de le fournir régulièrement en argent liquide !

Depuis son arrivée à Denver, Célia avait réussi à réduire le nombre d'attaques de diligences — grâce notamment aux serpents cachés dans les coffres. Mais il lui restait encore deux solides épines dans le pied. La première, c'était ce Dandy qui puisait sans vergogne dans les coffres. Et la deuxième, c'était cette bande de hors-la-loi, beaucoup plus violente, qui laissait derrière elle une traînée de sang, n'hésitant pas à tuer les passagers récalcitrants pour les dépouiller.

— Encore une attaque ? interrogea Owen. Il semble que même les méthodes de gestion les plus efficaces ne soient pas totalement à l'abri des bandits, ajouta-t-il avec suffisance.

Célia lui lança un regard suspicieux.

— Comment savez-vous que ce télégramme m'annonce un vol ?

Elle manquait de preuves, mais elle était prête à parier qu'Owen donnait des informations aux bandits. Peut-être même était-il le cerveau du gang.

Owen haussa négligemment les épaules.

— Je le devine à votre tête. Ça ne peut pas être un message vous informant que l'homme de votre vie vous a abandonnée, puisque vous détestez les hommes et qu'on ne vous connaît pas le moindre soupirant, répondit-il méchamment.

Célia dut se retenir pour ne pas lui lancer une pépite à la figure. Mais elle se promit de revérifier les comptes, pour trouver la preuve qu'Owen avait escroqué l'agence et qu'il informait les voleurs. Peut-être devrait-elle aussi changer les horaires des diligences sans l'en avertir. Si les attaques cessaient pendant quelques semaines, ce serait la preuve irréfutable de la complicité d'Owen.

— Vous avez raison, reconnut Célia pour revenir à leur discussion. Il y a encore eu une attaque. Cela ne semble pas vous attrister outre mesure. En ce qui me concerne, je considère chaque vol comme une insulte personnelle. Si vous vous décidiez enfin à prendre votre travail au sérieux, au lieu de musarder et de me faire perdre mon temps, cela vous toucherait davantage.

Piqué au vif, Owen s'éclipsa sans demander son

reste. Satisfaite, Célia reprit son travail qu'elle savait maintenant pouvoir terminer tranquillement. Owen ne l'aidait en rien, il était plus une nuisance qu'autre chose. Et puisqu'il avait ouvert les hostilités, elle lui montrerait qu'elle ne se laissait pas facilement intimider. Après tout, c'était le lot de chaque femme, sur cette terre, que d'avoir à supporter la présence d'individus tels qu'Owen Graves... ou ce démon de Kane Callahan.

Avec précaution, Kane ouvrit la porte de la porcherie qui servait de chambre à Griz Vanhook dans une pension délabrée. Il s'assura que personne ne l'avait vu avant de se fondre dans l'ombre de la rue. Il avait profité de ce que les trois lascars étaient toujours derrière les barreaux à la suite de leur altercation avec Célia pour venir fouiller la chambre de Griz. Malheureusement, celui-ci avait été assez malin pour ne laisser chez lui aucun indice — bijoux volés, sacs d'or marqués du sigle de la O'Roarke Express... L'intelligence n'était pas le point fort de cette brute alcoolique, mais apparemment Griz n'était pas aussi idiot qu'il en avait l'air !

Après cette petite visite, Kane savait qu'il aurait dû rejoindre Noah et Gédéon dans la cabane pour faire le point. Noah avait été chargé de surveiller la piste avec des jumelles et peut-être avait-il découvert quelque chose. Mais Griz serait libéré en fin d'après-midi et Kane redoutait qu'il ne cherchât aussitôt à se venger de Célia.

Alors qu'il passait devant le Critérion, Kane

consulta sa montre et décida qu'il irait chercher la jeune femme à son bureau, pour la raccompagner à l'hôtel. Évidemment, convaincre Célia d'accepter son escorte ne serait pas un mince exploit. Ces derniers jours, elle avait déployé des trésors d'ingéniosité pour ne pas avoir à croiser son chemin. Puisqu'elle semblait avoir du goût pour la mise en scène, Kane résolut de l'inviter au théâtre où se produisait une troupe itinérante. Elle ne pourrait pas lui refuser une distraction aussi innocente. Du moins l'espérait-il...

Célia s'apprêtait à fermer l'agence lorsque Kane en poussa la porte. Elle ignora délibérément son sourire enjôleur, mais comme il ne restait plus qu'elle dans le bureau, elle fut bien obligée d'engager la conversation.

— Puis-je vous être utile ou êtes-vous venu vous pavaner ici uniquement pour m'empoisonner l'existence ? lui demanda-t-elle sans pouvoir s'empêcher d'admirer son élégance.

Il portait une superbe veste noire, une culotte de cheval assortie et une chemise de soie jaune d'or. Le tout avait dû être payé par ses gains au jeu.

Kane se retint de sourire en découvrant l'intérieur de l'agence. C'était une merveille d'ordre et de propreté. L'empreinte de Célia se devinait partout : chaque objet était à sa place. Même les balances avaient été soigneusement nettoyées de la moindre trace de poussière d'or.

Amusé, Kane reporta son regard sur la jeune

femme. Elle était toujours habillée aussi chastement et sa robe boutonnée au col semblait être une déclaration de guerre envers tous les hommes de la terre.

Cependant, avec sa somptueuse chevelure auburn, ses beaux yeux verts pétillant d'intelligence et la grâce ineffable de ses traits, Célia O'Roarke ne pouvait dissimuler ses charmes.

— Je vous ai posé une question, monsieur Callahan, insista-t-elle en se détournant de ce maudit regard bleu qui la considérait avec un peu trop d'insistance.

— Premièrement, je ne suis pas venu me pavaner, répondit Kane en s'accoudant tranquillement au comptoir. Et deuxièmement, je ne me considère pas comme un empoisonneur.

— Comme toujours, nos opinions divergent, répliqua Célia avec une désinvolture affectée.

Kane ignora sa remarque et continua :

— Je suis venu vous inviter à dîner et ensuite au théâtre. Mais si vous aviez prévu de classer ce soir votre garde-robe par ordre alphabétique, je comprendrais que vous ne soyez pas libre, dit-il avec un sourire malicieux. J'espère au moins que vous m'y inclurez. K, pour Kane, entre J comme joaillerie et L comme lingerie.

— Vous vous croyez plein d'esprit ! le contra Célia sans toutefois pouvoir s'empêcher d'esquisser un sourire.

Ce satané ruffian savait jouer avec les mots. Et son sourire aurait fait fondre n'importe quelle femme. Mais Célia n'avait aucune intention de tomber dans le piège de ce beau parleur. Elle était immunisée contre les hommes de son espèce.

— Je suis soulagé de constater que votre si joli visage ne se fissure pas quand il sourit, la provoqua Kane en tendant la main pour tracer le contour de ses lèvres.

Célia se recula instinctivement. Cette caresse anodine l'avait fait frissonner et lui avait rappelé les événements d'une certaine nuit qu'elle aurait préféré oublier. Elle allait devoir se construire une nouvelle carapace pour se protéger du charme dévastateur de Kane Callahan.

— Puis-je savoir ce que vous voulez de moi ? le questionna-t-elle. L'autre nuit, vous m'avez juré que ce qui s'était passé était un accident. Dans ce cas, que faites-vous ici alors que je vous ai expliqué que je ne voulais pas vous revoir ?

Kane ne pouvait lui avouer qu'il était payé pour veiller sur elle.

— Peut-être suis-je simplement venu chercher le plaisir de votre compagnie, murmura-t-il d'une voix rauque.

— Quel plaisir ? A chacune de nos rencontres, il me semble que vous me trouvez autant de défauts que je vous en trouve. Où est le plaisir, dans tout cela ?

Bon sang, elle avait réponse à tout ! Kane lui adressa son sourire le plus persuasif.

— Malgré nos différences, je trouve votre compagnie très intéressante. Et j'avais simplement pensé que vous apprécieriez un bon repas, une conversation agréable et une pièce divertissante. C'est tout.

Célia médita sa proposition. Depuis son arrivée à Denver, elle ne s'était accordé aucun loisir et peut-être avait-elle besoin de se changer les idées. Le théâtre offrait une distraction idéale. Pendant une soirée entière elle oublierait les comptes, la paperasserie, les trous dans la caisse, les attaques à main armée et ses relations conflictuelles avec Owen Graves. De plus, elle avait passé l'après-midi à éplucher des colonnes de chiffres jusqu'à en avoir mal à la tête. Ça suffisait pour aujourd'hui !

— Très bien, j'accepte, annonça-t-elle en prenant ses dispositions pour fermer l'agence. Avez-vous l'intention de vous moquer de moi si vous me voyez encore arranger mon assiette comme un cadran d'horloge ?

— Vraisemblablement, acquiesça Kane, amusé de la voir vérifier que tout était en ordre dans l'agence et que le moindre crayon était à sa place. Et vous, allez-vous me reprocher éternellement d'appartenir au sexe masculin ?

— Vous pouvez vous y attendre !

Malgré sa résolution de rester calme et de prendre un air détaché en présence de Kane, Célia ne put retenir un nouveau sourire.

— Vous ne pouvez pas savoir combien cela me fait plaisir d'être la cause de ce sourire. Cela m'incite à penser que nous allons partager tous les deux une soirée intéressante, prophétisa Kane en l'accompagnant vers la porte.

« Intéressante » n'était pas le terme le plus approprié pour qualifier la soirée qui les attendait. Mais Kane n'avait hérité d'aucun don de voyance. Sinon, il n'aurait jamais ouvert la porte à ce moment-là.

6

— Tiens, tiens, regardez qui voilà, les gars ! grimaça Griz Vanhook à l'adresse de ses deux acolytes. On dirait-y pas mes deux meilleurs amis au monde ?

« Ennemis jurés » aurait mieux convenu. Griz était venu assouvir sa vengeance.

Avant que le voyou ait pu toucher la jeune femme, Kane s'interposa pour faire rempart de son corps.

— Rentrez à l'intérieur et verrouillez la porte, Célia, lui intima-t-il sans lâcher le trio des yeux.

Ce ton autoritaire n'incitait pas à la discussion, mais Célia n'avait pas l'habitude de se laisser impressionner.

— C'est autant mon problème que le vôtre, répondit-elle courageusement.

Kane serra les dents et se retint de jurer. Il aurait dû se douter de sa réaction. Il était persuadé que Célia n'avait jamais reculé devant rien. Ce n'était pas dans sa nature de s'enfuir devant les difficultés. Elle resterait jusqu'à la fin, même si elle devait y perdre la vie... Ce qui risquait bien de se produire.

Griz fit un pas en avant. Ses yeux noirs lançaient des étincelles meurtrières.

— J'ai pas trop aimé moisir dans cette fichue taule. Et c'est à cause de vous deux qu'on s'est retrouvés enfermés, moi et mes copains.

Kane observa un court instant la main de Griz qui taquinait la crosse de son revolver pendu à sa ceinture, puis il reporta son regard sur celui du bandit. Par expérience, il savait que la décision de tirer pouvait se lire une fraction de seconde avant dans les yeux d'un adversaire. Mais de toute évidence, Griz était encore ivre, ce qui rendait ses actes plus imprévisibles. Bien sûr, Kane s'était déjà retrouvé dans des situations identiques, mais cette fois il y avait un élément nouveau à prendre en considération : la sécurité de Célia.

Pendant qu'il réfléchissait à l'attitude qu'il convenait d'adopter, celle-ci sortit de sa réserve, déterminée à éviter une nouvelle bagarre.

— Vous n'allez pas recommencer comme l'autre jour !... s'indigna-t-elle en passant devant Kane.

A peine eut-elle terminé sa phrase que déjà Griz se précipitait sur elle. Kane profita de cette diversion. Avec une détente stupéfiante il bondit comme un tigre et sauta sur son ennemi. La force du choc projeta Griz en arrière. Il heurta violemment ses deux comparses et tous trois s'affalèrent dans la poussière.

Kane était désormais convaincu qu'il valait mieux une bonne bagarre à mains nues plutôt qu'un échange de coups de feu qui auraient pu blesser Célia. Un gémissement de douleur lui échappa quand un poing s'écrasa lourdement sur sa mâchoire. Il riposta en martelant de coups les visages de ses agresseurs.

Pendant plusieurs minutes les quatre hommes s'affrontèrent dans une mêlée indescriptible. Kane, qui devait se battre seul contre trois, recevait plus de coups qu'il n'en distribuait.

A un moment, il vit briller le canon d'un pistolet devant ses yeux, mais il envoya valser l'arme d'un revers de la main. Le coup partit dans la manœuvre et Célia poussa un cri. Inquiet, Kane tourna la tête et cette distraction faillit lui être fatale. Avant qu'il ait pu s'assurer qu'elle était indemne, un coup de poing magistral l'assomma à moitié.

Célia fut terrorisée de voir Kane en mauvaise posture. S'emparant d'un bout de bois qui traînait, elle décida de lui porter secours avec cette arme de fortune. Elle s'en voulait d'avoir laissé échapper un cri en entendant le coup de feu. A cause d'elle, Kane allait mordre la poussière !

Rugissant comme une panthère, elle avança droit sur la mêlée et leva son gourdin pour matraquer la première tête qui se présenterait. Dieu merci, ce ne fut pas celle de Kane. Un faible grognement s'échappa des lèvres d'un des bandits tandis qu'il s'affalait par terre, soudain aussi mou qu'une limace.

— Bon sang, Célia, courez chercher Jim ! cria Kane.

Il avait repris ses esprits et s'apprêtait à décocher un direct du droit dans la figure de Griz.

Célia hésita. Elle était convaincue que Kane ne se servirait pas de son revolver si elle assistait à la bagarre.

— Tout de suite, sacré bon sang ! insista Kane en esquivant un coup de poing.

Finalement, Célia lâcha son gourdin et se mit à courir. Alors qu'elle atteignait le coin de la rue, elle se heurta violemment à Jim Metcalf. Alerté par le coup de feu, l'adjoint du shérif arrivait lui-même à toute allure vers le lieu de la bagarre. Le choc de la collision déséquilibra Célia et elle se retrouva les quatre fers en l'air. Le pauvre Jim roula des yeux stupéfaits en constatant que ses jupes relevées laissaient apparaître ses jambes nues sur une longueur indécente. Quand il l'eut aidée à se relever, Célia le tira pratiquement derrière elle dans sa hâte de sauver Kane d'un désastre certain.

Entre-temps, l'autre comparse de Griz avait réussi à immobiliser Kane et son chef s'acharnait sur lui. Au moment où le bandit s'apprêtait à sortir son pistolet pour abattre son ennemi à bout portant, Célia réagit plus vivement que le malheureux adjoint terrifié. Elle s'empara du revolver de Jim et le braqua sur Griz. Dans sa précipitation, elle ne prit même pas le temps de viser et manqua sa cible. La balle passa largement au-dessus de la tête du bandit et ricocha sur le pilier où le trio avait attaché ses chevaux. Les bêtes se cabrèrent de frayeur.

Regardant par-dessus son épaule, Griz s'aperçut alors qu'une foule commençait à s'assembler dans la rue.

S'il s'offrait maintenant le plaisir d'expédier ce sale bâtard en enfer, il serait accusé de meurtre. Il y avait trop de témoins et il n'aurait pas le temps d'intimider chacun d'eux pour qu'ils refusent de déposer contre lui.

— Allons-nous-en, Tom, lança-t-il à son complice.

Ils laissèrent leur compagnon, toujours inconscient, se débrouiller tout seul et se ruèrent vers leurs chevaux.

En reprenant péniblement son souffle, Kane réussit à dégainer son arme. Bien qu'il se considérât comme un tireur d'élite, il avait cette fois les pires difficultés à mettre les deux hommes dans sa ligne de mire. Son œil gauche était complètement enflé et son œil droit n'y voyait guère mieux. Malgré tout, il fit feu et atteignit Tom Hatch. Le bandit bascula de sa monture et lâcha une bordée de jurons quand Griz l'abandonna à son sort pour sauver sa propre peau.

Aussitôt la foule se précipita pour s'emparer des deux desperados. Célia fut la seule à s'agenouiller devant Kane, terriblement inquiète.

— Est-ce que ça va ?

« Question stupide », pensa la jeune femme. Un simple regard suffisait pour comprendre que Kane avait connu des jours meilleurs. Il avait un superbe œil au beurre noir, ses lèvres saignaient abondamment et il se tenait les côtes comme si elles étaient fracturées. Sans parler de la grosse bosse qui poussait sur son crâne.

— Tout ça, c'est votre faute, grommela-t-il du coin de sa bouche qui le faisait le moins souffrir.

Sacrebleu, il avait mal partout ! Ce n'était pas sa première bagarre, mais c'était assurément la pire ! D'ordinaire, il évaluait ses chances avant de se plonger dans une mêlée, mais là il n'en avait pas eu le temps.

— Si vous étiez rentrée à l'intérieur, comme je vous l'avais demandé...

— ... vous vous seriez fait tuer, compléta Célia avec assurance. Je suppose que vous pensiez pouvoir les battre tous les trois, n'est-ce pas ? Vous n'êtes pas courageux, Kane Callahan. Vous êtes carrément inconscient !

Kane s'allongea sur le sol et respira lentement. Il avait l'impression d'être réduit en bouillie.

— Un tout petit peu de sympathie me serait plus utile qu'un sermon, pour l'instant, grommela-t-il faiblement. Pourrions-nous essayer d'oublier qui est fautif ?

— En tout cas, ce n'est certainement pas moi, répliqua Célia qui ne pouvait se retenir d'avoir le dernier mot.

Kane soupira et leva les yeux au ciel avant d'essayer de se relever. A sa grande surprise, et à son soulagement, Célia lui offrit son bras pour l'aider à se tenir debout.

— Nous allons commencer par chercher un docteur pour vous soigner et ensuite vous irez au lit, annonça-t-elle.

Jim Metcalf s'avança vers eux afin d'examiner les blessures de Kane.

— J'ai bien peur qu'il n'y ait aucun docteur de disponible. Il y a eu un éboulement dans une mine et ils sont tous partis sur place. Ils ne reviendront pas avant demain matin.

— Alors allez me chercher une voiture, ordonna Célia qui prit la direction des opérations avec son efficacité coutumière.

Jim se dépêcha de lui obéir et il revint moins de deux minutes plus tard avec un attelage qu'il avait emprunté. Il aida Kane à s'y asseoir puis alla se charger de jeter les deux bandits en prison, avant qu'ils ne soient lynchés par la foule.

Célia conduisit le buggy jusqu'au premier cabinet médical qu'elle trouva sur sa route. Malgré l'absence du praticien, elle comptait s'y fournir en bandages et compresses pour assurer les soins de première urgence. Quand elle arrêta de nouveau le buggy devant son hôtel, Kane fronça les sourcils.

— Qu'est-ce qu'il y a encore ? maugréa-t-il.

Il avait mal partout et n'avait qu'un seul désir : s'allonger au plus vite sur son lit.

Célia sauta prestement du buggy.

— Je vais vous soigner dans ma chambre, déclara-t-elle en l'invitant à descendre. Quand vous serez remis, vous rentrerez chez vous.

Kane la regarda avec stupéfaction.

— Je ne crois pas que ce soit une bonne idée : pensez à votre réputation.

Célia lui lança un regard noir.

— Ma réputation ferait taire les ragots plutôt qu'elle ne les provoquerait.

— Dans ce cas, amen, répondit Kane avec un faible sourire en prenant le bras qu'elle lui tendait.

Elle n'aurait su dire pourquoi, mais Célia s'était sentit vexée par sa remarque.

— Je ne suis pas totalement ignorante des hommes, vous savez, se crut-elle obligée d'avouer tandis qu'ils traversaient le hall de l'hôtel. Je n'ai pas non plus été toujours aussi cynique. J'ai même cru être amoureuse, une fois. Et cela m'a suffi pour m'en guérir.

— Alors c'est donc ça, commenta Kane en hochant la tête.

— De quoi parlez-vous ? questionna Célia qui lui tenait toujours le bras pour monter l'escalier.

Ce contact la troublait plus qu'il n'était nécessaire.

— Je comprends pourquoi vous méprisez tous les hommes. Tous autant que nous sommes, nous devons payer pour la trahison d'un seul.

Un sourire amer courut sur ses lèvres enflées. Il venait subitement de réaliser qu'à cause de Mélanie Brooks, il n'avait pas réagi autrement qu'elle vis-à-vis des femmes en général. Tous deux étaient à mettre dans le même sac ! A ceci près que Kane, plus âgé et plus mûr, s'était montré moins excessif dans sa réaction. De toute évidence, Célia était encore une jeune fille quand elle avait été déçue par l'amour.

Célia ne disait plus un mot. Elle s'en voulait d'avoir lâché étourdiment cette révélation. Quand donc saurait-elle tenir sa langue ! Jusqu'à aujourd'hui, elle n'avait parlé à personne de sa mésaventure avec Michael. Maintenant, elle craignait que Kane ne la harcelât sur ce sujet dès qu'il serait en meilleure forme.

Eh bien, elle refuserait tout net d'en parler. C'était une histoire terminée et qui ne regardait personne. Célia n'avait jamais été portée aux confidences intimes. Cela la mettait mal à l'aise. Tout comme la mettaient mal à l'aise les sentiments troublants qu'elle éprouvait pour ce va-t-en-guerre aux cheveux de jais. « Mon Dieu, songeait-elle, j'ai vraiment eu peur quand il a failli se faire tuer en voulant me défendre ! » Elle se hâta de chasser ces pensées de son esprit. Pour l'instant, elle jouait au bon Samaritain, et rien de plus. Kane avait pris sa défense, et elle l'en remerciait en s'offrant pour le soigner. C'était aussi simple que cela. Du moins l'espérait-elle. Non, elle ne l'espérait pas, c'était vraiment la réalité ! Elle n'était pas le moins du monde en train de s'attacher à un homme qu'elle connaissait à peine. Jamais de la vie !

Kane soupira de soulagement quand il put enfin s'allonger sur le lit de Célia. Griz et ses deux lascars l'avaient taillé en pièces. Gédéon avait probablement raison, pensa-t-il. Le temps était sans doute venu pour lui de renoncer à sa vie aventureuse. Il commençait à se rouiller et, à ce train-là, s'il ne changeait pas bientôt de métier, il ne profiterait pas longtemps de l'héritage paternel. Mais choisir la facilité n'avait jamais été dans son style. Il avait toujours aimé relever les défis, et cette fois-ci il était grassement payé pour le faire !

— Ouille !... Bon sang, ça fait mal ! hurla-t-il en sursautant quand Célia passa un antiseptique sur ses lèvres et sa joue ensanglantées.

— Désolée, mais je ne suis pas infirmière.

— C'est le moins qu'on puisse dire, grommela-t-il en grimaçant de douleur.

— Vous pourriez garder vos sarcasmes pour vous, répliqua Célia, déjà sur la défensive. J'essayais simplement de vous aider !

— C'est exactement ce que ses conseillers disaient à Napoléon juste avant Waterloo. Et vous savez ce que ça a donné !

Célia s'assit à côté de son patient grincheux. A vrai dire, les bandits n'y étaient pas allés de main morte. Kane ressemblait maintenant à un fruit trop mûr.

— Vous avez eu votre compte de plaies et de bosses, murmura-t-elle avec sympathie avant de reprendre le flacon d'antiseptique.

— Inutile de chercher à classer mes blessures par ordre d'importance. Je préférerais que vous m'embrassiez là où j'ai mal plutôt que de me brûler avec ce maudit antiseptique.

Même blessé, Kane Callahan ne perdait rien de son esprit de repartie, nota Célia en esquissant un sourire. Aussi doucement que possible, elle essuya le sang qui coulait de ses lèvres.

— Vous aimez vivre dangereusement, le provoqua-t-elle. Mes baisers seraient sans aucun doute plus redoutables que l'antiseptique.

Kane contempla le charmant visage qui se tenait au-dessus de sa tête. Aussi sûre d'elle-même que pouvait l'être cette petite nymphe impertinente, elle était cependant la seule à ne pas se rendre compte de l'effet qu'elle produisait sur les hommes. Kane avait beau se sentir en piteux état, il n'aurait pas dédaigné de recevoir ses baisers. Il était même convaincu que ce serait le remède le plus efficace à ses souffrances.

Quand Célia commença à déboutonner sa chemise pour s'assurer qu'il n'avait pas d'autres blessures restées cachées, il retint son souffle. La jeune femme rougit légèrement en découvrant la toison fournie qui recouvrait sa poitrine. Brutalement, Kane ressentit un élancement qui n'avait plus rien à voir avec les coups assenés par Griz Vanhook.

Célia aurait voulu se convaincre que son inspection était d'ordre purement médical. Mais la vue du torse musclé de Kane, de son ventre plat et du sillon de poils qui courait jusque sous sa ceinture attirait son regard comme un aimant. A part une fine cicatrice blanchâtre sur ses côtes et une autre petite cicatrice à l'épaule — sans doute laissée par une balle —, Kane Callahan avait un corps absolument parfait. Et il dégageait une sensualité aussi éclatante que la lumière du soleil.

Célia remarqua un bleu qui grossissait sur son abdomen. Sans doute le résultat d'un des coups de poing de tout à l'heure. Quand elle le frôla du doigt, Kane poussa un grognement.

— Je vous ai fait mal ? s'inquiéta-t-elle en levant les yeux sur lui.

« Mal ? Au contraire », songea Kane. Il s'en voulut d'avoir réagi si violemment à son geste maladroit. Pourquoi donc cette créature le mettait-elle dans des états pareils ? Certes, il avait décidé de la courtiser jusqu'à ce qu'elle le suivît hors de la ville, même s'il devait blesser ensuite sa fierté quand il l'abandonnerait. Mais il était en train de se leurrer lui-même s'il pensait agir uniquement pour tirer Célia d'un mauvais pas. Bon sang, elle avait le don de lui faire oublier le contrat passé avec Patrick O'Roarke !

— Je veux que vous preniez la première diligence qui quittera cette ville, ordonna-t-il en retirant sa main de son ventre. Si Griz revient dans les parages, il n'hésitera pas à vous tuer. Nous partirons ensemble... n'importe où loin d'ici.

Célia se raidit comme un piquet.

— Je ne me déroberai pas à mes obligations envers l'agence, assura-t-elle en des termes qui ne souffraient aucune contradiction.

— Si vous aviez un peu de jugeote, c'est pourtant ce que vous feriez.

— Vous pouvez me traiter de folle, si ça vous chante, mais...

— Parfaitement : vous êtes folle ! s'exclama-t-il, sarcastique.

Célia lui décocha un regard à faire geler les Tropiques. Kane soupira et se reprocha à nouveau sa nervosité. En fait, ses pensées devenaient confuses.

Il fallait absolument que Célia quittât la ville et, d'abord, qu'elle sortît de cette chambre. Sa présence commençait à lui poser un sérieux dilemme entre son désir personnel et ses obligations professionnelles. Au train où allaient les choses, Célia O'Roarke ne devrait plus seulement se protéger de Griz Vanhook, mais aussi de l'homme qui avait été envoyé pour la défendre !

— Si moi je suis folle, vous, vous devenez invivable dès que quelqu'un vous tape dessus, rétorqua-t-elle. Je crois qu'il serait préférable de vous enlever votre cartouchière pour que vous puissiez vous reposer plus confortablement. Et peut-être qu'un bon verre de whisky vous calmerait les nerfs.

Joignant le geste à la parole, elle entreprit de le débarrasser de sa cartouchière. Elle sursauta en effleurant accidentellement son entrejambes.

Kane pesta entre ses dents. Inutile maintenant de s'interroger sur l'effet que Célia produisait sur lui. A moins de poser un oreiller sur sa ceinture, il n'avait plus aucun moyen de masquer son érection.

Célia se détourna et piqua un fard. Son père ne lui ayant jamais rien expliqué des choses de la nature, elle pensa d'abord que ce renflement était la conséquence d'un coup de poing, comme la bosse qu'il avait sur la tête.

— On dirait que vous avez été touché à l'aine...

Elle devint cramoisie en entendant Kane éclater de rire.

Quelle naïveté ! Elle était encore plus ignorante des hommes qu'il ne l'avait imaginé. Manifestement, elle ignorait tout de l'anatomie masculine.

— Ceci n'a rien à voir avec la bagarre, mais plutôt avec l'envie de vous prendre dans mon lit, lança-t-il crûment.

Célia se sentit mortifiée quand elle comprit ce qu'il voulait dire. Et surtout affreusement humiliée de lui avoir montré qu'elle ne connaissait pas grand-chose aux hommes. Elle se releva d'un bond, comme si elle s'était assise sur des charbons ardents.

— Je vais chercher le whisky, annonça-t-elle d'une voix sourde. Je crois que nous en avons besoin tous les deux.

Quand Célia eut refermé la porte derrière elle, Kane donna libre cours à sa fureur. Il aurait pu se taire ! Célia commençait tout juste à baisser sa garde et à lui faire confiance, et il avait fallu qu'il se moquât de son innocence ! Le coup reçu sur la tête lui avait sans doute embrouillé l'esprit.

Et une fois de plus, Kane pouvait constater que Patrick avait eu raison sur toute la ligne. Même en ayant compris comment fonctionnait Célia, Kane ne savait toujours pas comment s'y prendre avec elle. Bon sang, depuis qu'il la connaissait, il ne savait même plus comment se conduire lui-même !

7

Célia hésita devant la porte de sa chambre. Avant de revenir en terrain miné, elle avait besoin d'un remontant. S'installant dans le couloir, elle déboucha la bouteille de whisky qu'elle avait apportée. Jusqu'ici elle n'avait jamais rien bu d'alcoolisé, à part un peu de vin de table. Mais à situation exceptionnelle, remède exceptionnel, décida-t-elle.

Elle contempla le liquide ambré qui remplissait son verre puis en goûta une petite gorgée. Elle crut s'étouffer. Dieu du ciel ! C'était comme si un feu liquide s'était répandu dans ses veines. Mais une simple gorgée n'avait pas suffi à calmer ses nerfs. Alors elle se dépêcha de finir son verre.

A chacune de leurs rencontres, Célia se sentait de plus en plus attirée par Kane Callahan. Pourtant il n'était pas son genre, loin de là. Et il collectionnait tous les défauts qu'elle reprochait aux hommes. Il ne voyait en Célia rien d'autre qu'une femme : ni une compagne, ni une associée, ni une amie. Et bien qu'il eût affirmé ne pas avoir l'intention de la séduire, il n'était pas resté insensible à sa présence. Cela avait même été drôlement embarrassant !

Célia se resservit un verre et respira à pleins poumons. Elle n'avait pas du tout prémédité de contempler le torse viril et musclé de Kane...

Elle vida son deuxième verre et s'en resservit tout de suite un autre. L'alcool descendait maintenant beaucoup plus facilement qu'au début.

Et quand elle avait effleuré le dessous de sa ceinture... Elle avala une rasade. Il fallait se ressaisir, et vite ! Dorénavant, elle ne regarderait plus Kane autrement que comme un simple représentant de l'espèce humaine. Leur relation serait purement formelle et elle adopterait à son égard le comportement qu'elle avait avec tous les hommes.

Encore une petite gorgée...

Kane n'était qu'un joueur de saloon, doublé d'un dangereux casse-cou. Et elle une riche héritière qui devait remplir une noble mission. Ils étaient aussi bien assortis qu'un mélange d'eau et d'huile.

Confortée par ces pensées raisonnables, Célia poussa la porte de sa chambre. Pourtant, malgré ses bonnes résolutions, elle ne put s'empêcher de contempler Kane dès l'instant où elle mit le pied dans la pièce. La vue de son corps superbe fit s'emballer son cœur et elle se trouva incapable de détourner le regard. Pour aggraver les choses, les verres de whisky qu'elle venait de boire commençaient à lui embrumer l'esprit.

— Vous avez un torse magnifique. Je suis sûre que le reste de votre corps...

Célia porta sa main à sa bouche et battit des paupières comme une chouette effarouchée.

Sapristi, elle n'avait pas du tout voulu dire une chose pareille ! Comment cela avait-il pu se produire ?

Une telle déclaration n'était pas pour arranger les affaires de Kane, qui avait lui-même bien du mal à s'éclaircir les idées. Il commençait à se demander si leur relation ne risquait pas de les mener jusqu'à un point de non-retour.

Célia se servit un nouveau verre. Le cinquième. Mais qui comptait encore ? Certainement pas elle. Elle était trop occupée à essayer de faire comme si elle n'avait rien dit.

— Donnez-moi cette bouteille, s'impatienta Kane. Il me semble que c'est *moi* qui me suis fait taper dessus.

Célia serra la bouteille contre elle.

— Oui, mais c'est *moi* qui vous ai vu vous faire battre comme plâtre.

Sa voix résonnait bizarrement, comme si elle était enrouée. Et elle sentait des picotements dans ses narines. Après tout, estima-t-elle, il valait mieux avoir des picotements là que dans d'autres endroits de son anatomie... qu'elle croyait insensibles avant de connaître Kane. Et mieux valait être un peu ivre que de se sentir irrésistiblement attirée par ce brigand aux yeux bleus.

Avant que Célia ait pu remplir son verre, Kane se redressa sur un coude et lui arracha la bouteille des mains. Il but une longue rasade à même le goulot puis se recoucha en soupirant bruyamment.

— Encore quelques gorgées et je serai en état de

regagner ma chambre. Pendant ce temps, vous ferez vos valises, ordonna-t-il d'un ton bourru. Nous allons quitter Denver.

— Vous, peut-être, mais moi je reste, annonça Célia avec son entêtement habituel. Ce n'est pas ce gredin de Vanhook qui me fera fuir. Et de toute façon, vous ne pouvez aller nulle part. Vous êtes blessé, au cas où vous l'auriez déjà oublié.

Kane lui saisit le bras et l'attira contre lui. Malheureusement, Célia s'affala presque sur le lit. Elle se retrouva avec une main posée sur son torse nu et un de ses genoux coincé entre ses cuisses. Kane sursauta comme s'il avait été brûlé au fer rouge. Et l'odeur capiteuse du parfum de Célia lui fit oublier ce qu'il voulait dire. Devant ce corps affolant pressé contre le sien, il n'avait plus conscience que d'une seule réalité : cela faisait trop longtemps qu'il n'avait pas eu de femme.

Quand leurs regards se croisèrent, Célia tenta de reprendre sa respiration. En vain. Elle ne pouvait pas plus respirer qu'elle ne pouvait détourner les yeux. Et quand elle y réussit enfin, au prix d'un immense effort de volonté, son regard s'arrêta sur les lèvres qui étaient si proches des siennes. Depuis des jours, elle s'était ingéniée à ne pas recroiser cet homme, de peur qu'il y eût d'autres baisers comme ceux qui avaient enflammé ses sens. Et voilà que la tentation était juste devant elle...

Elle avait voulu se convaincre qu'elle ne souhaitait pas répéter l'expérience de l'autre soir, mais le whisky avait si bien embrouillé ses idées qu'elle se demandait maintenant pourquoi elle s'était donné tant de mal pour éviter Kane.

Il éveillait en elle des sensations qu'elle croyait mortes depuis la trahison de Michael Dupris et surtout, il lui redonnait conscience de ses désirs de femme — et de sa vulnérabilité, aussi.

Quant à Kane, il arrivait à la conclusion que la chasteté, toute noble qu'elle fût pour le salut de l'âme, n'était qu'un supplice pour le corps d'un homme. Il avait essayé de garder ses distances avec la fille de Patrick, mais à présent il avait le sentiment d'avoir épuisé sa volonté. Il désirait embrasser Célia. C'était comme une nécessité. Et ce serait une revanche pour toutes les fois où il s'était retenu de la prendre dans ses bras.

Il posa ses lèvres sur celles de la jeune femme et oublia aussitôt la douleur de ses blessures. Ce baiser était le seul remède pouvant à la fois apaiser son corps meurtri et le feu qui couvait dans ses veines. Aussi incroyable que cela pût paraître, le désir que lui inspirait Célia surpassait tout ce qu'il avait connu jusqu'ici. Célia ferma les yeux. Pour l'heure, plus rien ne comptait que les délicieux frissons qui la parcouraient tout entière. Lorsque Kane insinua une main sous sa robe pour caresser sa cuisse, le peu de résistance qu'opposait encore sa raison embrumée se dissipa dans le feu du désir. Son corps la trahissait ; c'était lui qui commandait, désormais, et elle était devenue la prisonnière de ses propres sens.

Malgré ses membres endoloris, Kane roula sur le

côté pour enlacer Célia. Son baiser se fit plus profond tandis que ses mains exploraient fébrilement les courbes de son corps. Son imagination courait au-devant de ses gestes et il se représentait déjà Célia nue dans ses bras. Une vision de rêve, et un rêve qui allait devenir réalité.

Il embrassait chaque centimètre de sa peau au fur et à mesure qu'il abaissait les manches de la robe, dévoilant ses seins gonflés de désir contre la fine combinaison de dentelle. Ses lèvres coururent sur les mamelons et un soupir de pur plaisir monta dans sa gorge. Il la touchait, il la goûtait, il la savourait avec un sentiment d'urgence. Jamais il ne s'était senti aussi fiévreux. A croire que sa cuirasse de bonnes résolutions n'avait jamais existé !

Alors que les ombres du crépuscule commençaient d'envahir la chambre, Kane comprit qu'il avait déjà rendu les armes. Il capitulait sans recours devant l'attraction irrésistible du fruit défendu.

Célia laissa échapper un faible gémissement quand les baisers de Kane portèrent l'incendie sur sa poitrine. Sa patiente exploration provoquait en elle des ondes de plaisir qui se répercutaient dans chaque fibre de son corps. Au lieu de chercher à le repousser comme elle aurait dû le faire, elle s'arqua contre lui. Elle gémit de plus belle lorsque Kane remonta audacieusement sa main le long de ses cuisses. Toute pudeur envolée, son corps s'ouvrit à cette caresse intime.

Même lorsque Kane s'allongea sur elle, elle ne le repoussa pas. Ses caresses expertes la rendaient folle. Célia aurait juré qu'elle était déjà morte au moins deux fois, et cependant le besoin insatiable d'aller encore plus loin la taraudait. Kane allait la posséder là, sur son propre lit, mais le simple fait de sentir sa virilité contre sa cuisse était si dévastateur qu'elle ne pouvait même pas envisager de lui résister l'espace d'une seconde.

Un instant leurs regards se croisèrent, et Kane put lire dans les beaux yeux verts le même désir indicible qui l'agitait.

— J'ai essayé... murmura-t-il d'une voix rauque en écartant les boucles qui cachaient son ravissant visage. Il faut que tu saches, petite nymphe, que j'ai vraiment voulu me retenir...

Son corps souple ondulait contre celui de Célia, faisant frémir la jeune femme d'un frisson d'anticipation.

— Mais je ne suis qu'un homme... Et toi, une femme infiniment désirable.

Kane n'avait encore jamais fait l'amour à une vierge, mais il savait qu'il devait dominer son ardeur pour ne pas l'effrayer ni la blesser. S'il ne l'initiait pas avec une infinie douceur, il ne ferait que renforcer sa mauvaise opinion des hommes. Et ce qui devait être un moment de splendeur resterait un cauchemar dans le souvenir de la jeune femme.

Célia tressaillit quand il la pénétra. Elle voulut crier mais Kane s'empara de ses lèvres. Avec une douceur attentive, il l'embrassa pour chasser l'angoisse qu'il sentait monter en elle et murmura des paroles apaisantes. La douleur reflua aussi soudainement qu'elle était apparue, cédant la place à une exquise sensation, encore vacillante mais qui s'épanouissait peu à peu telle une fleur à la chaleur du soleil.

Kane lui apprenait à mouvoir son corps pour répondre au sien et bientôt Célia sut elle-même comment s'accorder à son rythme. Des vagues de bien-être la submergeaient comme si elle allait peu à peu disparaître dans un océan de plaisir.

Kane perdit le peu de raison qui lui restait encore quand il sentit Célia s'abandonner totalement à la jouissance. Il la suivit sur cette voie royale et l'extase électrisa son corps de violents soubresauts.

Ensuite, ils restèrent longuement enlacés comme deux marins qui attendraient le reflux après la tempête.

Après ce qui parut à Kane une éternité, il recouvra enfin sa lucidité. Il contempla le charmant visage qui reposait sur l'oreiller dans son auréole de boucles auburn. Des larmes embuaient les yeux verts. Kane déplorait ces larmes, de même qu'il regrettait la douleur qu'il avait été obligé de causer à cette nymphe innocente. Mais il ne pouvait regretter les délicieux moments qu'il avait connus dans ses bras. Quoique inexpérimentée, Célia avait un don pour l'amour.

Toutefois, la facture serait sans doute lourde à payer. Patrick voudrait le tuer si jamais il apprenait que l'ange gardien payé pour protéger sa fille lui avait ravi sa virginité. Et Célia le maudirait sûrement quand elle reprendrait ses esprits. Il se doutait qu'elle ne s'épargnerait pas elle-même, qu'elle serait tentée de se culpabiliser. Mais Kane savait maintenant combien le tempérament réservé de Célia O'Roarke pouvait se révéler passionné.

Célia était vaguement consciente du sourire qui flottait sur les lèvres de Kane. Mais l'alcool et ce qu'elle venait de vivre avaient définitivement sapé son énergie. Pendant près de deux mois elle avait travaillé sans relâche, ne tenant que sur les nerfs. Finalement, la fatigue avait eu raison d'elle. Elle se sentait totalement épuisée et malgré ses efforts pour garder les yeux ouverts, elle ne discernait plus grand-chose.

Un sourire éclaira le visage de Kane quand Célia se lova dans ses bras avec un petit soupir. Précautionneusement, il se poussa sur le côté pour admirer son profil au clair de lune. Tendant la main, il traça du doigt le contour de son cou de cygne avant de s'aventurer plus bas, sur sa poitrine.

La perfection. Une perfection absolue, songeait Kane, qu'aucun homme n'avait découverte avant lui. Sous une carapace d'obstination se cachait une amante merveilleuse.

Kane ne connaissait aucune femme possédant à la fois autant de personnalité et de beauté naturelle. Même Mélanie, qui n'avait pas son innocence, ne pouvait prétendre l'égaler. Célia était un mélange irrésistible d'angélisme et d'effronterie.

Toutefois, Kane était persuadé qu'elle regretterait ce qui s'était passé. Et elle s'en prendrait à lui pour apaiser sa propre confusion et son sentiment de culpabilité.

Il soupira en reposant sa tête contre l'oreiller, et passa un bras autour des hanches de Célia pour la rapprocher de lui. Il hésitait sur la suite des événements. Soit il partait maintenant et laissait Célia seule face à ses tourments. Soit il décidait d'affronter l'orage qui éclaterait forcément.

Le problème était que Kane n'avait pas la moindre idée de ce qu'il pourrait dire pour lui faciliter les choses. Cependant, rester lui semblait la solution la plus sage. En outre, il n'était pas sûr d'avoir la force de s'extirper du lit. Sa bagarre avec les trois bandits avait miné ses forces, et toute l'énergie qui lui restait était passée dans un plaisir délicieux mais exténuant. Et puis de toute façon il n'avait aucune envie de la quitter.

C'était... mon Dieu, c'était le paradis, songeait-il en soupirant de bonheur. Pour la première fois de sa vie, il prenait plaisir à demeurer au lit après l'amour. Sur cette agréable pensée, il suivit Célia sur le chemin des rêves.

8

Célia émergea du sommeil avec une migraine lancinante qui lui martelait les tempes. Elle crut ne jamais réussir à ouvrir les yeux. Mais le mouvement d'un corps juste dans son dos la fit sursauter. La réalité s'imposa brutalement à elle comme un voile qui se déchire.

Avec un petit cri mortifié, elle s'empara du drap et s'y enroula avant de bondir du lit. Dans la manœuvre, elle réalisa qu'elle avait dénudé le corps musclé et bronzé de Kane.

Elle rougit en découvrant ce spectacle. La nuit précédente, à la faveur du clair de lune, leur intermède romantique lui avait paru agréable. Et convenable. Mais dans la lumière crue du soleil, et sans l'effet anesthésiant de l'alcool, Célia était horrifiée de ce qu'elle avait fait. Bonté divine !

Elle étouffa un juron en découvrant les taches révélatrices sur le drap. En le retirant d'un coup brusque, elle avait réveillé Kane et quand il leva les yeux sur elle, elle pensa mourir de honte. Ce qu'ils avaient fait ensemble n'avait rien à voir avec l'amour. Tout ce que Kane avait désiré, c'était un corps de femme, et il se souciait comme d'une guigne de ses émotions. Du reste, ne lui avait-il pas clairement expliqué qu'il n'avait pas voulu tout cela ? Il passait son temps à dénigrer son caractère, mais séduire une femme — n'importe laquelle — était pour lui une chose aussi naturelle que respirer. Célia était autant furieuse contre elle-même que contre ce débauché qui l'avait rendue folle de désir. Il l'avait rendue folle, oui : c'était *lui* le responsable.

Jamais elle n'aurait succombé à la tentation de la chair si Kane n'avait exercé sur elle ses numéros de charme. Jamais !

Kane s'attendait au pire. Il lui suffisait de voir les émotions qui passaient sur le visage de Célia pour comprendre qu'elle n'allait pas tarder à déclencher les hostilités. Exactement comme il l'avait prévu.

A toute vitesse, il essaya de rassembler ses idées. Il voulait trouver les mots susceptibles de l'apaiser.

— Ne gâchez pas le souvenir des instants magiques que nous avons connus, murmura-t-il en se redressant sans la quitter des yeux.

Avec une grimace de douleur, il réussit à se lever.

— Ce que nous avons partagé...

Célia se détourna vivement contre le mur, mais la vision de Kane, debout et entièrement nu, se superposait à la tapisserie comme un tableau vivant.

— Je ne souhaite pas revenir sur ce qui s'est passé alors que j'avais momentanément perdu l'esprit, annonça-t-elle d'une voix moins assurée qu'elle ne l'aurait souhaité. Tout ce que je veux, c'est que vous sortiez d'ici... *immédiatement !*

Un sourire dansa sur les lèvres de Kane tandis qu'il s'approchait. La silhouette de Célia cachée par le drap ne laissait dépasser qu'une masse de boucles auburn.

— Je pense, moi, que nous devrions discuter de ce qui s'est passé... *immédiatement*.

— Seriez-vous assez aimable pour remettre votre pantalon ? demanda-t-elle d'une voix tremblante.

Elle n'était que trop consciente de sa nudité, derrière elle, devant elle, sur les côtés... partout !

— Peut-être avez-vous l'habitude de discuter tout nu, mais moi non !

— Je comprends ce que vous ressentez, murmura Kane, ne sachant trop comment aborder un sujet aussi épineux.

— Non, vous ne *pouvez* pas comprendre, rétorqua Célia.

Prestement, elle fit un pas de côté afin d'éviter tout contact avec lui. Elle aurait voulu pouvoir traverser le mur, autant pour lui échapper que pour fuir sa propre humiliation.

— Il vous est impossible de comprendre ce que je ressens, reprit-elle. D'abord parce que vous n'êtes pas une femme, et ensuite parce que manifestement ce n'était pas la première fois que vous...

Elle risqua un regard vers Kane. La vision de son torse parfait, de ses longues cuisses musclées, de son entière nudité, enfin, lui fit perdre le fil de son discours. D'un rapide mouvement de la tête qui fit onduler ses boucles soyeuses, elle reporta son regard sur le mur.

La voyant en difficulté, Kane voulut venir à son secours :

— ... la première fois que je couchais avec une femme ? Non, en effet, avoua-t-il honnêtement.

Sa main frôla doucement la cascade de boucles auburn, puis il soupira. Célia ne bougeait pas plus qu'une morte.

— Compte tenu de tout ce qui est arrivé depuis une semaine, je pense que nous devrions faire nos bagages et nous en aller. Si...

Célia sentit sa colère monter d'un cran.

— Partir *avec vous* ?

Elle se retourna pour lui faire face. Sapristi, elle était si furieuse qu'elle était tentée de lui pocher son deuxième œil !

— Partir, et faire quoi ? reprit-elle. Errer d'un camp de mineurs à l'autre pour vous laisser les dépouiller à une table de jeu ? Êtes-vous en train de suggérer que je devienne votre maîtresse jusqu'à ce que vous jetiez votre dévolu sur une autre femme ? Merci bien, je préférerais encore mourir.

— C'est ce qui vous arrivera probablement si vous ne vous décidez pas à quitter cette ville, répliqua Kane avec plus de rudesse qu'il ne l'aurait voulu.

Dieu lui était témoin, il n'y avait vraiment aucun moyen de tenir une conversation sensée avec Célia. Elle se braquait sans cesse et ne voulait jamais entendre raison. Elle cultivait tellement la contradiction que s'il lui avait demandé de *ne pas* se jeter par la fenêtre, elle se serait précipitée pour le faire. Uniquement pour le contrarier.

— Je n'imagine pas quelque chose de pire que de suivre un débauché tel que vous ! Vous avez avoué vous-même que vous couchiez souvent avec des femmes, et que je n'ai été pour vous qu'une passade.

— Je n'ai pas dit ça ! protesta Kane. Et si je me souviens bien, vous étiez tout à fait consentante. Vous me désiriez autant que je vous désirais. Oseriez-vous le nier ?

Célia n'aurait jamais reconnu une chose pareille, même avec un pistolet braqué sur la tempe ! Plus furieuse que jamais, elle avait une suprême envie de le gifler. Mais, devinant son geste, Kane la saisit aux poignets. Elle poussa un cri outragé et voulut se libérer, mais Kane la serra contre lui et plongea son regard dans le sien.

— Nous allons quitter la ville — tous les deux. Et ne discutez plus, gronda-t-il. Après ce qui s'est passé, je pense que nous devrions également nous marier. Il me semble que c'est la solution la plus logique.

— Nous marier ? Vous rêvez !

Célia était au bord de la crise de nerfs. Jusqu'ici elle s'était toujours sortie de toutes les situations, même les plus délicates, sans céder à l'hystérie. Mais cette fois elle n'arrivait pas à reprendre le dessus et, sapristi, elle *devenait* hystérique.

— Oh, quels admirables sacrifices sont prêts à consentir les hommes pour sauver la réputation d'une vierge déflorée, surtout quand ils savent qu'ils ont affaire à une héritière ! cracha-t-elle à la face de Kane. Vous savez très bien que mon père possède la compagnie dans laquelle je travaille. Et vous aimeriez faire un beau mariage, tout vaurien que vous êtes ! Après, vous n'auriez plus qu'à me cloîtrer dans un coin pour reprendre votre existence dissolue !

Libre à elle d'embrouiller les choses ! songea Kane qui commençait lui aussi à perdre patience. Jamais Célia O'Roarke ne ferait confiance à quiconque. Elle n'était que cynisme et suspicion. Peut-être aurait-il dû lui expliquer qui il était vraiment et ce qu'il était venu faire. Mais il craignait sa réaction en apprenant que Patrick l'avait payé afin qu'il la tirât du guêpier dans lequel elle s'était fourrée.

Et puis, malgré sa colère grandissante, Kane ne pouvait se résoudre à lui avouer la vérité. Il désirait que Célia l'acceptât pour ce qu'il était réellement. Il voulait lui faire admettre qu'ils avaient partagé ensemble quelque chose qui n'avait rien à voir avec leur état civil. Bon sang, il commençait à s'attacher à cette délicieuse friponne. Et, franchement, il se demandait bien pourquoi ! Célia avait le don de le faire sortir de ses gonds, et en même temps elle l'attirait comme un puissant aimant...

Célia profita de sa rêverie pour saisir une lampe qu'elle brandit dans sa direction.

— Sortez de ma chambre immédiatement ! Je ne

veux plus jamais vous revoir ! siffla-t-elle en lançant la lampe à travers la chambre.

Kane se baissa pour éviter le projectile et attrapa en hâte son pantalon. Il avait à peine eu le temps d'enfiler une jambe que Célia lui jetait le broc qui trônait sur la table de toilette. L'objet frôla de peu sa tête et alla s'écraser en mille morceaux contre le mur.

— Calmez-vous ! s'exclama-t-il tandis qu'il s'emparait de sa chemise.

Il fit un bond de côté pour échapper in extremis au guéridon qui vola dans les airs.

— Je me calmerai quand vous aurez déguerpi d'ici, répondit Célia en le fusillant du regard. Nous marier, vraiment ! Je jure de renoncer aux hommes et à l'alcool pour le restant de mes jours !

— Dieu du ciel, que vous restera-t-il ? ironisa Kane en ramassant ses bottes tout en se dirigeant vers la porte.

Il avait espéré que l'humour la détendrait, mais c'était peine perdue.

Célia n'avait aucune envie de rire, mais ne sachant quoi répondre à sa remarque insolente, elle l'abreuva d'injures bien senties avant de lui lancer le vase qu'elle tenait à la main. Kane sortit juste à temps pour l'éviter. Utilisant la porte comme bouclier, il repassa sa tête à l'intérieur de la pièce. Apparemment, Célia était à court de munitions. La seule chose qu'elle ne lui avait pas encore jetée à la figure était la corbeille à papier. Trop petite et trop légère pour faire mal, estima Kane.

— Quand vous aurez repris vos esprits, nous pourrons enfin nous asseoir et discuter tranquillement, annonça-t-il en se retenant de sourire pour ne pas aggraver les choses.

Célia avait épuisé son stock d'armes, mais elle n'était pas calmée pour autant. Le culot de ce goujat ! Qu'avait-il osé lui proposer ! Il n'avait pas plus envie de se marier que d'offrir son cou à la corde du bourreau. De toute façon, elle n'épouserait jamais ce débauché, même s'il était le dernier homme sur la terre ! Kane se moquait éperdument d'elle. Elle n'était qu'une conquête de plus à son tableau de chasse et tout ce qu'il lorgnait, c'était son argent. Mais il ne toucherait pas à un penny de la fortune des O'Roarke. Même pas dans un milliard d'années !

— Nous n'avons rien à nous dire, tout simplement parce que je refuse de parler avec vous. Ni maintenant, ni plus tard. Jamais, entendez-vous ! cria-t-elle.

Et pour donner plus de poids à ses paroles, elle lança la corbeille à papier en direction de cette tête qui la narguait depuis la porte.

— Maintenant, fichez-moi le camp !

Kane claqua le battant avant que la corbeille n'atteignît sa cible. De toute évidence, Patrick O'Roarke lui avait confié une mission impossible. Il n'y avait aucun moyen de persuader Célia de quitter la ville. D'autant qu'elle le considérait désormais comme son ennemi juré.

Kane enfila ses bottes en laissant échapper un

soupir d'impuissance. Rien ne marchait comme il le voulait, depuis une semaine. Spécialement en ce qui concernait cette mégère aux yeux verts. Pourquoi diable lui avait-il proposé de l'épouser ? Sans doute parce que c'était la seule issue honorable après lui avoir ravi son innocence. Mais son offre généreuse n'avait fait qu'attiser la colère de Célia. Kane s'interrogeait toutefois sur le sens de sa réaction. Un simple « non » ferme et résolu aurait suffi. Au lieu de cela, Célia s'était violemment emportée.

Kane descendit dans la salle à manger de l'hôtel et se commanda un solide petit déjeuner. En sirotant son café, il tenta de faire le point. La situation exigeait des mesures drastiques. Patrick, là encore, avait vu juste. Pour obliger la jeune femme à retourner chez son père, il n'existait guère qu'un seul moyen : la manière forte.

L'entrée de Célia dans la salle à manger le tira de ses pensées. Elle portait une de ses sempiternelles robes boutonnées au col et un chapeau de soie rose. Kane ne put s'empêcher de sourire en remarquant tout le soin qu'elle mettait à l'éviter. Elle ne lui accorda pas un regard et fit comme s'il n'existait pas.

Bon sang de bois, il *existait*, et elle n'allait pas tarder à s'en rendre compte. Aujourd'hui Célia le méprisait, mais elle aurait d'autres raisons de le détester quand il en aurait fini avec elle. Célia O'Roarke était peut-être une dure à cuire, mais Kane aimait relever les défis. Même si cela devait être sa dernière mission, il se promettait bien de la faire partir de Denver.

Comptant sur ses talents de comédienne, Célia feignait d'ignorer totalement l'homme assis à l'autre bout de la salle à manger. Cela n'avait pas été chose facile d'entrer dans cette pièce de la manière la plus naturelle possible, comme si rien ne s'était passé. Un sentiment d'humiliation et de culpabilité la poursuivait à chacun de ses pas. Elle avait honte de s'être abandonnée dans les bras de Kane, et s'en voulait encore plus de s'être abaissée à lui faire une scène pour le chasser de sa chambre.

Qu'il aille en enfer ! Il avait vraisemblablement projeté de la séduire dès l'instant où il avait appris qui elle était. Oh, il s'était montré très adroit, il fallait le reconnaître ! Il lui avait d'abord fait croire que ses intentions étaient parfaitement honorables et qu'il ne songeait qu'à sa sécurité. Dès qu'elle avait baissé sa garde, il en avait profité. Elle était prête à parier qu'il s'attendait à ce qu'elle le suppliât de l'épouser pour réparer son affront. Ainsi le tour serait joué et il mettrait la main sur sa fortune.

Célia comprenait tout, maintenant. Elle avait vécu exactement le même scénario avec Michael Dupris. Il avait courtisé une jeune et innocente héritière qui était séparée de son père pour la première fois de sa vie. Michael l'avait séduite en lui dépeignant un avenir radieux. Naïve et confiante comme pouvait l'être une jeune fille de dix-huit ans, Célia l'avait cru. Jusqu'à ce qu'elle retombât lourdement sur terre.

Trois ans plus tard, elle se retrouvait donc dans la

même situation. Sa rencontre avec Kane Callahan ne pouvait que renforcer sa mauvaise opinion des hommes. Tous autant qu'ils étaient, ils ne cherchaient qu'à prendre ce qui les intéressait. Eh bien, Célia se jurait de renoncer *définitivement* à eux. Impossible de faire confiance à aucun, excepté son père. Et si elle n'avait pas désiré si fort lui prouver ses compétences, il y a longtemps qu'elle se serait dépêchée d'aller le retrouver. Mais elle ne partirait pas de Denver sans avoir résolu toutes les difficultés de l'agence.

Tout en ressassant ces pensées, Célia arrangeait le contenu de son assiette : le bacon en haut, les œufs en bas, les toasts...

Soudain elle leva les yeux et vit que Kane la regardait avec un sourire malicieux.

Même à distance, il continuait de la ridiculiser et elle eut envie de lui lancer son assiette à la figure. Il avait le don de la déconcerter, de la troubler. Michael Dupris ne l'avait pas autant impressionnée que cet apollon nanti d'un magnifique œil au beurre noir — dont elle aurait adoré être la responsable !

Étouffant un juron, Célia attaqua son repas en imaginant que Kane Callahan gisait dans son assiette. Comme elle aurait aimé le découper en minuscules morceaux dont elle n'aurait fait qu'une bouchée !

Les hommes ! Tous nuisibles. Et comme si son épreuve avec Callahan ne suffisait pas, il lui faudrait endurer les remarques désobligeantes d'Owen toute la journée. Elle rentrerait encore à son hôtel avec une bonne migraine.

Avec toute la dignité dont elle pouvait faire preuve, Célia se leva gracieusement de table et quitta le restaurant. Si elle ne revoyait plus jamais Kane Callahan, elle ne s'en porterait que mieux. Il ne serait rien d'autre pour elle qu'un désagréable souvenir. Elle oublierait complètement ce qui s'était passé entre eux.

Célia se lança le défi de ne pas regarder derrière elle. Elle avait déjà tourné la page et jusqu'à sa mort elle n'aurait même plus l'ombre d'une pensée pour cet homme.

9

Pendant trois jours, Célia consacra tout son temps à l'agence et s'employa à oublier que Kane Callahan avait jamais existé. Ce n'était pas si facile, dans la mesure où Owen Graves la brocardait sans cesse. Ses plaisanteries étaient sournoises, et il avait appris à s'arrêter juste avant que Célia ne perdît patience.

Un peu avant midi, ce jour-là, un télégramme annonça qu'une nouvelle attaque avait eu lieu — mais heureusement elle avait échoué. Selon le message, un bandit isolé — qui n'avait rien à voir avec le Dandy qui laissait toujours des petits mots sur son passage — avait essayé de dérober la cargaison d'or, mais l'escorte avait pu déjouer son attaque. Quoique retardé, le convoi arriverait à bon port dans la soirée.

Sachant qu'il lui faudrait rester tard pour réceptionner, compter et peser l'or, Célia se replongea courageusement dans son travail pendant qu'Owen ronchonnait, comme d'habitude, sur la lourdeur des tâches qu'elle lui avait confiées.

Célia avait essayé de lui inculquer ses méthodes pour travailler mieux et plus vite. En vain. Elle n'était pas non plus parvenue à changer les manies de Lester Alridge qui enregistrait toujours les opérations avec une certaine fantaisie. En revanche, son frère ne s'étant pas beaucoup montré ces derniers temps, les employés n'étaient pas distraits de leur travail. C'était déjà ça.

A l'heure de la fermeture de l'agence au public, Célia sentit la fatigue l'envahir, mais il lui restait encore plusieurs heures de travail devant elle, à attendre l'or. La cargaison n'arriva qu'après le coucher du soleil. Owen était déjà parti depuis longtemps mais Lester était toujours dans son bureau. Il vint voir Célia.

— Je-je n'ai pas besoin de ren-rentrer chez moi tout de suite, mon-mon frère n'est pas là, bégaya-t-il. Si vous voulez, je vais vous-vous aider.

Célia ne le souhaitait pas. D'abord parce qu'elle était convaincue qu'elle irait plus vite toute seule. Et ensuite parce qu'elle désirait un peu de tranquillité pour faire le point dans son esprit. Pendant toute la journée les clients n'avaient cessé de défiler dans l'agence, aussi aspirait-elle maintenant à un peu de calme.

— Merci, Lester, j'apprécie beaucoup votre offre, dit-elle avec un sourire fatigué. Mais vous pouvez rentrer chez vous, je vais m'en charger.

— Je pou-pourrais inscrire les chiffres pen-pendant que vous pesez l'or, insista Lester. Vous sa-savez, je me mo-moque des heures supplémentaires.

— Une autre fois, peut-être, Lester, murmura Célia en jetant un œil aux sacs d'or empilés sur le comptoir. Ce soir je préfère le faire toute seule.

Lester hocha la tête en signe d'acquiescement, puis il mit son chapeau et quitta l'agence. Avec un soupir exténué, Célia rassembla son énergie et commença la pesée. Une seule lampe brillait au-dessus du comptoir pendant qu'elle travaillait. Le reste de l'agence était plongé dans l'obscurité et le silence. On n'entendait que le cliquetis de la balance et le son mat des sacs remplis d'or.

Soudain, un bruit anormal provenant de la porte de derrière attira l'attention de la jeune femme. Elle demeura parfaitement immobile, se retenant de respirer, pour deviner de quoi il s'agissait. Quand la porte grinça sur ses gonds, Célia sentit son cœur s'emballer. A sa connaissance, l'agence n'avait encore jamais été cambriolée, mais cela devait finir par arriver. Et précisément au moment où elle s'y trouvait seule... N'était-elle pas particulièrement chanceuse, ces derniers temps ?

Rassemblant son courage, elle entra à pas de loup dans le bureau du fond. La vision d'une ombre fugitive la cloua sur place. Avant qu'elle ait pu faire demi-tour pour revenir à la lumière, une silhouette massive se jeta sur elle et la plaqua au sol. Célia ouvrit la bouche pour crier, mais une main gantée la bâillonna sans ménagement.

— Si tu bouges, t'es morte ! glapit une voix rauque dans son oreille, tandis que son agresseur la tirait brutalement par les cheveux pour l'obliger à se relever.

Célia ne pouvait voir le pistolet braqué sur son ventre, mais elle le sentait ! Le bandit portait sur la tête un sac de toile grossière en guise de masque et une sorte de grand manteau informe qui cachait ses vêtements. Pourtant, Célia croyait deviner son identité. Certes, elle n'aurait pu le jurer, mais d'après le son de cette voix et aussi d'après l'odeur nauséabonde qui émanait du manteau, elle était presque certaine qu'il s'agissait de Griz Vanhook. Comme Kane l'avait prévu, il était revenu pour se venger.

— Va chercher l'or, ordonna brutalement le bandit.

Célia doutait d'en réchapper. Dans ces conditions, elle n'avait plus grand-chose à perdre.

— Allez le chercher vous-même, lança-t-elle par défi.

Le bandit la gifla violemment en poussant un juron, puis braqua le pistolet sur sa gorge. Célia crut sa dernière heure arrivée.

— Maintenant, tu vas faire ce que j'te dis ! hurla-t-il.

A contrecœur, Célia se dirigea vers le comptoir où les sacs d'or étaient alignés à côté de la balance.

— Plus vite, je vais pas y passer toute la nuit ! s'impatienta l'autre.

Depuis longtemps, Célia soupçonnait Griz d'être l'un des bandits qui attaquaient ses diligences. Elle ne lui connaissait aucun emploi défini, or il ne semblait jamais à cours d'argent pour payer ses beuveries. Puisque ses deux compères étaient pour l'instant sous les verrous, Griz était désormais forcé d'agir seul, et ce détail ne fit que renforcer la conviction de la jeune femme. Elle aurait donné n'importe quoi pour débarrasser la société de cette vermine. Mais dans l'immédiat, c'était Griz qui tenait le pistolet, et toute sa belle détermination ne vaudrait pas grand-chose contre un six-coups.

— J'ai dit plus vite ! hurla Griz en lui enfonçant son arme dans le dos. Mettez ces sacs dans...

Le tintement de la clochette de la porte d'entrée le fit taire.

Dès qu'il entra, Lester Alridge regretta d'être revenu à l'agence pour aider Célia. Malgré l'insistance de la jeune femme à vouloir rester seule, il s'était dit, après avoir dîné dans un restaurant du voisinage, qu'il pouvait quand même venir la soulager un peu. Mais il ne s'était pas du tout attendu à tomber en plein hold-up ! Le courage n'était malheureusement pas son point fort, cependant Lester tâtonna dans la poche de son veston pour sortir le petit pistolet qu'il portait toujours en cas d'urgence. Or, ceci était précisément une urgence !

Horrifiée, Célia regardait tour à tour le gangster masqué et son comptable qui s'était jeté par inadvertance dans la gueule du loup. Elle imaginait mal ce pauvre Lester affronter au pistolet un redoutable hors-la-loi. Profitant de la distraction de Griz, elle brandit le sac d'or qu'elle tenait à la main pour en assener un grand coup sur la tête du bandit. Elle espérait donner ainsi à Lester le temps de viser et de tirer. Hélas, Griz fut le plus rapide et il esquiva le sac pour les mettre tous les deux en joue.

L'agence était soudain devenue aussi silencieuse qu'un cimetière. Célia retenait sa respiration. Elle se retrouvait coincée entre les deux hommes et ne pouvait plus rien faire.

Kane se renfrogna en approchant de l'agence. A la lumière de la petite lampe qui brillait au-dessus du comptoir, il constata qu'il arrivait trop tard. Il avait projeté de mettre lui-même en scène un hold-up et d'enlever Célia de force. Mais un bandit était déjà sur place et menaçait de son arme la jeune femme et le petit homme frêle qui se tenait sur le seuil.

Plus rapide que l'éclair, Kane se mit en position au milieu de la rue. Il se doutait que Lester serait incapable de répliquer efficacement si le cambrioleur décidait d'appuyer sur la détente, mais d'où il était, Kane tenait le brigand dans sa ligne de mire. Personne n'avait remarqué sa présence, mais Kane savait qu'il n'avait pas droit à l'erreur s'il voulait sauver Célia.

Les armes parlèrent toutes en même temps, si bien que nul n'aurait pu dire exactement combien de coups de feu furent tirés. Par chance, Kane fit mouche. Sa balle entra dans l'agence par la porte restée ouverte, frôla Lester d'un cheveu avant de toucher le bandit. Quand il fut certain d'avoir atteint sa cible, Kane s'esquiva furtivement, aussi silencieux qu'une ombre.

Le hors-la-loi tomba lourdement à genoux. Il ne semblait pas comprendre ce qui lui arrivait. Redoutant qu'il ne recouvrât ses esprits, Célia lui ôta son pistolet des mains et le jeta au loin. Finalement, le bandit s'écroula de tout son long et la jeune femme en profita pour lui retirer son masque. Elle avait vu juste. Une faible lueur vengeresse brillait encore dans les yeux de Griz Vanhook. Le voile de la mort figea ses traits et Griz rendit l'âme aux pieds de Célia.

Son cœur cognait encore follement dans sa poitrine, la jeune femme trouva pourtant la force d'aller ramasser le sac d'or qu'elle avait lancé à la tête de Griz pour le remettre à sa place sur le comptoir.

— Je vais chercher l'adjoint du shérif, annonça Lester d'une voix chevrotante.

Célia se contenta de hocher la tête. Elle était si choquée qu'elle n'aurait pu parler d'une voix plus assurée que celle de son comptable.

Une fois Lester parti à la recherche de Jim Metcalf, elle respira profondément pour retrouver son calme. Curieusement, elle n'avait pas eu aussi peur le jour où Kane et elle s'étaient retrouvés dans une situation analogue face à Griz. Non seulement la présence rassurante de Kane lui avait donné du courage, mais en outre elle s'était montrée plus déterminée à lui sauver la vie qu'à chercher à se protéger elle-même. Aujourd'hui, sans Kane pour l'épauler, Célia tremblait comme une feuille.

Dieu merci, tout était fini, à présent. Célia respira encore à pleins poumons. Dans quelques minutes, elle aurait recouvré...

Un petit cri mourut dans sa gorge quand elle sentit une main d'acier se plaquer sur sa bouche. « Nom d'un chien ! songea-t-elle amèrement. Griz n'était pas seul ! » Un de ses comparses avait dû attendre dans la pièce de derrière.

Celui-là portait également un masque, ainsi qu'un chapeau à larges bords. Sans lâcher Célia, il se dirigea droit vers le comptoir et avec une rapidité stupéfiante il enfouit les sacs d'or dans les poches de son grand manteau. Célia aurait voulu mordre la main de son agresseur, mais malheureusement il avait été assez prévoyant pour lui enfoncer un mouchoir dans la bouche. Et même quand elle essayait de gigoter, elle ne parvenait pas à le distraire de son occupation. Impuissante, elle assista à la disparition du dernier sac d'or dans ses poches.

Lorsqu'il eut terminé, au lieu de la libérer il l'entraîna dans la pièce du fond et la plaqua sans ménagement contre le mur. Il lui arracha ses lunettes et les jeta au loin avant de la bâillonner avec un foulard qu'il noua derrière sa tête. Puis il sortit une cordelette de sa poche et lui attacha les poignets et les chevilles. Mais ce n'était pas fini ! Horrifiée, Célia le vit déployer une toile de bâche qu'il avait apportée avec lui et l'enrouler sur elle comme si elle était une momie.

Jusqu'à cet instant, Célia n'avait jamais envisagé la possibilité de se faire enlever, molester et assassiner dans quelque lieu obscur à l'écart de la ville. Sentant la terreur la gagner, elle aurait été prête à supplier Kane Callahan de réapparaître dans sa vie.

Depuis deux jours il avait disparu et, mon Dieu oui, elle l'aurait *supplié !*

Elle ne reverrait jamais son père et il ne saurait même pas ce qui lui était arrivé. Avant que Lester revînt avec Jim, elle serait déjà loin.

Un faible gémissement lui échappa quand le bandit la chargea sur son épaule comme un vulgaire sac de farine.

Après quelques rapides enjambées, il la coucha en travers d'un cheval. La tête en bas, Célia méditait sur le cours tragique que venait de prendre sa vie en l'espace de quelques minutes. Que Dieu lui vînt en aide ! Elle allait endurer tous les tourments de l'enfer et ne se réveillerait jamais de cet horrible cauchemar !

Une fois assis sur sa propre monture, le bandit conduisit prudemment les deux chevaux en dehors de la petite ruelle qui passait derrière l'agence. Dès que la route fut libre, il lança les bêtes au triple galop.

Ballottée comme un sac de grain, Célia se félicitait de n'avoir pas eu le temps de dîner. Le pommeau de la selle qui heurtait lourdement son estomac aurait eu raison de son repas ! Se souciant comme d'une guigne du confort de sa victime, le ruffian menait les chevaux à un train d'enfer en direction des montagnes dont les ombres fantastiques dominaient la ville.

Célia songea avec amertume que la prédiction de Kane Callahan était en train de se réaliser. Il l'avait mise en garde et lui avait conseillé de quitter la ville avant d'y perdre la vie. A présent, son ambition de remettre l'agence sur pied lui semblait dérisoire. Sauver sa peau était autrement plus important.

Tous ses efforts pour réussir professionnellement et montrer qu'elle pouvait être aussi compétente qu'un homme avaient été vains. Elle allait mourir, seule, dans un recoin perdu du Colorado. Son corps serait jeté du haut d'une falaise et abandonné aux vautours.

Alors que les chevaux continuaient leur course sur des sentiers caillouteux à flanc de montagne, Célia sentit le désarroi la gagner. C'était le début de la fin. Elle avait pris un aller simple pour l'enfer !

L'inquiétude avait assombri le visage poupin de Jim Metcalf tandis qu'il se ruait vers l'agence de la O'Roarke Express. Il osait à peine penser à la terrible épreuve que venait de vivre Célia. A l'instant même où Lester Alridge l'avait enfin trouvé, presque à l'autre bout de la ville, Jim avait pris ses jambes à son cou. Derrière lui, le frêle comptable avait bien du mal à suivre.

Dès qu'il franchit le seuil de l'agence, Jim chercha des yeux la jeune femme aux cheveux auburn. Ne la voyant pas, il s'approcha du corps étendu à terre pour l'examiner.

Pendant ce temps, la foule commençait à s'attrouper devant la porte.

— Qui a tué Griz ? demanda un badaud.

— C'est moi, annonça Lester de bonne foi, car il ignorait que Kane avait tiré en même temps que lui et mortellement touché le bandit.

La nouvelle de la mort de Griz Vanhook se répandit comme une traînée de poudre. Personne ne songea à verser une larme pour celui qui avait terrorisé les honnêtes citoyens pendant si longtemps. Au contraire, tout le monde applaudit Lester — pourtant le plus improbable des héros. Il fut porté en triomphe à travers les rues de la ville comme un conquérant revenant victorieux d'une bataille.

Pendant que la population fêtait la disparition de son bourreau, Jim continuait de fouiller l'agence à la recherche de Célia. Il s'était plus ou moins attendu à la trouver dans un recoin sombre de la pièce de derrière, évanouie de frayeur. Sans succès. Célia avait disparu.

Quand Jim sortit de l'agence, le corps de Griz avait déjà été emporté et la foule s'était ruée dans les saloons les plus proches. Tournée après tournée, on n'en finissait pas de célébrer l'homme qui avait tué Griz Vanhook.

Troublé par la disparition de Célia, Jim se rendit directement à l'hôtel où logeait la jeune femme. Il frappa deux fois à sa porte et, n'ayant pas reçu de réponse, redescendit interroger le concierge.

Celui-ci lui affirma que Célia n'était pas revenue à son hôtel depuis le matin. Il en était absolument certain car lui-même n'avait pas quitté son bureau de la journée. Jim enleva son chapeau et passa une main nerveuse dans ses cheveux blonds. Où diable pouvait-elle être ? Célia n'avait pu courir chercher refuge auprès de Kane Callahan, puisque celui-ci était parti deux jours plus tôt, annonçant qu'il quittait Denver pour aller exercer ses talents de joueur dans un campement de mineurs.

Jim avait été surpris par cette nouvelle, et en même temps grandement soulagé. Il aimait bien Kane, mais il avait senti une attirance réciproque entre lui et Célia. Kane parti, Jim était délivré de cette concurrence dangereuse.

Brisant là sa rêverie, Jim reprit la direction de l'agence. Il espérait que Célia serait enfin de retour à son bureau. Mais à sa grande déception, la pièce était telle qu'il l'avait laissée : déserte.

Ses pas le menèrent devant la balance qui trônait sur le comptoir, à côté du registre grand ouvert où Célia inscrivait les pesées. Approchant la lampe, il examina ce que la jeune femme avait noté dans la journée. Les sourcils froncés, il chercha du regard les sacs d'or qui auraient dû se trouver à côté de la balance.

L'inquiétude et les soupçons commençaient à le tarauder. Connaissant le penchant de Célia pour l'ordre, Jim était convaincu qu'elle n'aurait pas quitté son travail sans ranger la balance et remettre le registre à sa place sur l'étagère.

Sortant en trombe de l'agence, Jim se rua à la recherche de Lester. Quand il le trouva enfin dans un saloon, le malheureux comptable était passablement sonné par tous les toasts qu'on avait levés en son honneur. Jim l'agrippa sans ménagement par le col de sa veste.

— Hé, Jim ! l'interpella une voix. Vas-y doucement avec Lester. On vient de lui donner les clés de la ville et de le nommer Héros de Denver.

Jim se moquait pas mal de la promotion du comptable. Il voulait des réponses à ses questions !

— Répondez-moi, nom de Dieu ! cria-t-il. Est-ce que, avant de quitter l'agence, vous avez caché les sacs d'or pesés par Célia ?

La question mit quelques instants pour arriver au cerveau embrumé de Lester. Lui qui ne buvait jamais avait avalé whisky sur whisky pour se remettre de ses émotions.

— De-de-de l'or ? Ah oui, l'or...

Lester réfléchit intensément avant de continuer :

— Non, je-je n'ai rien caché. Miss O'Roarke m'a de-demandé d'aller vous chercher.

— Mais après, quand vous êtes revenu avec moi, est-ce que vous avez rangé les sacs ?

Lester secoua négativement la tête.

— Je-je n'ai pas eu le temps. On m'a en-entraîné. Je-je suppose que Célia l'a fait elle-même. Elle est très ef-efficace.

— Elle a disparu ! s'emporta Jim. Et les sacs d'or ne sont plus là non plus.

Son éclat fit taire les conversations et les rires qui emplissaient le saloon. Lâchant Lester qui retomba lourdement sur sa chaise, Jim s'adressa à tous les consommateurs présents :

— J'ai cherché Célia partout, elle est introuvable.

Il fit une pause pour laisser s'apaiser les murmures provoqués par cette nouvelle avant de poursuivre :

— Lester a tué Griz, mais le bandit avait peut-être des complices embusqués à l'arrière. Miss O'Roarke a sans doute été kidnappée en même temps qu'ils s'emparaient de l'or.

Jim avait à peine fini sa phrase que tous les hommes se levaient d'un bond. Sincèrement inquiets pour Célia, ils se ruèrent au-dehors. Les recherches s'organisèrent et quelques hommes finirent par relever des empreintes dans la ruelle derrière l'agence. Apparemment, deux chevaux avaient attendu pendant que deux hommes — Griz et l'inconnu qui l'accompagnait — entraient dans l'agence. On pouvait facilement suivre la trace de leurs pas dans la poussière.

Jim était convaincu que Célia avait été portée jusqu'à l'un des chevaux, car on ne trouvait aucune empreinte de son petit pied. Elle avait sans doute été assommée avant ou... Jim déglutit avec peine en imaginant le pire.

— J'ai besoin de volontaires ! cria-t-il à la cantonade.

Quelques minutes plus tard, une petite troupe de cavaliers se rassemblait à son côté. Malheureusement, Jim n'avait pas la moindre idée de la direction à prendre. Sur la grand-route, les empreintes des chevaux s'étaient fondues avec les autres traces. Étouffant un juron, il éperonna son étalon pour revenir en toute hâte au saloon.

— Retournez immédiatement à l'agence et envoyez un message à toutes les patrouilles, ordonna-t-il à Lester. Ensuite, remettez tout en ordre. Je vous confie la responsabilité de l'agence jusqu'à ce que M. O'Roarke soit informé de la disparition de sa fille. Je sais qu'il pourra compter sur vous puisque vous êtes le seul à avoir tenté de vous opposer au cambriolage.

— Moi ? coassa Lester en roulant des yeux effarés. Mais... et Owen Graves ? C'était lui le di-directeur avant que...

— C'est vous qui avez tué Griz Vanhook, le coupa Jim. Miss O'Roarke avait rétrogradé Owen. Je suis convaincu que c'est à vous qu'elle aurait confié cette responsabilité. Et vous savez à quel point elle était... elle est...

Jim essaya de chasser les pensées lugubres qui l'assaillaient. Il *voulait* croire que Célia était toujours en vie.

— Retournez à l'agence et agissez exactement comme Célia l'aurait fait ! lança-t-il à Lester avant de repartir en trombe.

10

Pendant que Jim Metcalf se lançait à bride abattue dans une mauvaise direction, Kane scrutait à travers son masque les montagnes qui dominaient leur route. En silence, il engagea sa monture dans l'un des étroits défilés qu'il était venu reconnaître au cours des deux précédentes journées. Cela faisait maintenant plus de trois heures qu'ils chevauchaient entre ravins et précipices, mais Kane n'avait toujours pas adressé la parole à sa prisonnière. Il redoutait le moment où il serait obligé d'apprendre la vérité à Célia. Et pour l'instant, il ne s'était pas encore totalement remis du hold-up de l'agence.

Il avait dû prendre sur lui pour ne pas céder à la panique quand il avait découvert Célia à la merci du pistolet de Griz. Il n'avait eu que quelques secondes pour agir. Encore maintenant, il pouvait sentir le frisson qui lui avait glacé l'échine juste après l'échange de coups de feu. Il s'était arrêté de respirer pendant ce qui lui avait paru une éternité... le temps de s'assurer que Lester n'avait pas atteint Célia par erreur.

Kane savait que le comptable s'attribuerait tout le mérite de la mort de Griz, mais il s'en moquait. Selon son bon vieux principe, moins il attirait l'attention sur lui au cours d'une mission, mieux il se portait. Pour les habitants de Denver, Kane Callahan ne devait être qu'un joueur de poker, rien d'autre. Il avait acquis leur respect en montrant qu'il pouvait tenir tête à un bandit de la trempe de Griz Vanhook, mais aujourd'hui Lester était devenu leur héros et ils avaient déjà oublié Kane.

C'était d'ailleurs tout ce qu'il souhaitait, car il ne voulait pas qu'on pût le soupçonner de l'enlèvement de Célia. La disparition de la jeune femme resterait un mystère tant que Kane n'aurait pas mis la main sur ce Dandy Masqué qui dévalisait les diligences en déjouant toutes les ruses.

Quant au gang sanguinaire qui n'hésitait pas à s'en prendre aux passagers, le problème était maintenant résolu. Pendant que Kane faisait ses reconnaissances dans la montagne, il avait aperçu un bandit qui s'apprêtait à prendre une diligence en embuscade. Malgré le sac qui lui servait de masque, Kane avait facilement reconnu Griz Vanhook à son cheval. L'attaque avait raté, mais Kane n'avait pas prévu que le bandit voudrait prendre sa revanche le soir même, quitte à s'introduire en ville pour dévaliser l'agence.

Heureusement, il était intervenu juste à temps pour empêcher Griz de mettre son sinistre dessein à exécution. A une minute près, Lester serait mort et Célia...

Kane jeta un coup d'œil à sa prisonnière. Il n'était pas franchement désolé de ce qui lui arrivait. Elle avait largement mérité le stratagème auquel il avait dû se résoudre et il comptait bien lui flanquer une peur bleue avant de la relâcher.

Après la scène qu'elle lui avait faite, trois jours plus tôt dans sa chambre d'hôtel, Kane n'était pas mécontent de la tournure des événements. Elle le faisait tellement enrager, parfois, qu'il l'aurait volontiers étranglée. Toutefois, Patrick O'Roarke ne lui avait pas offert dix mille dollars pour tordre le cou de sa diablesse de fille, mais pour lui sauver la vie... ce qu'il avait fait !

Elle ne le remercierait jamais pour cela, bien sûr, mais Célia avait bel et bien échappé à la mort grâce à lui. Cependant, Kane désirait lui donner une bonne leçon. Comme Patrick l'avait prévu, il fallait que Denver restât associée dans son esprit à des souvenirs tragiques afin qu'elle n'eût pas envie d'y revenir à la première occasion.

En outre, Kane avait l'intention de résoudre tous les problèmes qui avaient attiré Célia dans le Colorado. Dès lors que l'agence ne perdrait plus d'argent et que tous les cambrioleurs seraient mis hors d'état de nuire, la jeune femme n'aurait plus aucune raison de s'attarder dans cette ville.

Griz mort et ses comparses croupissant en prison, il ne restait plus qu'un mystère à élucider : percer l'identité du Dandy Masqué...

Les glapissements qui s'échappaient du bâillon de la jeune femme tirèrent Kane de ses pensées.

Après tout, peut-être était-il temps de lui enlever ce foulard. Cela ne servait à rien de vouloir reculer l'échéance : tôt ou tard, il devrait affronter la colère de Célia.

Kane arrêta son cheval et mit pied à terre. Grimaçant à la perspective de ce qui allait suivre, il s'approcha du cheval de Griz, sur le dos duquel la tigresse en furie se trémoussait, et lui enleva son bâillon. Comme il fallait s'y attendre, Célia cria et tempêta aussitôt.

Quand elle eut épuisé le répertoire de tous les noms d'oiseaux qu'elle connaissait, Célia jeta un regard incendiaire à son ravisseur dont elle ne pouvait toujours pas distinguer les traits, car il avait gardé son masque et son chapeau.

— Sachez, misérable pourceau, que mon père est le propriétaire de la O'Roarke Express ! Quand il apprendra mon enlèvement, il lancera à vos trousses tous les chasseurs de primes du pays. Il vous traquera sans répit jusqu'à ce que vous tombiez entre ses mains. Et alors il vous pendra à l'arbre le plus haut de tout le Colorado et il videra son pistolet sur vous. Même si vous couriez vous réfugier à l'autre bout de la terre, il vous rattraperait. Vous ne connaîtrez plus jamais la paix, et il n'y aura plus pour vous aucune cachette assez sûre pour échapper à sa vengeance.

— C'est tout, chérie ? demanda Kane avec cet accent traînant des Sudistes qu'il avait appris à imiter lorsqu'il espionnait pour le compte du gouvernement.

Il le maîtrisait si parfaitement qu'on le prenait pour un vrai natif du Sud.

— Oui, c'est tout, répliqua-t-elle d'une voix insolente et en ignorant délibérément son regard. Les feux de l'enfer vous paraîtront plus doux à supporter que la colère de mon père !

Au cours de leur chevauchée, Célia avait progressivement changé d'état d'esprit. Elle avait décidé qu'elle préférait quitter ce monde sur un baroud d'honneur plutôt que de se répandre en larmes inutiles. La fureur avait nettement pris le pas sur sa peur, et plus rien ne la ferait reculer maintenant.

Lorsque Kane l'empoigna par les cheveux pour la forcer à relever la tête, elle grimaça de douleur un court instant mais se reprit aussitôt. Elle soutint son regard en songeant à quel point elle aimerait pouvoir lacérer de ses ongles ce masque et le visage qui était en dessous.

— Et alors, chérie, à quoi ça t'avance, toutes ces menaces ? ricana Kane avec dédain. De toute façon, tu seras morte bien avant moi !

— J'attendrai devant les portes du paradis pour m'assurer que vous n'y entrerez pas, siffla-t-elle. Savoir que vous rôtirez éternellement dans les flammes de l'enfer sera mon plus grand bonheur.

La situation s'avérait plus complexe que Kane l'avait espéré. Célia aurait dû être terrorisée et craindre pour sa vie, au lieu de cela elle se montrait plus combative que jamais.

— Eh bien, alors ton cher papa sera prêt à payer

une coquette somme pour te récupérer. Je m'en vais lui écrire une lettre. On verra bien si tu vaux aussi cher à ses yeux que tu le prétends.

Célia lança un coup d'œil à son ravisseur masqué. Pas une seconde elle n'avait envisagé qu'il pût demander une rançon en échange de sa libération. Du reste, elle était absolument certaine de n'être jamais libérée. Si ce mécréant s'était associé avec Griz Vanhook, il devait être aussi cruel et sanguinaire que lui. Sapristi, elle aurait dû écouter Kane. Il l'avait prévenue qu'elle finirait un jour par avoir de sérieux problèmes. Et ce jour était arrivé !

— A mon avis, tu dois bien valoir dans les dix mille dollars, réfléchit Kane à voix haute.

Après tout, c'était le prix que lui avait offert Patrick pour récupérer sa fille.

— Dix mille dollars ? s'étrangla Célia. C'est exorbitant !

Kane partit d'un grand éclat de rire.

— T'as sans doute raison, chérie. Des sorcières dans ton genre, ça vaut même pas mille dollars... sauf peut-être pour leur papa.

Si Célia avait pu libérer sa main, elle n'aurait pas hésité une seconde à gifler ce goujat ! Comble de frustration, c'est lui qui se permit de lui assener une claque sur le derrière !

— Y a encore une autre possibilité : je pourrais t'apprendre à satisfaire un homme. Sûr que tu vaudrais plus cher si tu te servais de ton joli petit corps pour contenter les hommes au lieu de passer ton temps à les contrarier.

— Je préférerais encore mourir !

— Ça, ça peut facilement s'arranger, chérie. *Après* que je me sois servi de toi.

Pour la première fois depuis longtemps, Célia laissa à quelqu'un d'autre le soin d'avoir le dernier mot. Son imagination travaillait à toute vitesse. Elle se représentait déjà avec horreur les attouchements sordides que ce bandit venait de suggérer. Il ne serait ni aussi doux, ni aussi attentionné que Kane. Elle lui en avait voulu après leur nuit d'amour, elle l'avait méprisé autant qu'elle s'était méprisée elle-même. Mais aujourd'hui, elle se serait jetée avec plaisir dans ses bras si cela avait pu la libérer des griffes de ce vaurien sans pitié.

Avec un méchant sourire, Kane revint à son cheval et remonta en selle.

— Quand on sera dans ma hutte, tu pourras exercer tes charmes sur moi, chérie. Et si tu t'y prends bien, je pourrai même...

— Vous abuserez peut-être de moi, mais je vous garantis que je me défendrai ! l'avertit Célia.

Kane eut un nouveau sourire diabolique.

— Il y a des moyens pour obliger une femme à se tenir tranquille. Crois-moi, j'obtiendrai tout ce que je voudrai de toi.

Célia avala péniblement sa salive. Elle avait encore laissé ce ruffian avoir le dernier mot, mais une boule d'angoisse obstruait sa gorge. Avait-il l'intention de l'attacher sur un lit et de la battre jusqu'à ce qu'elle s'évanouît avant d'abuser d'elle ? Cette perspective hideuse lui donna la nausée.

Pour la première fois depuis deux mois, Célia s'en voulait de ne pas avoir obéi à son père quand il lui avait demandé de rentrer à Saint Louis, où elle aurait occupé un emploi à ses côtés au siège de la société. Elle avait préféré rester à Denver, mais voilà où sa croisade l'avait menée ! Elle allait mourir violée et assassinée dans un recoin de montagne ! Désespéré, son père paierait sans hésiter les dix mille dollars de la rançon, mais il ne reverrait pas sa fille pour autant...

Dieu du ciel, pourquoi n'avait-elle pas écouté Kane ! se reprocha-t-elle à nouveau. Il lui avait demandé de quitter la ville une bonne douzaine de fois...

Soudain, un sanglot monta dans la gorge de la jeune femme. Célia n'était pas d'un tempérament enclin aux larmes et aux jérémiades, mais si jamais elle avait eu une occasion de pleurer, c'était bien celle-là. Malgré ses efforts pour se retenir, les larmes commencèrent à rouler sur ses joues. Elle se sentait à présent aussi misérable qu'une enfant abandonnée.

Kane grimaça en entendant les sanglots de Célia. Le détective ne faisait que s'acquitter de sa mission, aussi difficile fût-elle. Mais l'homme, derrière le détective, rechignait à tourmenter cette délicieuse créature. A son corps défendant, il devait reconnaître qu'il souffrait de causer du chagrin à Célia.

Certes, Patrick avait laissé entendre que seule une épreuve vraiment terrible ferait assez d'impression sur sa fille pour la décider à quitter Denver. Mais Patrick lui-même n'avait aucun droit de faire pleurer cet adorable garçon manqué. Kane savait qu'elle se sentait humiliée d'être prisonnière et de verser des larmes devant son ravisseur. Il devinait qu'elle lui cracherait au visage quand il lui révélerait son identité. Kane n'était pas encore prêt à le faire, tant il appréhendait ce moment. Ce serait mille fois pire que lorsque Célia s'était réveillée de leur nuit d'amour pour faire face à sa culpabilité. Très franchement, elle aurait toutes les raisons du monde de le haïr à jamais.

Kane se tassa sur sa selle. Dans le passé, il avait souvent accepté des missions qui ne lui plaisaient guère, mais celle-ci était la pire de toutes ! Il était obligé de se conduire et de s'exprimer aussi vulgairement que les hors-la-loi qu'il traquait d'habitude. Il se demanda un bref instant si les criminels étaient sensibles au remords. Seulement lorsqu'ils se faisaient prendre, estima-t-il. Et encore, Griz Vanhook n'avait jamais dû éprouver le moindre sentiment pour ses victimes.

Célia ne connaissait pas sa chance. Elle aurait très bien pu être enlevée par Griz. Kane l'avait donc sauvée d'un sort tragique, mais elle l'ignorerait toujours. A ses yeux, il ne serait jamais autre chose qu'une fripouille de la pire espèce.

Quand cette épreuve serait terminée, elle retournerait dans son monde et lui dans le sien. Les choses étaient écrites ainsi. Et c'était sans doute préférable. Si jamais Célia apprenait la vérité sur sa mission, elle le haïrait encore davantage. Ces instants de pur bonheur qu'ils avaient partagés appartenaient irrémédiablement au passé. Y repenser serait son chagrin à *lui*.

Il était plus de minuit lorsque Kane arriva à la petite hutte, composée d'une seule pièce, qui avait été construite dans les rochers. Il faisait presque froid et l'humeur de Kane s'était encore assombrie. Il détestait ce qu'il était en train de faire.

Laissant à dessein attendre Célia, il inspecta les sacoches du cheval de Griz. Comme il s'y attendait, il trouva un sac vide marqué de l'emblème de la O'Roarke Express. En fouillant un peu plus au fond, il extirpa des montres en or et des bagues vraisemblablement dérobées aux malheureux passagers des diligences.

Célia pesta entre ses dents en reconnaissant le sac de son agence ainsi que les bijoux volés. Ses soupçons étaient donc fondés : c'était bien la bande de Griz qui dévalisait les diligences.

Elle aurait aimé pouvoir crier à la terre entière qu'elle avait démasqué le gang qui s'en prenait à son agence, mais elle emporterait vraisemblablement sa découverte dans la tombe. En outre, elle ignorerait toujours l'identité du Dandy Masqué et il paraissait maintenant peu probable qu'elle vécût assez longtemps pour éclaircir ce mystère.

Lorsque Kane vint couper la corde qui la tenait attachée à la selle de son cheval, Célia tomba par terre la tête la première et roula dans les cailloux.

Un faible grognement s'échappa de ses lèvres quand il la souleva sans ménagement pour la porter à l'intérieur de la hutte délabrée.

— Vous pourriez au moins me libérer les pieds, protesta-t-elle.

— Pas question, chérie, répliqua Kane sur un ton qui ne reflétait pas la moindre trace de sympathie.

Souvent, dans le passé, il avait dû recourir à ses talents d'acteur pour débrouiller certaines enquêtes, et il comptait cette fois les utiliser pour effaroucher cette créature délicieuse mais un peu trop combative.

— T'attendras d'être dans mon lit avant de pouvoir bouger les pieds, la provoqua-t-il.

Cette nouvelle menace décida Célia à tenter le tout pour le tout. Tant pis si ce misérable gredin lui tirait dans le dos, elle voulait s'enfuir !

Rassemblant toute son énergie, elle se servit de ses deux mains liées pour frapper son ravisseur. Quand celui-ci recula instinctivement afin de parer ce coup inattendu, Célia sautilla à pieds joints hors de la hutte, espérant atteindre un buisson de broussailles. Mais le bandit la rejoignit avant et la cloua sans ménagement au sol. Célia enragea de plus belle. Ce scélérat n'avait pas voulu la tuer alors qu'elle lui avait fourni le prétexte idéal.

— Lève-toi ! gronda Kane de sa voix la plus menaçante. T'arriveras pas à me fausser compagnie, alors c'est pas la peine de te fatiguer et de me faire perdre mon temps. Garde plutôt ton énergie pour ce qu'on va faire ensemble.

— Vous n'y prendrez aucun plaisir, je vous le jure ! cracha Célia.

— Oh si ! En tout cas, j'en aurai plus que toi, ça, tu peux en être certaine.

La prenant sous les bras, il la souleva et la porta jusque dans la hutte avant de la laisser tomber lourdement sur le petit lit rudimentaire qu'il avait recouvert de couvertures la veille, en prévision des événements. Pendant que la jeune femme l'insultait copieusement, il lui attrapa les poignets et assujettit la corde qui les attachait à la tête du lit.

Puis il tira le coutelas qui pendait à sa ceinture et fit miroiter sa grande lame devant les yeux de Célia, pour l'effrayer un peu. A la fois désappointée et soulagée, la jeune femme le vit trancher la cordelette qui entravait ses chevilles avant d'attacher chacun de ses pieds à un montant du lit.

Quand Célia fut ligotée comme une victime prête à être torturée, Kane se détourna du lit.

— Maudit sois-tu, Patrick O'Roarke ! marmonna-t-il pour lui-même. Si tu n'avais pas laissé ta fille devenir une mégère, je n'en serais pas là !

Célia épiait l'imposante silhouette de son ravisseur, essayant en vain de déchiffrer ce qu'il murmurait.

— Si vous étiez un peu plus humain et un peu moins bestial, vous n'auriez pas besoin d'attacher une femme pour coucher avec elle, lança-t-elle, insolente.

Kane était éberlué. Il était clair, à présent, que

Célia le provoquait dans l'espoir qu'il la tuât rapidement. Sans doute préférait-elle mourir plutôt que se retrouver dans ses bras. Eh bien, pourquoi ne pas continuer ce petit jeu ? songea-t-il. Après tout, vivre sans cesse dans la crainte d'un viol était probablement aussi désagréable que le subir réellement.

Dieu lui était témoin, si cette friponne avait pu deviner ses réticences à la tourmenter de la sorte, elle en aurait retiré un beau soulagement. Maltraiter Célia était presque au-dessus de ses forces. S'il avait jamais existé une femme au monde pour laquelle il ressentît quelque chose, c'était bien celle-là.

Le temps passant, Kane avait fini par comprendre que la trahison de Mélanie avait beaucoup plus affecté son orgueil qu'elle ne lui avait causé de chagrin. Avec Célia, les choses étaient différentes. S'ils s'en étaient donné tous deux la peine, ils auraient pu vivre un grand amour. Mais Kane avait irrémédiablement gâché une si belle chance. Célia ne lui pardonnerait jamais cet enlèvement, il le savait, elle le maudirait jusqu'à son dernier souffle.

Il fut tiré de ses pensées par les hurlements de la jeune femme qui s'agitait sur le lit. Mêlant insultes, imprécations et menaces, elle criait si fort que Kane en avait mal aux tympans.

— Calme-toi, femme ! cria-t-il à son tour.

— Vous n'avez qu'à me tuer ! le défia Célia.

— Oh non, chérie, je ne ferai pas ça, répondit Kane plus doucement.

Il connaissait le moyen de la faire taire. Et le moment était venu d'y recourir. Kane enleva son chapeau et le posa sur la table qui trônait au milieu de la pièce. Puis il détacha son masque.

L'espace d'une seconde, Kane crut que Célia allait s'évanouir. Elle devint blanche comme un linge et sa bouche s'ouvrit puis se referma sans proférer un son.

Kane en tira au moins une consolation. Il était incontestablement le premier homme sur cette terre à avoir réussi un tel exploit : rendre Célia O'Roarke muette !

11

Célia dévisagea Kane comme si les cornes du diable venaient de lui pousser sur le front. Pas une seule seconde elle n'avait imaginé qu'il pût être son ravisseur. Son cœur s'était arrêté de battre et il lui fallut plus d'une minute pour retrouver l'usage de la parole.

— Vous ! parvint-elle enfin à articuler.

Kane prit une pose suffisante et inclina la tête dans une ridicule révérence.

— Moi-même, chérie.

Les joues de Célia reprirent très vite leurs couleurs. Comme Kane s'y était attendu, la jeune femme ne tarda pas à exploser. Des jurons et des insultes incohérentes jaillissaient de sa bouche ; des flammes étincelaient dans ses yeux et elle se tortillait sur son lit autant que ses liens le lui permettaient.

N'importe qui aurait péri d'une attaque, à se démener aussi furieusement, mais Célia était d'une étoffe particulièrement résistante.

— Tsst, tsst, la réprimanda Kane avec un sourire amusé. Les ladies dans votre genre ne sont pas supposées utiliser un tel langage, surtout en présence d'un homme. Le Créateur pourrait vous punir de blasphémer ainsi.

— Il m'a déjà punie, répliqua Célia d'un ton mordant. N'est-ce pas Lui qui m'a obligée à vous rencontrer ?

Ignorant sa remarque, Kane alla nonchalamment s'asseoir sur une chaise. Avec désinvolture il posa ses pieds sur la table et croisa les mains derrière sa nuque avant de dévisager Célia un long moment.

— Il semble que nous ayons chacun ce que nous méritons. Vous êtes mon enfer sur cette terre, et apparemment je suis le vôtre.

Célia contempla Kane, admirant à contrecœur l'aisance avec laquelle il pouvait endosser des rôles si différents. Joueur, gentleman ou bandit sanguinaire... il passait de l'un à l'autre aussi facilement qu'un caméléon. Kane Callahan était un dangereux imposteur dont le seul but dans la vie était de gruger le plus grand nombre possible de personnes.

— Qu'attendez-vous de moi, maudit scélérat ?

— Je croyais que nous en avions déjà parlé, répondit-il en reprenant une intonation cruelle.

Du reste, il n'avait pas le choix : s'exprimer ainsi était la seule façon de réussir son plan. Aussi désagréable que le procédé lui parût, la fin justifiait les moyens. Célia devait garder un si mauvais souvenir de Denver qu'elle ne serait plus jamais tentée d'y remettre les pieds.

La jeune femme bouillait littéralement de rage.

Que n'aurait-elle donné pour avoir le plaisir de mettre en pièces ce gredin avant de jeter sa carcasse aux vautours !

— Depuis le début je me doutais que vous étiez de mèche avec Griz Vanhook, accusa-t-elle en lui lançant un regard noir. Cela explique pourquoi vous avez été le seul à oser l'affronter. Vous avez fait mine de voler à mon secours, mais en réalité votre bagarre était truquée. N'ai-je pas raison ?

Célia n'attendait pas vraiment de réponse. Son imagination continuait de travailler et elle échafaudait déjà de nouvelles hypothèses, tout aussi folles que les précédentes.

— Je dois reconnaître que vous ne manquez pas de talent, poursuivit-elle. Joueur professionnel, protecteur de la veuve et de l'orphelin, cruel hors-la-loi : vous avez beaucoup de cordes à votre arc, chapeau !

Elle le regarda dédaigneusement, espérant lui trouver un défaut physique qui trahirait la noirceur de son âme. Malheureusement, sur ce plan-là Kane était parfait. Et elle ne le savait que trop, puisqu'il avait usé de ses charmes pour la séduire.

— Vous avez essayé d'entrer dans mes bonnes grâces uniquement pour vous faire une idée de l'agence avant de venir la cambrioler avec Griz. Et maintenant, vous vous moquez bien que votre complice soit mort. Tout le bénéfice sera pour vous, n'est-ce pas ? Non seulement vous avez l'or, mais en plus vous réclamerez une rançon à mon père quand il apprendra ma disparition... Je vous hais ! Vous me dégoûtez !

« C'est reparti ! » songea Kane à part lui. Quand Célia se déchaînait, il était difficile de l'arrêter.

Bien sûr, toutes ses élucubrations étaient dénuées du moindre fondement. D'abord, il avait emporté l'or pour s'assurer qu'il ne serait pas dérobé pendant que l'agence resterait sans surveillance. Ç'aurait été un jeu d'enfant pour n'importe qui d'entrer dans le bureau et de se servir discrètement.

Mais Kane ne pouvait à la fois accomplir sa mission et réfuter les accusations de Célia. Pour la bonne réussite de son plan, il était nécessaire que Célia imaginât ce qu'elle voulait. C'est-à-dire le pire : sa philosophie habituelle, quand il s'agissait des hommes. Manifestement, elle n'était pas prête à changer !

Avec un soupir de lassitude, Kane retira ses bottes. Il était épuisé, tant physiquement que nerveusement.

— Que faites-vous ? demanda Célia en le voyant s'approcher du lit. Il n'est pas question que vous vous couchiez ici. Je déteste dormir à côté d'un serpent !

— Détestez autant que vous voudrez, rétorqua Kane en s'allongeant à côté d'elle. Mais il n'y a qu'un seul lit et nous allons le partager. Que cela vous plaise ou non.

— Ça ne me plaît pas ! Et je n'ai rien mangé depuis midi. J'espérais...

— Vous vous passerez de dîner, répondit Kane en bâillant distraitement.

— Vous avez décidé de me laisser mourir de faim ?

Elle lui lança un regard incrédule avant de se reprocher d'avoir pensé une seconde qu'il pourrait lui témoigner la moindre pitié. Il avait déjà largement prouvé qu'il n'avait pas de cœur. Et les mots tendres qu'il lui avait murmurés quelques jours plus tôt n'étaient qu'odieux mensonges. Il ne songeait qu'à l'amadouer pour assouvir ses appétits de bête sauvage. Et tout ce qu'il attendait d'elle à présent, c'était une coquette rançon pour continuer à mener son existence dépravée.

— Pourquoi vous nourrirais-je ? interrogea Kane en posant un bras sur ses hanches, ce qui ne fit qu'accroître la colère de la jeune femme. Votre haine pour moi devrait largement vous permettre de tenir le coup jusqu'à demain matin.

— Je vous hais de tout mon cœur, vous pouvez en être sûr !

— A ce point, chérie ? se moqua Kane. Qui aurait pu s'en douter ? En tout cas, pas moi.

— Je veux que vous sachiez que je vous tuerai à la première occasion.

— Merci pour l'avertissement, marmonna Kane d'une voix gagnée par le sommeil. Maintenant, taisez-vous et dormez.

— J'ai du mal à imaginer comment je pourrais dormir en étant...

Le reste de sa phrase fut étouffé par l'oreiller que Kane lui plaqua sur le visage.

— Ma seule crainte, c'est que vous arriviez à me

tuer à force de parler, ironisa-t-il. Simplement pour avoir le dernier mot.

Célia ne dit plus rien. Toute son énergie était mobilisée à essayer de respirer sous l'oreiller.

Malgré sa volonté de rester éveillée, elle fut à son tour gagnée par la fatigue. Ce serait la plus épouvantable nuit de sa vie et elle se sentait affreusement humiliée d'avoir concédé une once d'affection à cet immonde gredin.

Ces deux derniers jours, elle s'était efforcée de combattre l'attirance qu'elle éprouvait pour Kane en énumérant toutes les bonnes raisons qu'elle avait de ne pas lui ouvrir son cœur. Elle n'était que trop consciente, désormais, qu'il l'avait odieusement trompée avec des mots tendres qu'il ne pensait même pas. Kane Callahan ignorait les sentiments et s'il n'avait pas déjà vendu son âme au diable, c'est qu'il cherchait à en négocier le meilleur prix !

Célia ne se pardonnerait jamais d'avoir failli aimer ce vaurien, ne serait-ce qu'un tout petit peu. Heureusement, elle n'avait rien avoué de tel à haute voix, car l'humiliation aurait été totale. Kane aurait eu beau jeu de rire d'elle !

D'une manière ou d'une autre, elle devait lui échapper. Elle ferait regretter à cette vermine le jour où il l'avait rencontrée. Et c'est elle qui aurait le dernier mot !

Le lendemain, en arrivant à l'agence, Owen Graves fut désappointé de constater que Lester

Alridge en assumait la direction. Owen avait été informé du cambriolage et de la disparition de Célia en se rendant à son travail. La veille, il avait passé la soirée chez sa maîtresse, qui habitait à l'autre bout de la ville. Son rendez-vous galant l'avait donc empêché d'être témoin des événements.

Owen n'était pas mécontent d'être débarrassé de cette rose couverte d'épines qui n'avait cessé de lui mener la vie dure depuis deux mois. En revanche il enrageait que Lester eût été nommé directeur par le shérif adjoint en attendant que Patrick O'Roarke prît ses dispositions.

Le plus exaspérant, c'était que Lester entendait marcher sur les brisées de Célia. Il arborait un air d'autorité qu'on ne lui connaissait pas auparavant et semblait vouloir mener l'entreprise avec autant d'efficacité et d'organisation que la jeune femme.

A peine Owen fut-il entré dans l'agence que Lester lui remit entre les mains une pile de dossiers à classer comme s'il n'était qu'un vulgaire larbin.

— Je n'ai pas d'ordres à recevoir de vous, protesta Owen.

— Oh, que si ! riposta Lester avec une intonation qui rappelait étrangement les inflexions autoritaires de Célia. Nous avons un service à rendre au public et nous nous en acquitterons exactement comme l'aurait fait miss O'Roarke. Elle compte sur nous... où qu'elle soit.

— Si elle est encore quelque part ! le corrigea Owen avec un rictus avant de s'éloigner en emportant les dossiers.

— Je ne veux plus que vous teniez des propos aussi démoralisants, Owen. Et classez-moi ces dossiers par ordre alphabétique. Je veux pouvoir les retrouver facilement si j'en ai besoin.

« Bonté divine ! » pensa Owen. Même en l'absence de Célia, l'agence restait contaminée par le virus du classement alphabétique !

Tandis qu'Owen se mettait au travail, Lester s'occupa des clients. Il leva un sourcil inquiet lorsque Jim Metcalf poussa la porte.

— Avez-vous des nouvelles de miss O'Roarke ? interrogea-t-il, plein d'appréhension.

Jim secoua la tête, découragé.

— Non, rien. Pas même le plus petit indice. Ah, j'aurais préféré que le shérif soit rétabli ! Il aurait sans doute mieux contrôlé la situation que moi.

— J'ai averti M. O'Roarke. J'ai bien peur qu'il ne faille plusieurs jours avant que la nouvelle lui parvienne jusqu'à Saint Louis, mais je suis sûr qu'il mettra tous les détectives du pays sur l'affaire.

Jim soupira de lassitude.

— Ce sera sans doute trop tard... Enfin, sait-on jamais ? se reprit-il avant de faire demi-tour pour ressortir.

Kane fut réveillé par le gargouillement de l'estomac de Célia. Quand il ouvrit les yeux, elle le gratifia d'un regard aussi avenant que le gardien de l'enfer.

Sans un mot, Kane roula hors du lit. Il enfila ses bottes avant d'allumer un feu dans la cheminée.

— Non seulement je suis à moitié morte de faim, mais en plus j'ai besoin... j'espère que vous comprenez ! siffla Célia. Je ne m'attends pas à beaucoup de considération de votre part, mais je demande au moins le minimum !

Quand il fut certain que le feu avait pris, Kane vint détacher la corde qui reliait les poignets de Célia à la tête du lit puis il libéra ses chevilles. Se servant de la corde comme d'une laisse, il la conduisit dehors et la laissa aller derrière un buisson pour satisfaire ses besoins. Il savait parfaitement combien elle devait détester cette promiscuité forcée, mais il ne pouvait lui faire confiance. S'il lui permettait de s'éloigner, elle en profiterait pour s'échapper.

Célia ressortit des broussailles en lançant à son ravisseur un regard qui trahissait toute sa frustration et sa colère. Jamais elle n'avait été traitée avec aussi peu de respect. En comparaison, le comportement indigne de Michael Dupris lui paraissait presque innocent.

— Si je dois endurer cette captivité jusqu'à ce que mon père ait réuni l'argent de la rançon, je refuse de vivre comme une sauvage, cracha-t-elle. Je veux manger à ma faim et pouvoir prendre un bain chaque jour...

Kane la chargea sur ses épaules avec une telle rapidité qu'elle n'eut même pas le temps d'achever ses récriminations. Il descendit le sentier en courant et la jeta dans le torrent qui serpentait en dessous de la hutte. « Ce petit plongeon devrait lui rafraîchir les idées ! » estima-t-il.

Célia poussa un cri quand elle atterrit dans le lit du torrent. L'eau était si froide qu'elle était prête à parier que des glaçons lui poussaient déjà sur la peau. Plus furieuse que jamais, elle se redressa en secouant sa robe alourdie par l'eau. Sur la rive, Kane la contemplait avec un sourire ravi. Il esquissa une révérence.

— Votre bain, milady. Et maintenant, aimeriez-vous prendre votre petit déjeuner ?

— Ce que *j'aimerais*, c'est vous voir pendu, poignardé, empoisonné et troué d'une balle dans le ventre, répliqua Célia en sortant du torrent.

Malgré l'envie qui le démangeait, Kane se retint d'éclater de rire. Décidément, quel tempérament de feu !

Lorsqu'ils furent revenus dans la hutte, Kane attira la jeune femme contre lui pour l'aider à défaire sa robe trempée. Célia s'écarta vivement en poussant un cri indigné.

— Je peux le faire moi-même, merci bien.

Kane lui tendit une couverture.

— Mettez ça en attendant que votre robe soit sèche.

Célia regarda la couverture comme s'il lui offrait un serpent vivant.

— C'est ça ou rien, précisa Kane avant d'ajouter avec un sourire en coin : Je préférerais vous voir sans rien, mais...

Elle lui arracha la couverture des mains en lui décochant un regard incendiaire. Si ses yeux avaient pu tuer, Kane serait déjà mort depuis longtemps. Elle tendit ses poignets pour qu'il les détachât afin de se changer toute seule. Tenant la couverture entre ses dents, elle s'employa à ce qu'il ne pût pratiquement rien voir : malgré tout, Kane entr'aperçut la naissance de ses seins et cette simple vision le troubla plus qu'il ne l'aurait voulu. Se concentrant sur le rôle qu'il devait tenir, il se força à détourner son regard.

Dès que Célia se fut drapée dans la couverture, Kane attacha de nouveau ses poignets à la tête du lit. Puis il disposa la robe mouillée devant la cheminée avant de préparer à manger. Tandis qu'il cuisinait, il avait conscience du regard de la jeune femme posé sur lui. Mais il ne devait pas se laisser attendrir, pas plus qu'il ne devait lui lâcher la bride s'il voulait mener son plan à terme.

— Je n'arrive pas à comprendre comment vous pouvez vous supporter, commenta Célia d'une voix dédaigneuse. Vous êtes cruel, fourbe, méprisable et...

— Je vois que vous avez déjà classé mes défauts par ordre alphabétique, coupa Kane d'une voix aussi neutre que possible.

Jugeant que la soupe était assez chaude, il versa le bouillon de légumes mélangé à du bœuf séché dans les assiettes, y ajoutant une tranche de pain qu'il plaça exprès du mauvais côté, sachant que cela ferait enrager Célia.

La jeune femme grimaça de dégoût en découvrant la mixture dans laquelle flottaient des morceaux de viande filandreuse.

— Même un chien se boucherait le nez devant cette pâtée immonde, se plaignit-elle.

Kane vint s'asseoir à côté d'elle sur le lit et lui tendit une pleine cuillerée.

— Ouvrez la bouche, chérie. On n'est pas à Denver, ici, vous ne pouvez pas choisir votre menu dans le meilleur restaurant de la ville.

— Je préférerais...

Célia crut s'étrangler quand Kane lui enfourna la cuiller dans la bouche. Ce petit déjeuner n'était guère appétissant à l'œil, mais il lui réchauffa agréablement les entrailles. Dès qu'elle ouvrait la bouche, Kane y remettait une cuillerée. Lorsqu'il estima qu'elle avait assez avalé de « pâtée », il mangea à son tour.

— Je vous méprise, Kane Callahan.

— Je sais, répondit-il entre deux bouchées. Vous me l'avez déjà dit.

Une fois son assiette terminée, il désigna le broc et la cuvette sur la table.

— J'ai fait la cuisine, vous allez laver la vaisselle.

— Vous plaisantez ! se hérissa Célia. Je n'ai pas l'intention d'être votre servante.

Kane l'attrapa aux épaules pour la forcer à se lever et il alla lui chercher la table, puisque la laisse empêchait Célia de l'atteindre.

— Nettoyez ça, ordonna-t-il. Vous êtes peut-être née avec une cuiller d'argent dans la bouche, mais si vous voulez manger dans une assiette propre la prochaine fois, il faudra bien que vous la laviez. Si vous imaginez que je vais vous traiter comme une princesse parce que votre père possède la O'Roarke Express, vous vous trompez lourdement.

Ils s'affrontèrent un instant du regard.

— Je laverai *mon* assiette et *ma* cuiller. C'est tout.

— Dans ce cas, vous ne remangerez pas tant que votre père n'aura pas apporté la rançon.

C'en était trop. Avec un grondement féroce, Célia posa les mains sur la poitrine de Kane et le repoussa violemment. La surprise le fit reculer et trébucher sur le séchoir de fortune qui supportait la robe de la jeune femme. Le séchoir s'écroula, précipitant la robe dans les flammes.

— Espèce de maladroit ! Que vais-je porter, maintenant ? s'écria-t-elle, au bord de la crise de nerfs.

Avec un sourire, Kane contempla la robe qui achevait de se consumer. Au moins, cela lui servirait de leçon ! Célia devait comprendre qu'elle n'était pas faite pour vivre dans un pays aussi rude que le Colorado. Sa place était à Saint Louis, au milieu des gens riches qui mangeaient des mets raffinés et pouvaient changer de vêtements aussi souvent qu'ils le souhaitaient.

— Répondez-moi, imbécile ! Que vais-je me mettre ? Vous ne croyez quand même pas que je vais rester dans cette couverture jusqu'à ce que mon père vienne me chercher !

— Oh, j'avais oublié, s'amusa-t-il. Je suis passé dans votre chambre vous prendre quelque chose pour le voyage.

Il alla chercher sa sacoche de selle et en tira une des chemises de nuit de Célia.

— Misérable pourceau ! explosa-t-elle. Vous aviez tout prévu depuis le début !

Comme Kane lui tendait la chemise de nuit, elle s'emporta de plus belle :

— Ne me dites pas que je devrai porter ce vêtement nuit et jour !

— Bien sûr que si, répondit Kane avec un large sourire.

Célia dut se rendre à l'évidence : Kane ne changerait pas d'avis. Chacun de ses actes avait pour but de la vexer et de l'humilier. Et il y réussissait parfaitement !

— Au moins, tournez-vous et accordez-moi un minimum d'intimité.

— Pourquoi le ferais-je ? Je vous ai déjà vue nue, il me semble.

Célia se retint de répondre. Elle ne voulait pas voir la conversation bifurquer sur ce qui s'était passé une certaine nuit. Malgré sa volonté d'oublier à jamais cet épisode, il hantait encore ses pensées.

— Ne croyez-vous pas que vous m'avez assez humiliée comme cela ? s'étrangla-t-elle, au bord des larmes.

Kane était ému. La voir ainsi désemparée lui donnait l'envie de la serrer dans ses bras. Et savoir qu'elle était à quelques mètres de lui, pratiquement nue, était une épouvantable torture. Il avait beau attiser sa haine, il brûlait du désir de revivre ces instants magiques qu'ils avaient partagés.

— Pourriez-vous, s'il vous plaît, détourner la tête ? insista Célia, exaspérée.

— Très bien, mais faites vite, répondit Kane qui trouva la force de regarder le mur plutôt que cette délicieuse beauté.

Célia lâcha la couverture, mais réalisa aussitôt qu'elle ne pourrait enfiler sa chemise de nuit tant qu'elle aurait les poignets liés. Elle serra le vêtement contre sa poitrine tandis que ses épaules et sa gorge demeuraient découvertes. Dévorée de honte, elle tapota l'épaule de Kane.

— J'ai besoin de votre aide, admit-elle à contrecœur. Détachez-moi... s'il vous plaît.

Kane se retourna et ses yeux s'attardèrent sur sa poitrine qui soulevait le fin tissu de la chemise de nuit au rythme de sa respiration. Il prit tout son temps pour lui délier les poignets, et Célia se sentit passer par toutes les couleurs de l'arc-en-ciel. Il la dévorait des yeux avec une telle intensité qu'elle avait la sensation qu'il la *touchait* !

Dès qu'elle eut passé ses bras dans le vêtement, elle songea soudain qu'elle tenait enfin une chance de s'échapper. Ses bras et ses jambes étaient provisoirement libres. Si elle trouvait un moyen de neutraliser Kane le temps de s'emparer d'un cheval, il ne pourrait la rattraper. Une telle occasion ne se représenterait sans doute pas de sitôt, il fallait en profiter. Avec la rapidité de l'éclair, Célia saisit la cruche sur la table et la brisa sur le crâne de Kane qui tomba à genoux. Elle se rua aussitôt vers la porte.

Malheureusement, elle n'avait pas frappé assez fort. Kane était juste étourdi et avant qu'elle n'eût atteint la porte, il l'agrippa par l'ourlet de sa chemise de nuit.

Ils se livrèrent une lutte acharnée. Célia essayait de lui faire lâcher prise, mais malgré la douleur qui lui vrillait le crâne, Kane tenait solidement le tissu. Dans sa rage à vouloir lui échapper, Célia le traînait presque sur le plancher. Enfin Kane recouvra totalement ses esprits et il l'attira violemment à lui. Célia perdit l'équilibre et s'affala dans un cri.

Les bras et les jambes de Kane se refermèrent sur elle comme un piège. Célia se retrouva écrasée contre sa puissante poitrine, ses jambes emmêlées aux siennes d'une manière impudique. Cette étreinte lui rappela des souvenirs... Sapristi, ce n'était vraiment pas le moment d'y repenser !

Quant à Kane, la sensation du corps de Célia pressé contre le sien agissait sur ses sens comme de l'huile sur le feu. Il avait réussi à brider son désir tout au long de cette nuit où il avait dormi à son côté, mais à présent qu'elle était dans ses bras, il ne pouvait plus la laisser partir...

12

— Non !

Célia paniqua en voyant l'étincelle de désir briller dans les yeux de Kane. Elle comprit qu'il allait l'embrasser et elle refusait de céder à l'attraction de ce corps musclé.

Elle sentit sa virilité tendue contre sa cuisse et se tortilla pour essayer de se dégager. Mais ses mouvements ne firent qu'aggraver les choses. Son corps la trahissait une nouvelle fois et elle maudit Kane autant qu'elle-même.

A l'instant où il s'empara de ses lèvres, elle crut mourir. Ses baisers l'enflammaient d'un feu liquide et son corps viril moulé au sien l'enivrait de désir.

— Non... protesta-t-elle encore quand il approcha de nouveau ses lèvres.

Sa raison criait « non » mais son corps tout entier répondit « oui » à l'instant où leurs bouches s'unirent. Célia comprit alors qu'elle allait capituler sans conditions. Kane savait où et comment caresser une femme pour lui faire perdre la tête. Elle aurait beau résister, elle aurait beau le maudire de toutes ses forces, cela ne changerait rien : Kane la rendait esclave de ses propres désirs.

Célia ne comprenait pas comment elle en était arrivée là. Ni comment elle pouvait répondre avec autant de chaleur aux caresses d'un homme qui l'avait séduite pour son seul plaisir et kidnappée en échange d'une rançon ! Pour lui, elle ne signifiait rien d'autre qu'une belle occasion d'assouvir ses besoins physiques. Il l'avait trompée depuis le début...

Mais ses caresses sont ensorcelantes, lui murmurait une petite voix au fond d'elle-même. Il transmutait sa colère en passion, il réussissait presque à lui faire croire qu'il avait de l'affection pour elle et qu'elle était la seule femme qui comptât sur la terre.

— Célia... murmura-t-il à son oreille. J'ai besoin de toi...

Ce n'étaient que des mots vides de sens, elle en était aussi certaine qu'elle s'appelait Célia. Et pourtant, rien ne pouvait arrêter le délicieux frisson qui électrisait sa chair à chacune de ses caresses. Elle sentit une vague de chaleur la submerger et son corps s'arqua instinctivement contre le sien.

— Aime-moi, Célia, murmura-t-il encore en lui prenant la main.

Célia sentit ses veines s'enflammer quand il guida sa main d'abord sous sa chemise, à la rencontre de son torse musclé, puis plus bas... Il lui révéla les parties les plus sensibles de son corps ; lui fit découvrir tous les endroits où il aimait être caressé ; lui enseigna comment décupler son désir.

Brutalement, Célia avait l'impression que c'était *elle* qui dirigeait leur étreinte et elle puisait un étonnant plaisir dans l'exploration de ce corps viril. Elle s'émerveillait du pouvoir qu'elle détenait maintenant sur ce géant. Elle voulait le caresser jusqu'à ce qu'il devînt aussi vulnérable qu'elle l'était devant lui. Et, bonté divine, c'était une chose extraordinaire !

Kane se demandait s'il n'allait pas se consumer totalement. Il avait désiré les caresses de Célia, il les avait même implorées. Mais, bon sang, c'était une insoutenable torture ! Chaque effleurement des mains ou des lèvres de Célia sur sa peau l'incendiait jusqu'au tréfonds de son être.

Il ne vivrait jamais assez longtemps pour épuiser le formidable désir qu'elle éveillait en lui. A chaque minute qui passait, Célia devenait un peu plus experte pour le satisfaire et il ne pouvait endurer davantage un tel tourment. Il brûlait maintenant de lui rendre caresse pour caresse et de l'emporter dans le monde de l'extase. Célia fut incapable de protester quand les lèvres de Kane parcoururent fiévreusement ses seins nus tandis que ses mains s'immisçaient entre ses cuisses. Et lorsque ses baisers s'aventurèrent là où ses mains avaient ouvert le chemin, elle en oublia de respirer. Plus rien ne comptait, désormais, que ce plaisir insensé qu'il faisait naître dans chaque fibre de son corps. Ce qu'elle avait le plus redouté à l'instant où elle s'était écroulée sur lui était maintenant ce qu'elle désirait le plus.

Elle l'accueillit en elle comme une libération et ondula à son rythme, ivre du plaisir indicible qui envahissait son corps, son esprit et son âme. Ses ongles griffaient le dos musclé de Kane au fur et à mesure qu'ils s'élevaient sur la voie royale du plaisir.

Célia aurait juré que le monde avait vraiment volé en éclats et qu'elle errait quelque part dans l'espace, émerveillée, sans plus se soucier de la réalité.

Ensuite, leurs corps restèrent longtemps soudés l'un à l'autre. Célia aurait voulu bouger qu'elle en aurait été incapable. Son esprit était ailleurs, dans un paradis qu'elle ne voulait plus quitter.

Kane éprouvait exactement les mêmes sensations. Jamais il n'avait connu une telle jouissance dans les bras d'une femme. Célia lui faisait perdre tout contrôle de lui-même. Quand il la voyait, il la désirait. Et quand il la touchait, c'était comme un sortilège, un envoûtement dont il devenait l'esclave. Ils avaient commencé par se battre, mais moins d'une minute plus tard ils faisaient l'amour et la rapidité de cette transition le stupéfiait !

Il savait qu'ils recommenceraient à lutter dès l'instant où Célia reprendrait ses esprits. Et Kane redoutait ce moment. Il aurait aimé lui avouer la vérité, lui expliquer qu'il n'était pas le monstre qu'elle s'imaginait. Maudit Patrick ! Il serait le seul à tirer profit de la situation, à se présenter comme un saint alors que Kane endosserait l'habit du démon...

Voyant que Célia commençait à remuer, il déposa un dernier baiser sur ses lèvres. Il réalisait, à présent, qu'il était tombé amoureux d'elle. Elle était devenue plus précieuse à ses yeux que sa propre vie. Même Mélanie Brooks n'était plus qu'un lointain souvenir, une ombre bien falote en comparaison de cette ardente tentatrice qui faisait l'amour avec autant de flamme qu'elle haïssait.

— Je t'aime, Célia, murmura-t-il sans réfléchir.

Beaucoup de femmes auraient été prêtes à se donner pour que Kane Callahan leur fît un jour cette confession. Mais Célia O'Roarke avait si peu confiance dans les hommes qu'elle ne le crut pas une seconde. Ce n'était qu'un mensonge de plus pour essayer de la manipuler !

Retrouvant sa fureur intacte, elle essaya de se relever pour s'enfuir. Mais elle n'eut pas même le temps de se redresser sur un coude : Kane lui avait déjà saisi les poignets.

— Laissez-moi partir ! cria-t-elle. Vous ne savez pas ce qu'est l'amour. Je ne veux plus entendre vos sales mensonges de sale bâtard !

Kane se reprocha d'avoir ouvert son cœur. Célia ne voulait pas de son amour. Et elle ne pouvait croire à la sincérité de ses sentiments, compte tenu de la situation. Bon sang, il ne se serait jamais douté que la seule fois de sa vie où il tomberait réellement amoureux, on le rejetterait ! Entêtée comme l'était Célia, même dans un million d'années elle refuserait toujours de le croire.

— Très bien, grommela Kane en la dévisageant.

Je ne vous aime pas. Je n'ai eu envie de vous que parce que vous étiez à portée de main. De toute façon, n'importe quelle femme m'aurait satisfait, même une mégère de votre acabit...

Malgré ses réflexes, Kane ne fut pas assez rapide pour esquiver la gifle que lui assena Célia. Certes, il l'avait méritée... mais il n'avait fait que dire tout haut ce qu'elle pensait tout bas !

Pestant contre l'absurdité de leur situation, Kane ramassa la chemise de nuit et la lui tendit.

— Enfilez ça. Une longue chevauchée nous attend.

Célia attrapa le vêtement d'un geste brusque et lança à Kane un regard furibond. Il n'aurait pas pu lui faire plus mal s'il l'avait giflée aussi fort qu'elle. Ses paroles méprisantes avaient confirmé ses soupçons et lui broyaient le cœur. En dépit de tous ses efforts pour se montrer forte, elle ne put retenir quelques larmes.

— Je suis désolé, marmonna Kane en se relevant, je ne voulais pas dire ça. Mais bon sang de bois, vous m'exaspérez tant, parfois, que je perds patience.

— Au moins vous faites preuve d'un peu de remords. J'étais prête à jurer que vous ne saviez même pas ce que c'est...

Kane remit son pantalon avec un sourire. Il admirait le courage de Célia. Elle pouvait passer des larmes à l'attaque en l'espace d'une seconde. C'était l'un de ses charmes et aussi ce qui pimentait le plaisir de sa conquête. Apprivoiser un tempérament comme le sien représentait un formidable défi.

Malgré les protestations de la jeune femme, il replaça la corde autour de ses poignets et l'attacha au montant du lit, le temps de rassembler leurs affaires et de seller les chevaux. Il leur faudrait plus d'une journée pour rejoindre la cabane où il avait laissé Noah et Gédéon. Mais Kane était impatient de les revoir ; leur compagnie l'aiderait à reprendre ses esprits.

Célia chassa rageusement les larmes qui lui piquaient les yeux. Kane avait sans doute l'habitude d'avouer son amour à chacune des femmes avec qui il couchait. La croyait-il assez stupide pour s'imaginer qu'elle goberait ses mensonges ?

Elle se sentait humiliée, elle aurait voulu se réfugier dans les bras de son père et profiter de l'affection que lui seul pouvait lui donner...

La jeune femme soupira en fixant la porte par laquelle venait de sortir Kane. Bonté divine, pourquoi cet homme la troublait-il autant ? Pourquoi devenait-elle aussi vulnérable en sa présence ? Apparemment, la leçon que lui avait infligée Michael Dupris n'avait pas suffi ! Kane se servait d'elle pour son seul plaisir et pourtant elle abdiquait toute volonté devant lui. Comment était-ce possible ?

— C'est parce que tu n'as pas de plomb dans la cervelle ! se gronda-t-elle à haute voix.

Le retour de Kane dans la hutte mit un terme à ses pensées. Par provocation, elle feignit d'ignorer sa présence alors qu'il s'avançait vers elle.

Il détacha la corde qui l'immobilisait et la fit se lever. Comme elle refusait de le regarder en face, il lui prit le menton pour l'obliger à redresser la tête.

— Si vous promettez de ne pas vous échapper, je ne vous attacherai pas à la selle, proposa-t-il.

Célia esquiva son regard inquisiteur. Puisque Kane avait dit l'aimer, en retour elle prétendrait ne pas chercher à s'enfuir. Après tout, un mensonge en appelait bien un autre, non ?

— D'accord, je me conduirai bien, répondit-elle.

Kane ne la crut pas une seconde. En vérité, il se demandait pourquoi il lui avait fait cette proposition. Du reste, pour s'assurer qu'elle ne serait pas tentée de lui fausser compagnie en pleine montagne, il avait pris la précaution d'abaisser les étriers de sa monture. Ainsi Célia serait trop occupée à se maintenir en selle pour réfléchir à autre chose.

Il la conduisit vers son cheval et s'offrit pour l'aider à monter en selle. Mais, comme il aurait dû s'y attendre, elle refusa vivement.

— Je peux le faire moi-même !

Avec ses poignets attachés, l'opération se révéla cependant plus difficile qu'elle ne se l'était imaginé. Avant qu'elle réussît enfin à se percher sur la selle, Célia remonta tant et si bien sa robe en se contorsionnant qu'une bonne partie de ses jambes n'était plus couverte. Évidemment, Kane n'avait rien perdu du spectacle.

— Charmante vue ! se moqua-t-il malgré le regard furieux de la jeune femme. Finalement, je crois que je vais beaucoup apprécier ce voyage...

Célia fulminait. Kane passait autant de temps à contempler ses jambes qu'à surveiller la route. Et le plus frustrant, c'est qu'elle n'arrivait même pas à atteindre ses étriers ! Elle était obligée de se cramponner au pommeau de sa selle pour garder l'équilibre. Dans ces conditions, inutile de chercher à s'enfuir. Elle ne pourrait faire dix mètres au galop sans risquer de tomber et de se rompre le cou. Le scélérat ! Il avait changé la longueur de ses étriers !

13

Après plusieurs heures de chevauchée, ils atteignirent un promontoire dominant la route qu'empruntaient les diligences pour traverser les Rocheuses. Au-dessus d'eux, les sommets pointus formaient une barrière infranchissable. Célia avait toujours été fascinée par ce spectacle grandiose, mais aujourd'hui les montagnes lui paraissaient presque menaçantes.

De gros nuages gris masquaient les rayons du soleil et plongeaient le décor dans l'ombre. Toutefois, l'apparence maussade du ciel s'accordait parfaitement avec l'humeur de la jeune femme.

Soudain, une sorte de grondement retentit dans le lointain et Célia leva les yeux. Mais il ne s'agissait pas du tonnerre, comme elle l'avait d'abord pensé. Au fur et à mesure que le bruit s'amplifiait et se réverbérait contre les parois rocheuses, il devenait plus précis et plus familier. Le cœur de Célia se serra quand elle aperçut la diligence.

Si elle trouvait un moyen d'attirer l'attention sur

elle, quelqu'un la remarquerait et donnerait l'ordre de stopper la voiture.

Célia jeta un coup d'œil furtif à Kane avant de reporter son attention sur la route qui passait en dessous. Voyant que la diligence s'apprêtait à aborder un petit raidillon qui ralentirait ses six chevaux, Célia inspira à pleins poumons, prête à crier de toutes ses forces. Mais elle n'en eut pas le loisir : un coup de feu éclata soudain et les chevaux se cabrèrent de frayeur.

Depuis son point d'observation, Célia put voir distinctement un bandit sortir d'un épais fourré pour barrer la route à la diligence. Elle en oublia complètement son propre sort. L'urgence, pour le moment, était d'empêcher un nouveau vol.

D'un bond elle sauta de sa monture et se posta au bord du précipice. De ses deux mains toujours liées, elle détacha une grosse pierre et la jeta en bas. Dans sa chute, la pierre entraîna une grêle de petits cailloux qui s'abattirent sur le bandit. Les convoyeurs en profitèrent pour dégainer leurs armes. Le hors-la-loi riposta, et dans la fusillade qui s'ensuivit, Célia hurla des conseils à ses employés.

Elle était si passionnée par ce qui se passait qu'elle perdit l'équilibre. Kane se précipita à temps pour l'empêcher de tomber dans le vide. Il l'empoigna fermement alors qu'elle avait déjà un pied au-dessus de l'abîme et qu'elle continuait de vociférer aux convoyeurs des ordres qu'ils ne pouvaient entendre à cause du bruit de la fusillade. A sa grande déception, le bandit réussit malgré tout à s'échapper et elle le vit s'enfuir sur un petit chemin.

— Bon sang, quelle mouche vous a piquée de prendre un tel risque ? pesta Kane en la soulevant sans ménagement pour la remettre sur sa selle. Franchement, vous battez des records de stupidité. Ou alors vous cherchez à vous faire tuer !

Célia assista, impuissante, au redémarrage de la diligence. Avec elle s'envolait son espoir de salut.

— Que vous importe que je me fasse tuer ? lança-t-elle à Kane, pleine d'amertume. De toute façon, vous vous arrangeriez pour toucher quand même la rançon.

— Oubliez ce maudit argent ! grommela-t-il.

— Si vraiment vous vous en moquez, alors laissez-moi partir.

Kane soupira d'exaspération. Il avait eu très peur quand Célia avait sauté de sa monture pour tenter quelque chose. Lui-même aurait volontiers réglé son compte à ce bandit vêtu d'un manteau noir, d'un chapeau melon et d'un masque en velours de la même couleur — sans nul doute, il s'agissait du fameux Dandy Masqué. Mais il n'avait pas voulu abandonner Célia toute seule sur le chemin.

— Je n'ai pas été dupe une seconde, reprit la jeune femme, toujours aussi furieuse. Ce gredin est un de vos amis, n'est-ce pas ? Ce n'est pas pour ma vie que vous vous inquiétiez. Vous vouliez seulement m'empêcher de faire échouer l'attaque. Et je suis prête à parier que nous sommes passés par ici uniquement pour que vous puissiez y assister.

Kane leva les yeux au ciel tout en faisant reprendre la route à son cheval. L'imagination de

Célia était délirante, mais ses hypothèses farfelues étaient toujours d'une logique imparable.

— J'imagine que j'aurai bientôt le déplaisir de faire la connaissance de votre complice. Vous avez dû vous donner rendez-vous dans votre repaire, supposa-t-elle tandis qu'ils s'engageaient dans un étroit défilé.

— Pour votre information, je n'ai pas la moindre idée de l'identité du Dandy, grommela Kane. Et pourtant, j'aimerais bien savoir qui il est.

— Forcément ! se moqua Célia. Car alors vous pourriez lui faire passer le goût de venir empiéter sur votre territoire. La concurrence entre voleurs doit être acharnée, non ?

— J'aimerais que vous vous taisiez, lâcha Kane d'un air mauvais. Vous m'abrutissez.

— A d'autres ! C'est plutôt vous qui me donnez mal à la tête depuis bientôt quinze jours.

— Il me semble que vous ne parliez pas de migraine, ce matin, ironisa-t-il en sachant pertinemment que cette pique la rendrait furieuse.

— Je ne veux pas parler de ça !

Kane dévora des yeux sa charmante silhouette à peine cachée par la fine chemise de nuit.

— J'ai le sentiment que vous m'aimez plus que vous ne voulez l'admettre.

— Je n'admets rien du tout ! protesta Célia avec fougue.

— C'est précisément ce que j'étais en train de dire !

— Et moi je vous dis que je vous méprise de tout mon cœur.

— Vraiment ? demanda Kane avec un sourire démoniaque. Pourtant, tout à l'heure vos baisers m'auraient plutôt fait croire le contraire.

— Vous êtes insupportable !

— Et vous savez de quoi vous parlez, n'est-ce pas ?

Décidément, ces temps-ci, Célia n'arrivait jamais à avoir le dernier mot. Kane la poussait tellement à bout qu'elle en restait sans voix. Ruminant sa frustration, elle se cramponna à sa selle en silence. Mais ce vaurien ne perdait rien pour attendre ! Un jour ou l'autre, elle se vengerait de tout ce qu'il lui faisait endurer.

Soudain, le grondement du tonnerre tira Célia de sa rêverie. Elle leva les yeux vers les nuages menaçants qui s'accumulaient au-dessus des montagnes.

Plutôt que d'avoir à se débarrasser elle-même de ce gredin, songeait-elle, l'idéal serait que le Créateur s'en chargeât à sa place. S'il pouvait lancer un de ses éclairs meurtriers sur cet horrible pécheur !

Célia attendit, espérant que la justice divine ne tarderait pas à se manifester. Hélas, les nuages ne laissèrent échapper qu'une petite pluie de rien du tout...

A midi, Kane ordonna une halte. Il la fit descendre de selle, puis lui tendit un peu de viande séchée. Elle regarda cette nourriture comme s'il lui offrait du poisson avarié, mais son estomac criait famine et elle se résolut à mastiquer le pemmican. Kane mangea sa part sans lui accorder un regard et il s'apprêtait à empaqueter le reste quand un bruit attira son attention.

Soudain, trois visages patibulaires émergèrent d'un amas de rochers non loin d'eux. Et avant que Kane ait pu dégainer son arme, trois fusils se braquèrent sur lui.

— Je toucherais pas à ça si j'étais toi ! lui conseilla l'aîné des trois frères Bishop, Harley. Éloigne tes mains de ton colt, vieux. Je suis peut-être pas un tireur d'élite, mais je rate rarement ma cible. Si tu nous causes pas d'ennuis, moi et mes frères on te laissera la vie sauve.

Harley tourna son regard vers la petite déesse dont la chemise de nuit révélait davantage les formes qu'elle ne les cachait, et il eut un sourire carnassier.

— Tout ce qu'on veut, c'est ta catin. Mes frères et moi on a pas touché une femme depuis l'hiver dernier.

Catin ? Célia dévisagea le voyou qui la fixait avec appétit. Elle n'avait jamais été insultée de la sorte ! Certes, elle pouvait difficilement passer pour une oie blanche dans cet accoutrement. En outre, faute de peigne ou de brosse à sa disposition pour arranger sa coiffure, ses cheveux flottaient en désordre sur ses épaules. Mais catin ? La catin de Kane ? Comment ce scélérat osait-il seulement penser une chose pareille !

— Je ne vous laisserais pas me toucher même pour tout l'or de Denver, cracha-t-elle.

Homer Bishop arbora un large sourire qui révéla ses dents disjointes.

— J'adore les femmes qui ont du chien, assura-t-il en déshabillant Célia du regard. Celle-là, elle est exactement comme je les aime. Je la veux en premier, Harley.

— Oh non, Homer ! intervint le troisième frère, Henry. Ce sera *moi*, le premier.

Passant aussitôt à l'acte, il avança droit sur Célia en commençant déjà à enlever sa chemise. La jeune femme recula instinctivement et Kane lâcha l'extrémité de la corde qui lui liait les poignets afin qu'elle pût s'enfuir.

Henry s'élança à sa poursuite tandis que les deux autres frères gardaient leurs fusils braqués sur Kane.

Tout à coup, Célia fit volte-face et de ses deux poings liés frappa violemment Henry. Profitant de ce qu'Homer et Harley observaient la scène, Kane assena une claque sur la croupe de son cheval.

Surpris, l'étalon fonça droit sur les deux brigands et Kane s'élança en courant derrière lui, se servant de l'animal comme d'un bouclier. Avant que les bandits aient eu le temps de comprendre ce qui se passait, Kane avait déjà envoyé valser le fusil d'Homer d'un bon coup de pied et décoché un direct du droit à son frère.

Harley avait son compte. Il s'écroula lourdement comme un arbre abattu. Mais Homer avait récupéré son arme et s'apprêtait à mettre Kane en joue. D'un autre coup de pied, Kane lui arracha le fusil qui alla s'encastrer entre deux rochers.

Rugissant comme un animal furieux, Homer se

rua sur lui et les deux hommes roulèrent au sol. Homer était d'une force étonnante et Kane avait l'impression que les coups qu'il lui assenait n'entamaient absolument pas sa résistance. A un moment, il réussit cependant à dégainer son colt et utilisa la crosse pour assommer son assaillant. Mais il dut s'y reprendre à trois fois avant que le bandit ne perdît connaissance.

Sans perdre de temps, Kane alla chercher des cordes dans sa sacoche de selle et ficela solidement les deux hommes. Puis il se précipita dans la direction prise par Célia et Henry. La pluie avait rendu les rochers glissants et Kane faillit tomber deux fois dans sa hâte à venir en aide à la jeune femme. Il l'avait entendue crier quelques instants plus tôt, mais il était alors trop occupé à se débarrasser d'Homer pour pouvoir intervenir.

Un nouveau cri retentit dans le défilé. Kane forçait tellement l'allure qu'il volait presque au-dessus des rochers.

Une lueur meurtrière brilla dans ses yeux quand il découvrit Henry vautré sur Célia. Voir ce scélérat oser la toucher lui donnait la nausée. Kane avait initié la jeune femme à l'amour physique, mais là il s'agissait de tout autre chose. Cette ordure ne cherchait qu'à assouvir ses pulsions animales et Célia n'était pas préparée à un tel assaut.

Ivre de fureur, Kane se rua sur Henry. La colère décuplait ses forces et il souleva le voyou comme s'il n'était pas plus lourd qu'une plume avant de le jeter violemment contre un rocher et de l'abreuver de coups de poing. Sortant ensuite le restant de corde de sa poche, Kane le ficela aussi solidement que ses deux frères.

Dès qu'il eut terminé sa besogne, il revint vers Célia pour s'assurer qu'elle n'avait pas trop souffert. Elle se jeta aussitôt dans ses bras.

— Ce monstre a essayé de... (Célia tremblait à la seule évocation de ce qui avait failli arriver.) Il voulait...

Sa voix mourut dans sa gorge et elle se nicha contre la poitrine de Kane comme un petit animal apeuré.

— Chuut... tout est fini, maintenant, murmura-t-il en la serrant fort.

Reprenant ses esprits, Célia réalisa alors qu'elle avait couru se réfugier dans les bras de Kane. Elle était consternée. N'avait-elle pas au contraire juré de le fuir ? Pourquoi n'avait-elle pas profité de ce qu'il était occupé à se battre avec Henry pour s'échapper ? Bonté divine, même ses réflexes conspiraient contre elle, maintenant !

— Les hommes sont bien tous les mêmes, grogna-t-elle en s'écartant vivement de Kane. Pour vous, une femme n'est rien de plus qu'un objet de plaisir.

Le plantant là, elle partit rejoindre les chevaux en rajustant sa chemise de nuit pour retrouver un semblant de décence.

Kane la suivit avec un sourire amusé tout en contemplant le balancement gracieux de ses hanches. Apparemment, il enregistrait des progrès avec la jeune femme, même s'ils étaient encore bien minces. Elle était venue spontanément se réfugier dans ses bras ! Certes, elle devait déjà regretter sa réaction, mais elle s'était tournée vers lui pour chercher un réconfort. D'un côté, elle méprisait tout ce qu'il représentait à ses yeux, mais de l'autre elle commençait à éprouver pour lui une certaine affection. Kane soupira en songeant à l'ironie de la situation.

Quand il la rejoignit, Célia se tenait à côté des deux bandits qui reprenaient peu à peu conscience. Sans broncher, elle regarda Kane enlever leurs bottes et les jeter dans le ravin.

— Allez-vous les tuer ? demanda-t-elle, inquiète.

Kane sortit son colt de son étui et le lui tendit.

— Ce n'est pas à *moi* qu'ils voulaient s'en prendre. Si vous voulez vous venger, tuez-les vous-même. Moi, je serais plutôt d'avis de les laisser ici. Pieds nus, sur ces rochers, ils ne seront guère dangereux, même quand ils auront réussi à se détacher...

Kane s'interrompit soudain en réalisant la gaffe monumentale qu'il venait de commettre. Comme un imbécile, il avait donné une arme à Célia et, bien sûr, la jeune femme avait sauté sur l'occasion pour la braquer sur lui ! Tout d'un coup, la situation n'était plus amusante du tout. S'il avait fait preuve de la même inconscience lors de ses précédentes missions, il n'en serait jamais revenu.

Il connaissait pourtant le caractère de Célia, mais l'espace d'un instant il avait oublié quelle détermination implacable se cachait derrière son si charmant visage.

— Enlevez vos bottes, lui ordonna-t-elle brutalement.

Jetant un regard anxieux sur son revolver et la diablesse qui le brandissait, Kane leva une jambe pour s'exécuter. Mais au lieu de laisser retomber la botte par terre, comme s'y attendait Célia, il la lança sur son bras. Le coup partit, mais l'arme avait été déviée et la balle alla se perdre dans les rochers.

Avant que Célia ait pu se ressaisir, Kane était sur elle. Il lui arracha le colt des mains et l'entraîna sans ménagement vers les chevaux.

— J'aurais dû vous tuer pendant que j'en avais l'occasion ! fulmina-t-elle.

Kane la hissa sur sa selle et fixa au pommeau la corde qui lui liait les poignets.

— Je vous souhaite plus de chance la prochaine fois, se moqua-t-il, sachant pertinemment que son humour la ferait enrager.

Comme prévu, Célia le gratifia de tous les noms de la terre, mais il eut encore le dernier mot, ce qui acheva de frustrer la jeune femme.

Abandonnant les frères Bishop à leur sort, Kane reprit la route en direction de la cabane où l'attendaient Noah et Gédéon. Ils y vivaient depuis plus de deux semaines et Kane se demandait si l'isolement n'avait pas eu raison de l'enthousiasme de son jeune frère à vouloir devenir détective. Pendant ces quinze jours, Noah n'avait rien eu d'autre à faire que de surveiller la route avec les jumelles, ce qui n'avait rien de passionnant en soi.

Mais Kane espérait surtout que Noah n'aurait p

la même réaction que les frères Bishop en découvrant Célia. Noah aimait les jolies femmes et Célia risquait fort de lui plaire. Or personne ne devait courtiser Célia pendant sa captivité : Noah ferait échouer le plan de Kane s'il se montrait trop tendre avec la jeune femme.

Conduire Célia dans la cabane n'était peut-être pas une bonne idée, songea finalement Kane. Lui-même avait déjà toutes les difficultés du monde à la maîtriser, or il était réputé pour venir à bout des situations les plus délicates. Ni Noah, ni Gédéon n'avaient son expérience...

— Pourquoi avez-vous l'air si maussade ? le questionna Célia en remarquant l'expression qui assombrissait ses traits. Il me semble que c'est moi, la prisonnière.

— Je n'en suis pas si sûr que cela, marmonna Kane à voix basse, si bien que Célia ne put comprendre ce qu'il disait.

Non, Kane n'en était vraiment pas sûr. Plus le temps passait, plus il s'attachait à la jeune femme. Tôt ou tard, il finirait par la renvoyer à son père, mais à regret. Cette perspective amena un sourire amer sur ses lèvres. Pour la première fois de sa vie, Kane avait trouvé un adversaire à sa mesure, et les mots de Patrick résonnaient étrangement dans sa mémoire.

« Attendez d'avoir rencontré ma fille ! » l'avait-il prévenu.

Kane s'était moqué de lui ce jour-là, mais il ne ngeait plus à se moquer, à présent. Il se sentait frustré de désirer ce qu'il ne pourrait jamais avoir. Cette comédie qu'il était obligé de jouer avait ruiné toutes ses chances avec Célia. Elle lui avait promis de le détester jusqu'à son dernier souffle et, connaissant son entêtement, Kane se doutait qu'elle tiendrait parole !

14

En fin d'après-midi, la petite bruine persistante se transforma en averse, et des éclairs menaçants zébraient le ciel à intervalles réguliers. Kane avait projeté de chevaucher jusqu'à la tombée de la nuit, mais devant la dégradation du temps il se résigna à trouver un abri.

Après avoir descendu Célia de son cheval, il l'attacha aux broussailles qui encadraient l'entrée de la grotte qu'il avait repérée. Assuré qu'elle ne pourrait pas s'échapper, il entreprit d'explorer la grotte pour vérifier qu'elle n'était pas déjà habitée.

Kane n'avait pas fait dix pas dans l'étroit corridor rocheux qu'il entendit quelque chose bouger devant lui. Moins d'une seconde plus tard, un grondement terrifiant acheva de le persuader qu'il s'était mis dans de beaux draps. Il recula prudemment et dégaina son colt. Il ne distinguait rien encore, mais savait que le danger fondait droit sur lui.

— Vous comptez me faire attendre longtemps sous la pluie ? cria Célia au-dehors. Je suis trempée jusqu'aux os et...

Elle n'eut pas le temps d'achever sa phrase. Un cri lui échappa lorsqu'elle vit Kane sortir en courant de la grotte, un ours à ses trousses. Elle ne lui avait jamais vu un air aussi angoissé.

Angoissé... le mot était faible pour qualifier l'état d'esprit de Kane à cet instant précis. Il avait attaché Célia pour l'empêcher de s'enfuir, mais tout ce qu'il souhaitait à présent, c'était qu'elle pût le faire. Malheureusement, il n'était pas sûr de pouvoir arracher la corde des broussailles avant que l'ours enragé ne leur sautât dessus. Horrifiée, Célia le regarda essayer de défaire ses liens tandis que l'énorme animal fonçait sur eux.

— Vite, vite ! cria-t-elle.

En réponse à ses paroles, la bête poussa un rugissement lugubre. C'était la fin, songea Célia avec terreur. L'ours devait faire au moins deux mètres cinquante de haut et elle n'avait jamais vu de créature aussi effrayante.

— Kane !

Elle avait entendu toutes sortes d'histoires sur les ours. On racontait qu'un seul coup de griffes pouvait scalper un homme, voire l'amputer d'un bras ou d'une jambe...

Sans pouvoir dire si elle avait été touchée ou non, tant elle était paniquée, elle se retrouva soudain plaquée au sol, Kane allongé sur elle. Il lui fallut une seconde pour comprendre qu'il avait réussi à détacher la corde et que c'est lui qui l'avait jetée à terre en faisant un rempart de son propre corps pour la protéger.

Avec une rapidité stupéfiante, il pivota et réussit à tirer un coup de feu juste au moment où l'ours se ruait sur eux. Malheureusement, la bête fut seulement blessée. Plus furieuse que jamais, elle fixa ses futures victimes de ses petits yeux noirs aussi froids et durs qu'une pierre tombale.

Célia laissa échapper un cri en sentant Kane l'entraîner violemment par le bras. Obéissant à leur instinct de survie, ils coururent à perdre haleine sur le sentier caillouteux qui montait à flanc de montagne, mais l'ours n'avait manifestement pas l'intention de renoncer. Il se rapprochait de plus en plus...

— Aidez-moi ! ordonna Kane en l'attirant derrière un gros rocher planté au bord du chemin.

Le visage déformé par l'effort, Célia poussa de toutes ses forces. A eux deux, ils réussirent à déplacer le rocher de quelques centimètres, mais c'était insuffisant pour lui faire dévaler la pente.

— Encore ! insista Kane.

Avec un bel ensemble, ils conjuguèrent leurs dernières forces pour vaincre la résistance du rocher. A leur grand soulagement, ils y parvinrent à l'instant où l'ours les rattrapait. Le rocher culbuta l'animal qui dévala le sentier en rugissant, entraînant dans sa chute un flot de petits cailloux. Tout ce fracas effraya les chevaux que Kane avait attachés à un arbre. A force de ruades ils réussirent à se libérer et s'enfuirent au galop.

Hélas, Célia put constater que ni une balle de revolver, ni un rocher ne suffisaient pour venir à bout d'un ours enragé. Aussitôt qu'il put se remettre sur pieds, l'animal repartit à l'attaque. Célia et Kane se dévisagèrent.

— Que fait-on maintenant ? questionna-t-elle d'une voix étranglée.

— A votre avis ?

— Je ne sais pas ce que vous en pensez, mais il me semble que notre dernière chance est de courir à toutes jambes. Et je crois que... (Elle agrippa instinctivement le bras de Kane quand la bête poussa un rugissement destiné à les effrayer.) Je crois... qu'il vaudrait mieux y aller *tout de suite !*

Main dans la main, Kane et Célia reprirent leur fuite éperdue à travers les rochers. De temps en temps, la jeune femme jetait un coup d'œil par-dessus son épaule pour mesurer la progression du monstre. Rien ne semblait pouvoir l'arrêter.

Célia aurait juré que ce fut une intervention divine qui finalement les sauva. Juste au moment où le monstre les rattrapait une nouvelle fois, l'averse se transforma en un déluge torrentiel. L'animal parut ne pas apprécier toute cette quantité d'eau. Après avoir lancé un dernier regard furieux aux deux intrus, il fit demi-tour et rentra se mettre au sec dans sa tanière.

Kane et Célia s'adossèrent à la paroi rocheuse et poussèrent un grand soupir de soulagement.

— Ça va ? demanda Kane d'une voix haletante.

— J'ai des écorchures partout et j'ai bien cru que mon cœur allait éclater, mais à part ça je ne me suis jamais sentie aussi bien, répondit-elle en reprenant lentement son souffle.

— Tant mieux, car nous avons une longue marche devant nous, annonça Kane d'un air lugubre. Les chevaux se sont enfuis Dieu sait où.

— Et j'imagine que vous n'avez pas l'intention d'abandonner les sacoches pleines d'or...

— A l'heure actuelle, je donnerais bien tout ce satané or si mon cheval pouvait revenir ici, grommela-t-il en redescendant le sentier.

Célia renversa la tête et regarda le ciel. De grosses gouttes lui tombaient sur le visage et l'énorme nuage qui coiffait les montagnes semblait vouloir les engloutir. Bonté divine, elle se sentait épuisée à la seule idée de récapituler toutes les catastrophes qui s'étaient succédé depuis le matin. D'abord, elle avait été assez folle pour répondre aux baisers de Kane...

Se morigénant de revenir sur cet épisode, Célia redescendit le sentier d'un pas décidé.

— J'imagine que vous allez encore prétendre que tout est ma faute, lui dit Kane en se retournant pour la regarder au moment où elle le rejoignait.

Sa chemise de nuit trempée lui collait à la peau, moulant sa voluptueuse silhouette.

— En tout cas, ça n'est certainement pas moi qui ai mis les pieds dans la tanière de l'ours... Vous feriez mieux de vous en tenir aux cambriolages. Vous n'êtes pas vraiment doué pour la chasse aux fauves.

Kane leva les yeux au ciel en se demandant pourquoi il avait été assez idiot pour lui tendre une perche aussi grossière.

Cela dit, il se sentait coupable de ce qui était arrivé. A cause de son inconscience, ils avaient bien failli être réduits en charpie. Kane espérait ne jamais se retrouver confronté à un monstre aussi énorme et doté de crocs si effrayants !

Quand ils rattrapèrent enfin leurs chevaux, la nuit tombait déjà et un épais brouillard recouvrait tout le paysage. Célia était si épuisée qu'elle avait de plus en plus de mal à poser un pied devant l'autre, aussi récupéra-t-elle sa monture avec un immense soulagement.

Un petit sourire aux lèvres, Kane la regarda monter en selle. Le jour où il l'avait kidnappée, il n'avait pas prévu toutes ces tribulations auxquelles elle avait été confrontée. Mais Célia avait relevé chaque défi avec son obstination coutumière.

La plupart des femmes n'auraient pas fait preuve d'autant de courage et d'endurance. Mais le tempérament de Célia ne s'accommodait d'aucune lâcheté et elle affrontait le danger avec une bravoure qui forçait l'admiration. Célia O'Roarke faiblissait parfois, mais ne renonçait jamais.

Perdu dans ses pensées, Kane mena la chevauchée jusqu'à trouver dans les rochers une sorte d'auvent naturel qui les protégerait des intempéries. L'endroit était loin d'être aussi confortable que la grotte, mais au moins il n'y avait pas d'ours, ni de chacal dans les parages. Et Kane espérait que la vigueur de la pluie découragerait les prédateurs nocturnes de s'aventurer hors de leurs repaires.

Avec un peu de chance, ils pourraient goûter quelques heures de sommeil bien mérité.

Kane tira de ses sacoches deux sacs de couchage qu'il étendit sur le sol avant d'inviter Célia à s'allonger. Elle était si épuisée qu'elle se serait satisfaite d'un matelas de cailloux, aussi le sac lui parut-il tout simplement merveilleux. Elle s'installa confortablement, et ne songea même pas à protester quand Kane ôta devant elle ses vêtements mouillés. Au contraire, elle ne put s'empêcher de glisser vers lui un regard. Kane était la virilité incarnée. Son corps parfaitement dessiné respirait la force et ses muscles roulaient sous sa peau bronzée avec une grâce et une souplesse qui...

— Vous êtes blessé ! s'exclama-t-elle brutalement en découvrant son épaule ensanglantée.

— Une égratignure de rien du tout, commenta Kane en se glissant dans son couchage.

Célia n'entendait pas qu'il refusât de se soigner. D'autant qu'elle se doutait qu'il avait été blessé par l'ours quand il l'avait plaquée au sol pour la protéger.

— Tournez-vous, demanda-t-elle. Je veux inspecter votre blessure.

— Ce n'est rien, je vous assure.

— Je ne vous crois pas, déclara Célia en déchirant un morceau de sa chemise de nuit pour l'appliquer sur la plaie.

Voyant que Kane grimaçait de douleur, elle s'alarma.

— Avez-vous emporté une trousse de secours ?

Kane désigna du doigt la sacoche de selle à côté d'elle. En fouillant à l'intérieur, Célia trouva les bandages et l'antiseptique qu'elle avait elle-même achetés quelques jours plus tôt, ainsi qu'un onguent cicatrisant.

Soudain, elle avait complètement oublié sa fatigue. Une seule chose la préoccupait : empêcher la blessure de Kane de s'infecter. Bonté divine, elle se demandait bien pourquoi elle s'inquiétait autant pour sa santé ! Tout à l'heure, elle n'avait pas hésité à braquer un revolver sur cet homme qu'elle avait juré de haïr jusqu'à son dernier souffle, et voilà que maintenant elle le soignait...

Tout en appliquant précautionneusement le baume, elle méditait les contradictions de Kane. Il se faisait passer pour un joueur et un voleur sans morale, et cependant il s'était précipité pour la protéger quand l'ours les avait attaqués. Célia était convaincue qu'à sa place, Griz Vanhook l'aurait laissée attachée aux broussailles en guise de cadeau à l'animal, dans l'espoir de sauver sa propre peau. La vérité, conclut Célia, c'était qu'elle était intriguée par les qualités de cœur qui se cachaient sous cette façade rude et autoritaire. Kane était sans doute le seul homme qu'elle aurait pu aimer jusqu'à la fin de ses jours. Mais bien sûr, cela n'arriverait jamais...

— A quoi pensez-vous ? demanda-t-il en lisant sur son visage des émotions contradictoires.

Célia se pencha pour croiser son regard. Après tout ce qu'elle avait enduré aujourd'hui, elle ne désirait rien de plus que se blottir dans ses bras et oublier tout ce qui ressemblait à la réalité.

— Je pense que je suis fatiguée de penser, finit-elle par répondre.

Kane posa doucement une main sur son bras.

— Avez-vous envie de dormir ?

— Je suis épuisée, et en même temps je sais que je ne pourrai pas trouver le sommeil, reconnut-elle.

Kane retint sa respiration. Il redoutait de mal interpréter la petite lueur qui éclairait ses yeux verts.

— Alors, que voulez-vous faire ? demanda-t-il tendrement.

Célia n'aurait su dire si c'était à cause de sa voix caressante, ou parce que son corps la trahissait encore une fois... toujours est-il qu'elle se rapprocha de lui et soupira de bonheur quand il l'attira contre son torse musclé en passant une main derrière sa taille.

Célia savait pertinemment qu'elle jouait un jeu dangereux, et cependant elle le laissa poser ses lèvres sur les siennes, pour un tendre baiser qui se fit bientôt de plus en plus fougueux et possessif. Électrisée par l'ardeur de cette étreinte, Célia se sentit fondre comme neige au soleil.

Kane détacha la corde qui lui entravait les poignets, lui redonnant ainsi son entière liberté. Elle aurait pu facilement s'enfuir dans la nuit, et cependant la sensualité de son ravisseur était une chaîne autrement plus solide à briser. Désormais, le désir la retenait, plus fort que son envie de s'évader.

Elle voulait qu'il la serrât dans ses bras. Seul Kane pourrait effacer le souvenir de cette journée atroce où elle avait échappé de justesse à un viol avant de tomber entre les griffes d'une bête féroce. En apparence, Kane et elle étaient totalement différents, mais elle voulait croire qu'ils avaient plus de points communs qu'une simple attirance charnelle. En même temps, son orgueil lui interdisait encore de s'abandonner totalement à lui sans manifester la moindre résistance.

Kane devinait les sentiments contradictoires qui agitaient Célia. Il savait qu'elle était partagée entre son désir et sa fierté, mais il espérait que le désir l'emporterait. Il serait terriblement malheureux si elle s'écartait de lui maintenant. Il voulait la tenir dans ses bras et oublier avec elle les heures tragiques qu'ils venaient de vivre.

A l'instant où l'ours était sorti de la grotte, Kane avait eu la peur de sa vie. Avec toute l'énergie du désespoir, il avait réussi de justesse à libérer Célia et il n'osait même pas imaginer ce qui se serait passé si elle était restée prisonnière des broussailles. A présent, il voulait chasser de sa mémoire ces secondes infernales pendant lesquelles il avait cru la perdre. Et par-dessus tout, il voulait l'aimer avec toute la fougue et la passion qu'elle méritait.

Cette pensée enflamma son esprit tandis qu'il lui ôtait sa chemise de nuit trempée et réchauffait chaque centimètre de sa chair par une pluie de petits baisers. Ses mains la massaient et la caressaient en même temps. Kane n'avait même plus conscience de sa blessure à l'épaule tant il était enivré par le parfum délicieux de Célia et le contact de sa peau satinée.

Les dernières réticences de la jeune femme disparurent lorsqu'il la couvrit de caresses enfiévrées qui portèrent le désir dans chaque fibre de son corps. Soudain, c'était comme si elle ne vivait plus que grâce à son toucher et elle voulait lui rendre baiser pour baiser, caresse pour caresse. Ni le passé, ni le futur n'existaient plus ; seul comptait le merveilleux instant présent. Peu importait ce qu'il représentait pour le reste du monde : à ses yeux, il était le seul homme capable de la rendre heureuse.

Elle ne pouvait lui résister. Depuis leur rencontre elle avait mené contre lui une guerre qu'elle n'avait jamais gagnée. Kane semblait savoir mieux qu'elle ce qu'elle désirait. Et ce qu'elle désirait, c'était lui...

Quand les mains de Kane s'aventurèrent entre ses cuisses, elle s'arqua instinctivement contre lui, trahissant son impatience de le voir apaiser ce feu qu'il avait allumé en elle.

— As-tu envie de moi, merveilleuse sorcière ? demanda-t-il d'une voix vibrante de désir.

— Oui, gémit Célia.

— Alors, dis-le-moi. J'ai besoin de te l'entendre dire.

Kane ignorait pourquoi il exigeait un pareil aveu de sa part, mais c'était soudain devenu très important pour lui. Il ne pourrait sans doute jamais conquérir l'amour de Célia, mais du moins voulait-il l'entendre avouer à quel point elle le désirait.

Célia contempla le géant qui la dominait de toute sa stature. Même dans l'obscurité, elle pouvait distinguer ses beaux yeux bleus.

— Je... j'ai envie de vous, reconnut-elle d'une voix étranglée. Et de personne d'autre que vous...

Elle posa les mains sur son visage si viril, et l'attira contre ses lèvres.

— J'ai envie de toi... Kane.

Leurs bouches s'unirent une nouvelle fois, délicieux prélude à l'union de leurs corps.

Célia s'ouvrit à lui sans la moindre hésitation. Ce n'est qu'en lui appartenant qu'elle ressentait enfin la plénitude. C'est en étant serrée dans ses bras puissants qu'elle éprouvait un sentiment de liberté presque sauvage.

La fusion de leurs corps, de leurs cœurs, de leurs âmes était totale. Un cri de plaisir s'échappa des lèvres de Célia et elle s'accrocha à Kane comme si elle voulait ne jamais le laisser partir. Elle avait perdu toute notion du temps et se sentait dériver dans un univers infini, bien au-delà des étoiles, vers un monde qui n'existait que pour eux deux. L'explosion de sa jouissance la laissa pantelante, si comblée qu'elle n'avait presque plus la force de respirer.

Kane se laissa retomber sur le côté avec un soupir. Il aurait pu braver toute une famille d'ours s'il avait été sûr ensuite de pouvoir se ressourcer dans les bras de Célia. Cette nuit le payait de tous les combats qu'il avait dû mener, de tous les sacrifices qu'il avait dû consentir.

Bien sûr, il se doutait que Célia se rétracterait dans sa coquille dès le lever du soleil. Mais pour l'heure, elle semblait heureuse...

Quand Célia se pelotonna contre lui comme un petit chaton, Kane esquissa un sourire. Cette délicieuse friponne refuserait toujours de l'admettre, mais elle s'était bel et bien jetée dans ses bras pour y chercher réconfort et amour. Progressivement, un lien s'était tissé entre eux qui ne faisait que s'affirmer. Au cours de ces deux dernières semaines, ils s'étaient mutuellement porté secours une bonne dizaine de fois. Protéger l'autre était devenu pour eux une réaction naturelle, instinctive. Désormais Célia comptait sur lui, et lui sur elle. Ils étaient devenus aussi inséparables que deux pièces d'un puzzle. Mais Célia, entêtée comme elle l'était, ne reconnaîtrait jamais cette évidence qui allait tellement à l'encontre de son orgueil. Il l'avait obligée à lui avouer qu'elle le désirait, mais Kane voulait plus que cela encore : il attendait d'elle un total amour.

Lorsque Célia se fut endormie, il récupéra la corde et attacha ses poignets aux siens. Bien qu'elle ne se fût pas enfuie quand il lui en avait donné l'occasion, elle serait peut-être tentée de lui fausser compagnie si elle se réveillait pendant la nuit. Il savait pertinemment qu'elle serait furieuse de se retrouver enchaînée à lui, et qu'elle le haïrait encore davantage. Mais il ne pouvait prendre le risque qu'elle s'échappât dans ces montagnes pleines de dangers. Kane préférait affronter sa colère plutôt que d'endurer le chagrin de l'avoir perdue pour toujours.

Peiné par cette perspective, Kane la serra contre lui en un geste protecteur. Il voulait savourer chaque instant de cette nuit, car il était probable que ce serait leur dernière.

15

Comme l'avait prévu Kane, Célia devint folle de rage quand elle se réveilla ligotée à lui. Elle regrettait amèrement de n'avoir pas saisi sa chance de s'enfuir. Elle avait préféré rester dans ses bras, mais il n'avait pas eu assez confiance en elle pour la laisser libre jusqu'au matin. Lorsque Kane Callahan avait fini de faire l'amour, ses préoccupations vénales reprenaient le dessus.

Et comble de l'insulte, il extirpa de sa sacoche de selle une robe en calicot vert qu'il avait achetée à son intention avant de la kidnapper.

— Ainsi, vous aviez quelque chose de plus décent que ma chemise de nuit à me proposer, et pourtant vous m'avez obligée à la porter une journée entière ! éclata Célia en lui jetant un regard plein de mépris. Je ne vous le pardonnerai jamais !

Kane ignora ses récriminations et lui tendit la robe.

— J'ai peur qu'elle ne soit pas d'aussi bonne qualité que celles que vous portez habituellement mais, comme vous l'avez dit, ce sera plus convenable qu'une chemise de nuit. Compte tenu de l'effet que vous produisez sur les hommes des montagnes, je préfère vous voir plus couverte. Je ne voudrais pas être obligé de me battre contre mes amis si l'envie leur prenait de vouloir abuser de vous.

— Vos amis ? interrogea Célia avec une moue dubitative. J'ignorais que vous en aviez.

Kane la regarda en souriant. Après sa rencontre désagréable avec les frères Bishop, Célia devait sans doute s'imaginer que ses « amis » étaient de la même trempe. Sans même avoir rencontré Noah et Gédéon, elle les détestait déjà. Il ne resterait plus qu'à leur recommander de jouer leurs rôles de méchants avec un minimum de conviction.

— Cette nuit ne représentait rien pour vous, n'est-ce pas ?

Elle se reprocha aussitôt cette question. Pourquoi avait-il fallu qu'elle mît ce sujet sur le tapis ?

Kane la dévisagea intensément.

— Elle aurait dû ? demanda-t-il à son tour. Et pour vous, a-t-elle représenté quelque chose de spécial ?

Malgré sa volonté de se contrôler, il ne put s'empêcher de lui caresser la joue.

— Serait-il possible que vous soyez finalement tombée amoureuse de moi et que vous cherchiez à savoir si vous êtes payée de retour ?

Heureusement, son orgueil vint à la rescousse de Célia.

— Votre hypothèse est parfaitement ridicule. Je n'ai jamais rien entendu d'aussi grotesque !

— Donc je dois croire que vous vous êtes donnée à moi uniquement dans l'espoir que, pris par le feu de la passion, j'oublierais de vous rattacher et que vous pourriez vous enfuir ?

— C'est exactement ainsi que je voyais les choses quand je vous ai laissé me séduire, répondit Célia pour sauver la face.

Elle aurait préféré se couper la langue plutôt que de reconnaître la vérité.

— Mais, reprit-elle, j'étais trop fatiguée pour rester éveillée jusqu'à ce que vous vous endormiez. Vous ne pouvez pas savoir à quel point je le regrette... et le reste aussi.

— C'est bien ce que je pensais, ricana Kane. Et maintenant, habillez-vous. On nous attend.

— Ah bon ? Je croyais que l'enfer était le seul endroit où vous étiez attendu.

— Et où croyez-vous que je me trouvais, pendant ces derniers jours ? Cela n'aurait d'ailleurs pas été si terrible sans une compagnie désagréable !

— Je suis bien du même avis, répliqua vertement Célia avant d'enfiler la robe.

Quand elle fut habillée, Kane la hissa sur sa selle et ils reprirent leur route. Quelques heures plus tard, il aperçut les volutes de fumée qui montaient de la cabane nichée au milieu des sapins.

Il pressentait que Noah et Gédéon auraient toutes les peines du monde à rudoyer Célia. Lui-même éprouvait le plus grand mal à endosser ce rôle qu'il détestait, et pourtant il n'en était pas à sa première mission délicate. Or ce n'était le cas ni de son frère, ni de Gédéon...

Noah faisait les cent pas dans la pièce commune pendant que Gédéon préparait le déjeuner.

— Combien de temps allons-nous encore rester cloîtrés ici ? s'emporta soudain le jeune homme.

Gédéon haussa les épaules et continua de tourner la soupe.

— J'ai passé quinze jours à surveiller le passage des diligences et je n'ai pas vu la moindre attaque, marmonna Noah, désappointé. Je ne vois pas en quoi cela m'aide à devenir détective.

Gédéon ne put réprimer un sourire en songeant que Noah passait sa frustration exactement de la même manière que son frère. C'était un trait caractéristique dans la famille. Daniel Callahan avait fait don à ses deux fils de la manie de tourner en rond.

— Si vous voulez mon avis, je pense que le métier de détective n'est pas aussi excitant que vous l'imaginiez. Je suis convaincu que votre frère passe lui aussi des jours entiers à surveiller les routes avant d'appréhender les criminels. Simplement, il n'a jamais voulu nous infliger les détails ennuyeux.

— J'espérais qu'il y aurait plus d'animation, quand même. Ennuyeux est un mot faible pour décrire notre existence ici...

Un hennissement l'interrompit soudain. Prudemment, il s'approcha de la fenêtre pour écarter le rideau.

— Kane est de retour. Il était temps !

Gédéon se félicita autant que Noah de cette nouvelle. Il s'était entraîné, pour passer ses journées, à poser des pièges dans l'espoir de capturer le petit gibier qui rôdait aux alentours de la cabane. Ses débuts en tant que chasseur avaient été catastrophiques, et il avait même failli perdre quelques doigts avant de comprendre le maniement des pièges. Finalement, il avait tout de même obtenu certains succès qui amélioraient l'ordinaire de leurs repas. Mais la présence de Kane apporterait un bol d'air frais. Impatient de revoir son maître, Gédéon lâcha sa cuiller pour aller l'accueillir avec Noah. Les deux hommes ouvrirent la porte en même temps et restèrent cloués sur place en découvrant la jeune beauté aux cheveux auburn qui était entravée par des cordes.

— Par le ciel, mais qu'est-ce que c'est ? demanda Noah sans pouvoir détourner les yeux des liens qui retenaient Célia prisonnière.

— Je n'en sais fichtre rien, répondit le serviteur.

Kane faillit éclater de rire en voyant la réaction des deux hommes figés sur le pas de la porte comme des statues de sel. Ils contemplaient Célia comme s'ils voyaient pour la première fois une femme. Vraisemblablement, ils étaient surpris par sa beauté, ce qui se concevait facilement quand on se rappelait les descriptions épouvantables que Kane avait faites d'elle avant de l'avoir rencontrée. Leurs yeux exorbités achevaient de donner à Noah et Gédéon un air inquiétant. Ils ne s'étaient pas rasés depuis des jours et ils portaient des vêtements de trappeurs en peau de daim.

Ainsi parés, on pouvait facilement les confondre avec la racaille des montagnes. Et cependant, Kane savait qu'il faudrait les surveiller pour qu'ils s'acquittent convenablement du rôle qu'ils devaient jouer. Dieu merci, Célia pensait déjà le pire des « amis » de Kane, et il ne lui viendrait jamais à l'esprit d'imaginer que Noah et Gédéon pouvaient être galants avec les dames.

Avant qu'ils ne formulent la moindre remarque, Kane préféra prendre les devants :

— J'ai kidnappé la fille O'Roarke pour en tirer une rançon, annonça-t-il en s'interposant entre Célia et les deux hommes afin qu'elle ne pût s'apercevoir de leur surprise.

D'un regard, Kane obligea son frère à se taire puis poursuivit :

— Emmène Célia à l'intérieur, et attache-la au lit, Noah. Ensuite j'aurai à vous parler à tous les deux... mais dehors.

Malgré sa stupéfaction, Noah obéit à son frère. Dès qu'il eut entraîné la jeune femme dans la cabane, Gédéon ferma la porte et interrogea Kane du regard.

— Que diable se passe-t-il ?

— Certaines missions exigent des mesures appropriées, expliqua Kane. Célia est exactement comme son père l'avait décrite : indépendante, méfiante et incroyablement entêtée. Elle a déjà failli se faire tuer plusieurs fois pour sauver sa maudite agence, et je n'ai pas eu d'autre solution que d'employer la manière forte.

— Mais, monsieur, c'est une jeune fille de bonne famille. Une héritière...

— Si tu me parles sur ce ton, Célia va se douter de quelque chose, le coupa Kane. Ne m'appelle plus monsieur !

Pour une fois, Gédéon aurait bien appelé son maître de plusieurs autres noms... Il était abasourdi par ce que Kane avait osé faire.

— Comment pouvez-vous attacher cette jeune lady et la traîner comme un chien en laisse ? s'insurgea-t-il. J'avais raison, il est *grandement* temps que vous changiez de métier. Je sais que vous avez toujours prétendu qu'un bon détective doit pouvoir penser comme les bandits qu'il poursuit, mais, Dieu du ciel, je ne savais pas que vous deviez également vous *conduire* comme eux.

Kane prit Gédéon par l'épaule et l'entraîna à l'écart.

— Pas si fort, bon sang !... Je sais ce que je fais, Gédéon. Si j'avais eu une autre solution, je l'aurais employée, mais crois-moi il n'y en avait pas. J'ai vraiment tout essayé.

Noah venait de ressortir de la cabane et Kane lui fit signe de les rejoindre. Tout en dessellant son cheval, il raconta aux deux hommes les événements qui l'avaient conduit à s'emparer de Célia, insistant sur l'inconscience de la jeune femme.

— Et donc, conclut-il, je n'ai pas eu d'autre choix que de lui faire croire que j'étais le complice de Griz et que je l'avais kidnappée pour obtenir une rançon.

Noah et Gédéon étaient éberlués par tout ce qu'ils venaient d'entendre. Kane les regarda en prenant un air solennel.

— Parfois, certaines missions obligent à endosser des rôles détestables. Il est nécessaire que ce petit séjour dans les montagnes soit aussi épouvantable que possible pour Célia. Si ce n'est pas le cas, elle retournera à Denver pour y reprendre sa folle croisade.

— Tu veux que nous traitions cette charmante créature en otage ? s'étrangla Noah. Il y a sans doute beaucoup de choses que j'aimerais faire avec elle, sauf précisément me conduire comme un monstre. Je ne pense pas en être capable. On m'a toujours appris à être galant avec les dames !

— Moi aussi, renchérit Gédéon.

Kane les gratifia d'un regard noir.

— C'est un ordre, dit-il en haussant le ton. Hier matin, j'ai aperçu le Dandy qui tentait d'attaquer une diligence. Je vais partir à la recherche de ce gredin pendant que vous garderez Célia. Quand je reviendrai, si je vous trouve en train de la pouponner, je vous garantis que vous me le paierez très cher... Me suis-je bien fait comprendre ?

Noah et Gédéon tressaillirent devant la voix menaçante de Kane. Il employait très rarement un tel ton, aussi se dépêchèrent-ils d'acquiescer, mais à contrecœur.

Dès que Kane se fut éloigné, Noah dévisagea le serviteur :

— Vas-tu faire ce qu'il demande ?

Gédéon eut un geste d'impuissance.

— Pour dire la vérité, je n'aurai pas le courage de lui désobéir. Et après tout, il s'y connaît dans ce genre d'affaires, n'est-ce pas ?

— Tout ce que je sais, c'est que l'idée de rudoyer cette jolie jeune femme va complètement à l'encontre de mes principes, grommela Noah.

— Essayez de surmonter vos principes plutôt que d'affronter votre propre frère. Je crois qu'il est préférable de ne pas le contrarier.

Se résignant à la pénible tâche qui l'attendait, Gédéon retourna dans la cabane pour terminer de préparer le repas. Il ne pouvait se permettre de laisser brûler ses gâteaux. Or c'est précisément ce qui risquait d'arriver s'il ne se pressait pas !

Noah le suivit en prenant tout son temps. Il était de plus en plus déçu par la vie de détective. Cela n'avait vraiment rien d'excitant. Kane avait surpris le Dandy par hasard, alors que lui l'avait traqué pendant deux semaines sans l'apercevoir une seule fois ! Deux semaines à s'ennuyer ferme dans ce trou perdu, à des kilomètres de toute civilisation. Et pour couronner le tout, il lui faudrait maltraiter une malheureuse que son frère avait kidnappée dans un moment de folie. C'était insensé !

Définitivement de mauvaise humeur, Noah rentra dans la cabane et s'assit à table. Surmontant son envie d'adresser un sourire à la jeune femme que Kane avait ligotée sur une chaise, il s'abîma dans la contemplation de son assiette en attendant que le déjeuner fût servi.

Célia étudia le visage de son voisin de table. Il ne semblait pas beaucoup plus âgé qu'elle et il ne lui fallut pas longtemps pour comprendre qu'il s'agissait du petit frère de Kane. Ils avaient un air de famille qui se reconnaissait facilement, même si le visage de Noah était en partie mangé par la barbe. Ses yeux étaient d'un bleu plus prononcé que ceux de son frère, mais tous deux arboraient la même chevelure aile de corbeau.

Noah offrait un visage plus lisse, plus innocent que celui de Kane, et Célia en conclut que le jeune Callahan faisait ses premiers pas dans le crime. La mauvaise influence de son aîné l'avait écarté du droit chemin et d'ici quelques années, il serait sans aucun doute aussi aguerri que son modèle. Quel dommage... et quelle honte !

Même si pour l'instant Noah ne semblait pas très dangereux, Célia était résolue à ne pas lui faire confiance. Pour avoir lu les avis de recherche placardés sur les murs de Denver, elle savait que derrière un visage enfantin se cachait parfois un épouvantable criminel.

En revanche, cet homme brun et maigre qui s'activait aux fourneaux ne paraissait pas constituer la moindre menace, estima la jeune femme. Les manières de Gédéon étaient celles d'un gentleman, ou bien celles du majordome d'un gentleman. Comment Gédéon en était arrivé à lier son sort à ces brutes, voilà qui était un mystère. Apparemment il gardait la maison et leur servait de cuisinier, mais il ne devait sans doute pas prendre part à leurs équipées sanglantes. Elle songea qu'un grand désespoir pouvait conduire certains hommes à s'associer avec des criminels. Dans ce cas, le désespoir de Gédéon avait dû être immense pour qu'il en vînt à partager la vie d'un Kane Callahan, aussi viril et beau garçon fût-il. Ah, si seulement ce gredin n'avait pas été aussi séduisant ! Les choses auraient été beaucoup plus faciles...

Quand Gédéon apporta le repas sur la table, Célia eut la mauvaise surprise de constater que non seulement Kane lui servait une toute petite portion, mais qu'en plus il s'ingéniait à mélanger les aliments dans l'assiette.

— Vous avez donc décidé de faire de ma vie un enfer ! se récria-t-elle. Comme si cela ne suffisait pas d'avoir à vous supporter, vous et vos « amis », il faut encore que vous me gâchiez les seuls moments agréables de la journée.

— Si je... commença Noah.

Mais Kane lui donna un coup de pied sous la table pour le réduire au silence.

— Je voulais juste m'assurer que les moments que nous partageons resteront durablement imprimés dans votre mémoire, ironisa Kane avant de lancer un clin d'œil à son frère.

— Ne vous inquiétez pas pour ça, répliqua Célia en lui jetant un regard noir. Je n'oublierai jamais à quel point je vous méprise.

Le déjeuner se poursuivit dans un silence sépulcral. Célia demanda à être resservie, mais Kane refusa catégoriquement. Humiliée, la jeune femme fut obligée de regarder les trois hommes finir le plat tandis qu'elle restait sur sa faim.

Elle commençait du moins à comprendre pourquoi Kane avait enrôlé Gédéon dans son gang.

Kane était un misérable criminel, mais il aimait la bonne cuisine et sur ce point, Gédéon était un maître. Il cuisinait aussi bien que le chef engagé par son père à Saint Louis. Mais quelle pitié de le voir gâcher un si beau talent au service de telles fripouilles !

— Célia fera la vaisselle, annonça Kane lorsque Gédéon commença à débarrasser la table.

— Et après, j'aimerais prendre un bain, ajouta-t-elle d'un air de défi.

— Je vais chercher...

Noah allait se proposer pour l'aider mais un autre coup de pied dans les tibias l'arrêta dans son élan.

— Célia attendra jusqu'à ce soir pour son bain, expliqua Kane à son frère. Toi et moi, nous allons faire un petit tour de reconnaissance pour vérifier que je n'ai pas été suivi.

Puis se tournant vers Gédéon :

— Et toi, va chercher un marteau et des clous pour barrer les fenêtres. Je ne veux pas qu'elle puisse se sauver quand on sera absents.

La mort dans l'âme, Gédéon exécuta son ordre. Il était horrifié par les tortures que Kane infligeait à la jeune femme. Heureusement que Patrick O'Roarke n'était pas là pour voir de quelle manière on traitait sa fille : il n'aurait pas manqué de protester ! Au moins, Gédéon était convaincu d'une chose : la jeune femme sortirait de sa captivité en nourrissant une haine implacable contre Kane. C'était sans doute le seul point positif de cette détestable comédie.

Une fois Noah et Gédéon sortis, Kane attacha Célia à la cuisinière puis lui apporta la cuvette servant à faire la vaisselle.

— Vous n'avez vraiment aucun sens moral, lui lança Célia. Vous avez entraîné Noah et Gédéon dans vos sales combines. Ni l'un ni l'autre n'étaient portés au crime mais votre influence a ruiné leur vie.

— Ils sont ici parce qu'ils l'ont désiré. Contentez-vous de laver la vaisselle et laissez-moi tranquille. Si jamais vous ennuyez Gédéon, vous n'aurez pas de bain ce soir !

Célia se le tint pour dit. Elle ne pourrait attendre une journée de plus sans se laver. Elle voulait à tout prix dissoudre le parfum entêtant de cet homme qui l'avait constamment abusée. Maudissant son sort, elle se tourna vers la vaisselle sale et empoigna un poêlon qu'elle récura rageusement.

Avant de plonger la grille à pâtisserie dans la cuvette, elle retira le biscuit resté dessus et le mangea aussitôt. Ce petit extra était forcément un oubli de la part de Kane, puisqu'il avait résolu de l'affamer.

La vérité, c'est que Kane avait délibérément laissé le gâteau qu'il lui avait refusé à table. De cette façon, elle aurait le sentiment de lui avoir soustrait quelque chose contre sa volonté.

Célia fulminait en repensant à la façon dont Kane s'était conduit avec elle. Comme elle regrettait d'avoir répondu à ses caresses, la nuit précédente... Et le plus vexant, c'est qu'elle avait couru se réfugier dans ses bras après avoir failli être violée par les frères Bishop.

De toute évidence, cette tragique épreuve dans la montagne lui avait embrouillé le cerveau. Car elle n'avait aucune raison valable de s'intéresser un tant soit peu à un homme qui ne la respectait pas. Malheureusement, à chaque fois que son regard croisait ses beaux yeux d'un bleu si intense, elle sentait fondre sa résistance. Et à chaque fois qu'il la touchait, elle succombait à la tentation...

La vaisselle terminée, Gédéon l'attacha sur le lit puis referma la porte de la chambre derrière lui. Célia ravala les larmes qui lui nouaient la gorge et tenta de se reprendre en main. Elle était complètement folle d'éprouver le moindre sentiment pour Kane alors que manifestement il ne voyait rien d'autre en elle qu'un vulgaire objet de plaisir.

Eh bien, dans ce cas il n'y aurait plus de caresses, ni de baisers, se jura la jeune femme. Elle ne permettrait plus à ce scélérat de l'approcher sans se défendre comme un beau diable. Kane était son ennemi déclaré, elle ne devait pas l'oublier un seul instant.

Elle survivrait à cette épreuve et ne cesserait, après sa libération, de traquer son ravisseur jusqu'à le voir se balancer au bout d'une corde.

Sur cette pensée réconfortante, Célia s'allongea sur le lit et fixa le plafond. Ce périple et sa captivité dans cette cabane ressemblaient tout à fait à un voyage en enfer. Et le démon qui gardait les lieux s'appelait Kane Callahan.

16

Pendant que Noah et Gédéon apportaient de l'eau dans la chambre pour le bain de Célia, Kane, assis au bord du lit, esquissait une carte du territoire qu'il avait exploré avec son frère au cours de l'après-midi.

Noah n'osait regarder dans la direction de la jeune femme, craignant de lui sourire malgré lui et de se faire sévèrement réprimander par son aîné.

— Vous pouvez sortir tous les trois, maintenant, déclara Célia. Le bain est prêt et je voudrais profiter de l'eau pendant qu'elle est bien chaude.

Noah et Gédéon obéirent immédiatement mais Kane ne bougea pas d'un centimètre.

— Je n'ai pas l'intention de partir, annonça-t-il sans détour. Je veux être certain que vous ne tenterez rien pour vous enfuir. Après ce que vous avez avoué de vos projets de cette nuit, je ne peux plus vous faire confiance.

— Je refuse de me déshabiller tant que vous ne serez pas sorti. C'est trop risqué.

— Insinueriez-vous que je suis dangereux, petite

friponne ? demanda Kane avec son plus beau sourire.

Très dangereux, songea Célia. Sapristi, quand ce gredin souriait si joliment, il était impossible de demeurer insensible. Toutefois, un voleur restait un voleur. Même si Kane Callahan avait le don de le lui faire oublier à certains moments, c'était un bandit de la pire espèce.

Par pure provocation, Célia releva sa robe et entra dans le baquet tout habillée. Ce n'était pas exactement le genre de bain dont elle avait rêvé, mais désormais, quelles que soient les circonstances, elle ne se déshabillerait plus jamais devant Kane !

Celui-ci ne put s'empêcher d'éclater de rire en la voyant s'emparer du savon et commencer à frotter sa robe. C'était peut-être mieux ainsi, songea-t-il. La seule idée de voir Célia entièrement nue éveillait aussitôt son désir. Mais la présence de Noah et de Gédéon dans la pièce voisine l'empêcherait de l'assouvir; aussi était-il préférable de ne pas être exposé à la tentation.

— J'espère que vous savez que vous êtes en train de mouiller la chemise de nuit qui est sous votre robe, lui fit-il remarquer. Si vous ne voulez pas risquer d'attraper la mort, vous serez obligée de dormir toute nue.

— Si cela peut me garantir de ne plus jamais vous revoir, la mort aura ses avantages, répliqua Célia en se savonnant énergiquement le visage.

— Vous rendez les choses plus difficiles qu'elles ne le sont déjà.

— *Rien* ne pourrait être pire que ma situation présente.

— Rien ? répéta Kane en haussant un sourcil.

— Rien, confirma Célia avec une parfaite assurance.

Kane s'empara d'un seau d'eau froide et le versa sur Célia avec un sourire diabolique. Secouant ses longues mèches auburn qui dégoulinaient sur son visage, la jeune femme bondit sur ses pieds comme un chat en colère, bien résolue à se venger de cette perfidie. De ses deux mains elle éclaboussa Kane qui riposta en lui vidant un deuxième seau sur la tête.

Célia réalisa soudain qu'elle prenait du plaisir à ce jeu puéril. Et dans le même instant, une autre pensée beaucoup plus troublante lui traversa l'esprit. Si troublante qu'elle faillit glisser dans le baquet. Elle leva son regard sur Kane et quand elle croisa les prunelles bleues qui la dévisageaient avec amusement, elle crut se sentir mal.

Ce qu'elle avait toujours redouté avait fini par arriver. Oh non, pas ça ! Malgré tous les défauts de Kane, elle se sentait irrésistiblement attirée par lui. Depuis le début, elle s'était acharnée à combattre ses sentiments, mais toujours en pure perte. Elle avait même cru pouvoir se donner bonne conscience en se convainquant qu'il ne s'agissait que d'une attirance physique. Mais elle devait bien admettre que l'explication était un peu courte. En réalité elle était tombée...

Célia sentit une boule monter dans sa gorge. Perplexe, elle dévisagea à nouveau Kane. En réalité, elle était tombée... amoureuse de cette fripouille !

Kane fronça les sourcils en voyant Célia se cramponner au rebord du baquet, les yeux écarquillés.

— Célia ? Quelque chose ne va pas ?

Il l'agrippa aux épaules et l'aida à se relever. Constatant qu'elle tenait à peine debout et qu'elle était devenue toute pâle, Kane se reprocha sévèrement sa conduite. Il l'avait obligée à chevaucher dans les montagnes, vêtue d'une simple chemise de nuit sous une pluie battante, et comme si cela ne suffisait pas, il l'avait douchée à l'eau froide ! A cause de lui, elle avait sans doute attrapé une bonne grippe. Ou peut-être pire...

Célia refusa le bras qu'il lui tendait et s'écarta vivement.

— Ne me touchez pas ! gémit-elle.

Ignorant délibérément sa requête, Kane la porta hors du bain.

— Vous avez besoin d'enlever ces vêtements mouillés et de vous coucher, déclara-t-il en la reposant sur ses pieds.

— Laissez-moi seule !

Kane ne l'écouta pas davantage. Prestement, il lui ôta sa robe et sa chemise de nuit. C'est alors qu'il réalisa que la situation devenait délicate pour lui. Il ne pouvait s'empêcher de dévorer des yeux cette silhouette parfaite. Et l'admirer donnait envie de la toucher...

— Avez-vous froid ? murmura-t-il en fixant ses yeux émeraude.

Célia n'avait pas froid. Elle avait simplement peur qu'il ne la prît dans ses bras car elle savait qu'elle ne ferait rien pour l'en empêcher. C'était dans des moments comme celui-ci, où Kane se montrait tendre et attentionné, qu'elle se sentait fondre pour lui. Peut-être s'illusionnait-elle, mais il lui semblait qu'elle réussirait un jour à transformer ce hors-la-loi en un gentleman respectable. Sous son apparence rude et impitoyable, se cachaient de réelles qualités de cœur... du moins voulait-elle le croire. Était-ce la réalité ?

Elle aimait un homme qu'elle n'aurait jamais dû fréquenter...

— Célia, au nom du ciel, que se passe-t-il ? s'exclama Kane tandis qu'elle continuait à le fixer d'un air hébété.

Il lisait de la peur dans ses yeux. C'était à peine croyable. Pourquoi Célia aurait-elle eu peur de lui seulement maintenant ? Il lui en avait fait voir de toutes les couleurs et jusqu'ici elle lui rendait coup pour coup.

Brusquement, le désir de la protéger devint pour lui aussi vital que le sang qui coulait dans ses veines.

Cette petite comédie commençait à l'épuiser nerveusement. Il avait essayé de se montrer indifférent, mais en réalité tout ce qui la bouleversait le bouleversait aussi.

— Célia... ? murmura-t-il en prenant son visage entre ses mains. Dites-moi ce qui ne va pas.

Kane n'avait pas prémédité de l'embrasser, ni

même de l'enlacer. Mais tenir Célia dans ses bras était devenu pour lui aussi naturel que respirer. Le désir l'enflamma quand il s'empara de ses lèvres pour en savourer le miel.

Instinctivement, il l'attira contre lui et elle ne tenta pas de lui résister. Les autres fois, elle avait toujours semblé hésiter avant de s'abandonner, mais pas aujourd'hui. Elle passa les bras autour de son cou et lui rendit son baiser avec une ardeur égale.

— Tu es la femme la plus merveilleuse que je connaisse, chuchota-t-il en la couvrant de petits baisers. Tu me rends fou...

Les paroles de Kane firent vibrer le cœur de Célia, mais elle se sentait incapable de lui répondre. Sa voix était paralysée par un plaisir qui la consumait tout entière. La jeune femme s'abandonnait totalement à ce démon aux yeux bleus qui avait eu raison de ses défenses. Plus rien n'existait que Kane. L'air qu'elle respirait était empli de son odeur virile, et même en fermant les yeux elle le voyait encore. Elle était hypnotisée par cette force magique qui les attirait l'un vers l'autre.

Kane ôta ses propres vêtements mouillés et elle le regarda faire, s'émerveillant de sa musculature parfaite, de son ventre plat... Elle n'aurait pu détourner les yeux, même si sa vie en avait dépendu. Cet homme était semblable aux montagnes qui les entouraient. Il émanait de lui une grandeur et une force qui invitaient au respect.

Abandonnant toute timidité, Célia tendit la main

pour caresser son torse musclé avant de faire glisser ses doigts le long de la fine toison qui courait sur son ventre.

Elle le désirait. C'était aussi simple que cela. Kane était sans doute son pire ennemi, mais à ce moment précis elle ne voyait aucune bonne raison de combattre ce désir qui la consumait.

— J'ai envie de vous.

L'aveu était sorti de sa bouche avant qu'elle ne pût le retenir.

Il y avait un monde entre le désir et l'amour, Kane en était bien conscient. Mais ces quelques mots de Célia le comblaient de bonheur.

Ses mains la caressaient sans relâche, avides de reconnaître chaque centimètre de sa chair, comme si Kane avait pu oublier à quel point elle était parfaite ! De savoir qu'un jour leurs routes se sépareraient le désespérait, mais d'un autre côté cette sombre perspective l'incitait à savourer toute la magie de l'instant présent.

Un gémissement lui échappa quand Célia aventura ses lèvres sur son ventre, puis plus bas... Il souhaitait qu'elle cessât de le tourmenter ainsi, et en même temps il mourrait si jamais elle s'arrêtait !

Célia était émerveillée par le pouvoir qu'elle semblait détenir sur cet homme. Bien sûr, elle savait qu'elle ne gagnerait pas son amour, puisqu'il n'était pas du genre à s'investir totalement dans une relation affective. Mais elle voulait laisser son empreinte sur son corps et dans son âme pour le restant de ses jours. Chaque fois qu'il prendrait une autre femme dans ses bras, c'est son visage à elle qui reviendrait le tourmenter.

A force, Célia aurait pu se convaincre qu'elle cherchait à le séduire uniquement par vengeance. Mais à l'instant où il l'allongea sur le lit en la couvrant de baisers, ce ne fut pas un sentiment de revanche qui la fit s'abandonner dans ses bras.

Brûlante de désir, elle s'arqua contre lui, impatiente d'apaiser ce divin tourment de le sentir si proche d'elle et en même temps si loin. Et quand il la pénétra enfin, le monde vola en éclats...

Et leur lit aussi !

Un grognement échappa à Kane quand le matelas et le sommier s'écrasèrent au sol dans un fracas étourdissant. Manifestement, ce lit rustique n'avait pas été conçu pour une autre activité que le sommeil ! Il jeta un œil inquiet sur la porte, se demandant ce qu'allaient faire Noah et Gédéon après avoir entendu un pareil bruit. Kane était trop aveuglé par le désir pour se soucier de ce que pouvait penser le reste du monde, à condition que personne n'entrât dans cette chambre !

— Ils doivent s'imaginer que vous êtes en train de me torturer, plaisanta Célia.

— C'est aussi votre avis ? demanda-t-il en pressant suggestivement son corps contre le sien.

— Comment ne pas appeler cela une torture... puisque vous me refusez ce que je désire le plus ? murmura-t-elle contre ses lèvres.

Mais Kane n'allait pas lui refuser de l'aimer simplement parce que leur lit s'était écroulé et que ses deux compagnons se tenaient dans la pièce à côté. Rien n'avait d'importance en ce bas monde, hormis cette magie qu'ils partageaient.

Leur étreinte fut merveilleuse, et un sourire de plénitude flottait sur les lèvres de Célia tandis que son corps répondait instinctivement aux assauts de Kane. Elle aurait voulu ne pas crier au moment ultime, mais le plaisir fut si violent qu'elle ne put s'en empêcher.

Noah s'agitait sur sa chaise en fixant la porte de la chambre avec appréhension. Il avait entendu un bruit d'éclaboussures, puis des murmures, des gémissements et même un grondement de Kane. Le fracas causé par l'effondrement du lit n'avait fait qu'ajouter à sa nervosité.

— A ton avis, que sont-ils en train de fabriquer ? demanda-t-il à Gédéon.

Celui-ci lança un regard sombre en direction de la porte.

— Il est peut-être préférable que nous restions dans l'ignorance de ce que Kane a inventé pour effrayer cette pauvre femme, marmonna-t-il.

— Il est sans doute en train de la torturer.

— Il n'irait quand même pas jusqu'à lui faire mal ! Il doit simplement l'obliger à se tenir tranquille. Elle est assez sauvage, après tout.

— Et ravissante ! ajouta Noah. Je n'arrive pas à comprendre qu'un homme puisse se montrer cruel avec une telle beauté. Même si elle est aussi entêtée que le prétend Kane, ce n'est pas une raison pour la maltraiter.

Lorsque Célia poussa un cri, Noah bondit tout à coup sur ses pieds.

— Je vais aller dire à Kane ma façon de penser. Toute cette comédie est parfaitement odieuse et ridi...

Gédéon l'attrapa par le col et le rassit sur sa chaise si violemment que Noah hoqueta sur le dernier mot de sa phrase.

— Vous avez entendu comme moi ce que votre frère a dit. Il ne veut pas que nous nous mêlions de cette affaire. C'est *sa* mission et nous ne sommes là que pour l'aider.

— En tout cas, si Célia garde la moindre séquelle de son séjour ici, Kane devra s'expliquer, fulmina Noah.

— Si jamais nous rentrons chez nous un jour, je jure de ne plus quitter la maison, déclara Gédéon avec solennité.

Enfin les bruits cessèrent et Noah soupira de soulagement.

— Ouf ! Je suis content que ce soit fini. Mais je crains que Kane ne nous demande de rudoyer Célia pendant qu'il sera parti à la poursuite du Dandy. Je ne le ferai pas, ça non !

— Moi non plus, renchérit Gédéon. Nous nous contenterons de lui faire croire que nous avons obéi à ses ordres.

Quand la porte de la chambre s'ouvrit sur Kane, les deux hommes se pétrifièrent. Kane essaya de se donner une contenance tandis qu'ils le regardaient traverser la pièce.

— Vas-tu chercher des pinces, grand frère ? Ou d'autres cordes... Que prévoit la suite du programme ? L'écartèlement ?

Kane réprima un sourire avant de se tourner vers ses compagnons.

— Elle est encore intacte, si c'est cela qui vous inquiète. Mais je vous interdis d'aller la voir. Laissez-la seule. Elle n'a pas besoin de votre sympathie et du reste vous n'avez pas à lui en manifester. C'est clair ?

— Incroyable ! Elle n'a pas besoin de sympathie ! explosa Noah. Franchement, je n'arrive pas à te comprendre depuis quelque temps. Tu es devenu un monstre.

— Et le monstre te fera voir de quoi il est capable si jamais tu t'aventures dans sa chambre, le menaça Kane avant de pointer du doigt la porte de l'autre chambre. Maintenant, allez vous coucher, tous les deux. J'ai quelque chose à faire dehors, mais quand je reviendrai je veux vous voir sous les couvertures.

Noah et Gédéon obéirent à contrecœur, non sans avoir lancé un regard méprisant à Kane et un autre, de compassion celui-là, vers la chambre de Célia.

Kane sortit et referma la porte derrière lui avant de soupirer. Décidément, la situation ne faisait qu'empirer ! S'il avouait la vérité à ses compagnons, ils seraient encore plus outrés qu'ils ne l'étaient déjà. En fait, ils étaient incapables de comprendre ce qui se passait entre lui et Célia. Bon sang, lui-même n'y arrivait pas ! Célia se montrait de plus en plus souvent tendre à son égard, mais il n'osait la questionner à ce sujet. Le mieux était encore d'accepter le plaisir qu'elle lui offrait sans chercher à analyser ce qui la poussait à agir ainsi. D'ailleurs, elle l'ignorait sans doute elle-même.

Distraitement, Kane fit les cent pas devant la cabane. Puis soudain, il s'agenouilla pour cueillir quelques fleurs sauvages qui brillaient au clair de lune. Bon sang, il n'avait rien d'autre à offrir à Célia ! C'était un bien maigre cadeau pour la convaincre de la profondeur de ses sentiments.

Kane n'avait plus qu'une obsession : gagner son cœur. Il voulait vivre un amour véritable, sans commune mesure avec la comédie jouée autrefois par Mélanie Brooks. C'était certes beaucoup demander, mais il croyait savoir que Célia avait déjà admis qu'il se passait quelque chose de *magique* entre eux. S'il réussissait à la convaincre de son amour, elle finirait peut-être par lui pardonner un jour.

« Bien sûr qu'elle va te pardonner, mon pauvre Callahan ! » se moqua-t-il avec amertume. Il irait au-devant d'une belle désillusion s'il se mettait à croire à de pareilles absurdités.

Mais qu'importe ! Demain matin, il s'en irait à la recherche du Dandy. Avant cela, il lui restait encore toute la nuit pour faire l'amour à Célia. Kane était bien résolu à en savourer chaque minute dans les bras de la jeune femme.

17

Célia s'étira sous les couvertures. Après la fatigue de la journée, les délicieuses sensations de l'amour avaient agi sur elle comme un sédatif et elle se sentait gagnée par le sommeil. Elle était déjà presque endormie quand le grincement de la porte lui fit rouvrir les yeux.

Elle vit Kane s'approcher du lit et commencer à enlever ses vêtements, et un sourire éclaira son visage. Une nouvelle fois, elle ne put s'empêcher d'admirer son corps si parfait. Demain, elle reprendrait ses esprits et se reprocherait sa faiblesse. Demain, mais pas ce soir, songea Célia en soupirant de bien-être.

Pour l'instant, elle voulait rêver à ce que serait son bonheur si un jour Kane renonçait à sa vie dissolue et tombait amoureux d'elle...

Avant de s'allonger à son côté, il lui donna le petit bouquet de fleurs sauvages. Bouleversée par cette attention, Célia le remercia d'un tendre baiser.

— J'aurais voulu t'offrir davantage, murmura-t-il contre ses lèvres, mais aucun cadeau ne pourra jamais égaler ta beauté.

Il retira doucement la couverture, laissant les rayons de lune éclairer la peau satinée de la jeune femme.

— Je ne me lasse pas de t'admirer, reprit-il. Tu es si belle...

— Et qu'attendez-vous en retour de toutes ces flatteries ? le provoqua Célia avec un petit air mutin.

Bon sang, quand elle le regardait ainsi, Kane aurait été prêt à jurer qu'il était déjà mort et monté tout droit au paradis.

— C'est *toi* que je veux en retour. Même si cela ne doit durer qu'une nuit...

Célia accéda à sa requête. Elle s'abandonna corps et âme à l'amour qu'elle éprouvait pour lui. Et Kane la conduisit, encore et encore, dans l'univers infini du plaisir.

A contrecœur, Kane s'obligea à quitter le lit de Célia aux premières lueurs de l'aube. Il ne voulait pas que Gédéon et Noah le voient sortir de la chambre de la jeune femme alors qu'il était supposé dormir sur le petit lit de camp dans la pièce principale. D'autre part, une redoutable mission l'attendait : il devait capturer le Dandy.

Avec un sourire mélancolique il jeta un dernier regard à Célia, toujours endormie. Les premiers rayons du soleil semaient des reflets dorés dans ses boucles auburn. Elle avait posé une main sur l'oreiller où il avait dormi, comme si, même dans son sommeil, elle voulait encore le toucher et revivre cette nuit merveilleuse qu'ils avaient partagée.

En soupirant, Kane se décida à enfiler son pantalon. Dieu du ciel, quitter Célia était plus difficile que de s'arracher un bras !

Il regrettait de ne pouvoir être là quand elle se réveillerait, car il avait le pressentiment que les choses ne seraient plus pareilles à son retour. Célia aurait retrouvé son attitude défensive et aurait fini par se persuader que tout ce qui s'était passé entre eux n'était qu'une fantaisie passagère.

Sans bruit, Kane quitta la chambre et referma la porte derrière lui. Puis il froissa les couvertures du lit de camp, pour faire croire qu'il y avait dormi, avant de sortir rejoindre son cheval. Tout en le sellant, il soliloquait à haute voix :

— Tu te fais des idées si tu t'imagines qu'elle est amoureuse de toi, Callahan ! Pourquoi voudrais-tu qu'elle t'aime ? Tu lui as assez fait croire que tu n'étais qu'un criminel. Combien connais-tu de jeunes et jolies héritières qui soient tombées amoureuses d'un hors-la-loi ?

Mais aussitôt qu'il fut monté sur son cheval, Kane remisa ses sentiments dans un petit tiroir de son cœur. S'il ne se concentrait pas sur la mission qui l'attendait, il risquait de passer des semaines entières à arpenter en vain les Rocheuses.

Avant de se mettre en route, il jeta un dernier regard à la cabane. Bon sang, que n'aurait-il donné pour que les choses n'aient pas changé à son retour... Hélas, il savait que c'était demander l'impossible. Et de toute façon, il avait passé un contrat avec Patrick. Bientôt, il devrait lui restituer sa fille et ce jour-là, il perdrait Célia à jamais. Peut-être valait-il mieux se préparer déjà à cette séparation...

Sur cette triste pensée, Kane lança son cheval à l'assaut des montagnes.

Célia émergea du sommeil avec un soupir de bonheur. Instinctivement, elle tendit la main pour caresser son amant...

Elle ouvrit brutalement les yeux en constatant que sa main ne rencontrait que le vide. Elle parcourut la chambre du regard : Kane n'était plus là. Mais elle ravala bien vite sa déception. Il avait sans doute eu la délicatesse de terminer la nuit sur le petit lit de camp pour ne pas éveiller les soupçons de ses compagnons.

Son regard tomba soudain sur la corde qui traînait dans un coin et elle se demanda si Kane n'avait pas voulu la rattacher, ou si simplement il avait omis de le faire. C'est alors qu'on frappa à la porte.

D'un bond, Célia sortit du lit et enfila sa robe encore humide du bain de la veille, avant d'aller ouvrir.

A sa grande déception, ce n'était pas Kane qui avait frappé, mais Noah. Inquiète, elle jeta un regard par-dessus l'épaule du jeune homme, mais elle ne vit personne dans la grande pièce, hormis Gédéon déjà occupé à ses fourneaux.

— Le tyran est parti ! l'informa Noah avec un

sourire. Il est... il est parti explorer la région, se reprit-il à temps.

Il avait failli donner à Célia des informations qui ne la regardaient pas !

Célia fronça les sourcils. Kane avait donc repris ses coupables activités ? Maudit fût-il !

Noah s'éclaircit la gorge. Il dansait d'un pied sur l'autre en fixant la corde tombée à terre.

— Si vous nous promettez de ne pas vous enfuir, nous ne vous attacherons pas. Vous pourrez vous déplacer librement dans votre chambre.

Célia fut soulagée de constater que Noah n'était pas aussi cruel que son frère. Lui, au moins, était encore capable d'éprouver de la compassion pour ses victimes.

— J'apporterai votre petit déjeuner dès que Gédéon aura fini de le préparer. Et ne vous inquiétez pas : je serai plus généreux que Kane pour les rations...

Pendant qu'il parlait, Célia méditait sur sa nouvelle situation. Puisqu'elle n'était plus entravée, si elle parvenait à déjouer la surveillance des deux hommes, elle profiterait de l'absence de Kane pour s'enfuir. Mais il lui fallait d'abord savoir où étaient parqués les chevaux...

— S'il vous plaît, Noah, j'aurais besoin de sortir pour satisfaire... commença-t-elle timidement en regardant la pointe de ses souliers. Accompagnez-moi dehors, je jure que je ne tenterai pas de m'échapper...

Elle jouait délibérément les saintes nitouches

comme elle avait vu faire certaines de ses camarades d'école, lorsqu'elles voulaient obtenir quelque chose d'un homme. Célia avait toujours méprisé ce genre de comportements, mais la situation méritait bien une entorse à ses principes.

Bonté divine, elle devenait aussi rusée et calculatrice que Kane Callahan, réalisa-t-elle avec effroi.

Noah ne se fit pas prier pour ouvrir la porte à la jeune femme. Tout le temps qu'ils restèrent dehors, Célia observa minutieusement les parages et calcula la distance qui séparait la cabane de l'endroit où paissaient les chevaux. Ils avaient été dessellés, ce qui l'obligerait à monter à cru pour s'enfuir. Il faudrait également disperser les autres bêtes. Ainsi, Gédéon et Noah perdraient un temps précieux à récupérer leurs montures avant de pouvoir se lancer à sa poursuite.

Célia rentra dans la cabane, Noah sur ses talons. Il la reconduisit jusqu'à sa chambre et la laissa seule pendant quelques minutes avant de revenir lui apporter son petit déjeuner. Il regardait avec insistance le lit cassé en deux et Célia eut le sentiment qu'il voulait dire quelque chose. Il cherchait sans doute à comprendre ce qui s'était passé. Se sentant rougir, Célia détourna la tête pour masquer sa confusion.

— Le scélérat ! explosa-t-il finalement. Il vous a rudoyée toute la nuit, n'est-ce pas ? Et pour finir, il vous a obligée à dormir par terre !

Célia soupira de soulagement en constatant que Noah s'était égaré sur une mauvaise piste. Mais la colère du jeune homme ne s'apaisait pas.

— Je ne comprends pas ce qui arrive à Kane ! gronda-t-il.

Il se mit à tourner en rond, exactement comme son frère avait l'habitude de le faire lorsqu'il était préoccupé, songea Célia. Soudain, il s'arrêta et fronça les sourcils.

— Mon Dieu, si, je crois que j'ai compris pourquoi il vous traite ainsi...

Noah reprit sa déambulation quelques instants, avant de s'arrêter à nouveau pour dévisager Célia. Sa pauvre robe démodée n'altérait en rien sa beauté. Cette jeune femme était vraiment ravissante. Et après tout, elle avait le droit de savoir pourquoi Kane se montrait si odieux avec elle.

— Je pense que Kane se sert de vous comme d'un bouc émissaire, lâcha-t-il. Il n'a rien contre vous, mais...

— Un bouc émissaire ? répéta Célia qui ne voyait pas à quoi Noah pouvait bien faire allusion.

— Kane a été fiancé à une jeune fille du nom de Mélanie Brooks. Mais pendant qu'il parcourait le pays, comme à son habitude, Mélanie a finalement épousé un autre homme sans prévenir mon frère. Gédéon et moi sommes convaincus qu'il ne l'a pas encore digéré. Et à mon avis, il passe sa frustration sur vous. C'est vous qu'il martyrise, mais c'est Mélanie qu'il voudrait pouvoir tenir en laisse.

Célia réagit comme si elle avait reçu un coup de poing dans le ventre. Elle fixa sans le voir le mur qui lui faisait face. Ainsi, elle avait eu raison depuis le début ! Elle ne représentait rien pour Kane.

Quand il lui avait murmuré son amour, tout au long de cette nuit, elle avait été assez folle pour croire qu'il commençait vraiment à s'attacher à elle. Mais c'est à Mélanie qu'il pensait. Il s'était servi d'elle pour remplacer la femme qu'il désirait réellement. La meilleure preuve, c'est qu'il ne lui avait jamais dit en plein jour qu'il l'aimait. Il ne se laissait aller à ces confidences que dans l'obscurité de la nuit, quand il s'imaginait tenir Mélanie dans ses bras. Elle-même ne comptait pas !

— Je ne peux rien changer à votre situation, j'espère que vous le comprenez, soupira Noah en regagnant la porte. C'est Kane qui commande et je suis obligé de lui obéir. Mais il n'a pas toujours été ainsi, vous savez. Mélanie Brooks l'a aigri contre les femmes, et malheureusement c'est vous qui payez les pots cassés. J'en suis sincèrement désolé...

Dès que Noah eut refermé la porte derrière lui, Célia arrêta sa décision. Elle allait s'évader ! Elle ne voulait plus jamais revoir Kane Callahan. Et il n'était plus question de l'aimer. Elle le haïssait irrémédiablement.

Gédéon fixait la porte de la chambre de Célia d'un air abattu.

— Jamais plus je ne suivrai Kane dans ses missions, jura-t-il solennellement. Je préférerais encore rendre mon tablier.

— Si tu voyais ce qu'il a fait du lit de Célia... Réduit en miettes ! Elle a été obligée de dormir par terre.

Gédéon fronça soudain les sourcils. Il se rappelait les bruits étranges entendus la nuit précédente. « Mon Dieu, Kane n'aurait quand même pas... Il n'aurait pas osé... Le scélérat ! » pesta-t-il en lui-même. Kane était bel et bien *devenu* un monstre...

— Gédéon ? Quelque chose ne va pas ? s'alarma Noah en voyant le serviteur pâlir. Ton petit déjeuner ne passe pas ?

La nourriture n'était pas en cause. C'était le soupçon terrifiant qu'il venait de formuler qui pesait soudain sur l'estomac du pauvre serviteur.

— Je crois que j'ai besoin de prendre l'air, s'excusa-t-il en se levant de sa chaise.

Une fois dehors, Gédéon épancha sa bile en jurant à haute voix. Kane s'était conduit comme une crapule de la pire espèce ! Noah n'avait rien deviné, mais Gédéon était persuadé qu'il ne se trompait pas. Ayant repris contenance, il rentra dans la cabane et inspecta discrètement le lit de camp sur lequel Kane était supposé avoir dormi. Les couvertures étaient froissées, mais l'examen des draps lui prouva que personne n'avait couché ici. Gédéon avait assez refait de lits dans sa vie pour le savoir. Ce lit avait été chamboulé pour faire croire qu'on s'en était servi, alors qu'en réalité il était resté inoccupé !

Indigné, Gédéon entendait bien confondre Kane dès son retour. Abuser de Célia ne rentrait pas dans le cadre de sa mission. Il avait été payé pour protéger la jeune lady, et non pour souiller sa réputation !

En milieu d'après-midi, Célia avait échafaudé tout son plan d'évasion. Chaque étape était planifiée et aucun détail n'avait été laissé au hasard. Prête à passer à l'action, elle ouvrit la porte de sa chambre et, usant de son plus charmant sourire, lança aux deux hommes qui la fixaient :

— Je me demandais si je pourrais avoir un bain. Kane n'a pas voulu quitter ma chambre, hier soir, je n'ai donc pu me laver. Et puis, cela me fera une distraction, ajouta-t-elle en baissant humblement les yeux. Ce n'est pas très gai de rester confinée dans cette petite pièce...

Célia redoutait de ne pas se montrer suffisamment convaincante, dans la mesure où elle n'avait jamais eu à employer ce ton de chien battu pour obtenir ce qu'elle désirait. Mais, à sa grande surprise, le succès fut total.

Les deux hommes bondirent sur leurs pieds pour la satisfaire immédiatement. Pendant que Gédéon ravivait le feu, Noah alla remplir des seaux d'eau. Moins d'un quart d'heure plus tard le bain était presque prêt. Dans leur empressement à lui faire plaisir, ils avaient oublié que leur prisonnière devait rester constamment surveillée.

Comme les deux hommes étaient occupés dans sa chambre à vérifier la température de l'eau, Célia, qui se tenait près de la cuisinière, décida que le moment était venu. Elle se rua sur la porte d'entrée.

Dès qu'elle fut dehors, elle sortit la corde qu'elle avait cachée dans sa poche et s'en servit pour attacher la poignée de la porte à l'un des piliers de l'auvent, empêchant ainsi toute ouverture de l'intérieur.

Au moment où elle atteignait les chevaux, elle entendit les cris de surprise des deux hommes. Ils tentèrent d'ouvrir la porte mais, voyant l'issue bloquée, sortirent finalement par une fenêtre. Trop tard : Célia était déjà montée sur un cheval et avait effrayé les autres bêtes qui s'étaient enfuies dans toutes les directions.

Elle avait prévu de descendre le sentier escarpé jusqu'à la piste des diligences : ensuite, elle n'aurait plus qu'à prendre la direction de Denver.

Alors qu'elle s'engageait dans les rochers, elle entendit Noah et Gédéon lui crier de revenir. Mais Célia n'avait aucune envie de faire demi-tour. Elle ne voulait pas se trouver dans la cabane lorsque Kane rentrerait. Elle retournerait à l'agence, embaucherait un bon directeur pour la remplacer, puis rentrerait à Saint Louis, afin de mettre le plus de distance possible entre elle et Kane Callahan !

Avec un peu de chance, son chemin croiserait celui de la diligence qui passait en fin d'après-midi et elle embarquerait à son bord. Elle dormirait dans un des relais de la compagnie, et demain matin elle arriverait à Denver. Elle commencerait tout de suite par indiquer le repaire de Kane aux autorités. Quelle ne serait pas sa surprise de se faire accueillir par Jim Metcalf à son retour !

Enfin la justice recouvrerait ses droits, se félicitait déjà Célia, bien résolue à ne plus rien pardonner à Kane. Bouc émissaire ! Les paroles de Noah continuaient d'attiser sa colère. Aussi longtemps qu'elle vivrait, elle ne serait plus jamais le bouc émissaire d'aucun homme, ni son objet de plaisir. Kane appartenait définitivement à son passé. Il ne représenterait rien d'autre pour elle qu'un souvenir désagréable. Cette fois, c'était juré : elle renonçait pour toujours aux hommes.

Au prix de patients efforts, Gédéon réussit à récupérer son cheval. Tout en rejoignant Noah, qui avait lui aussi retrouvé sa monture, le serviteur se reprochait amèrement d'avoir laissé à Célia l'occasion de s'évader. Gédéon n'avait rien pardonné à Kane, mais à présent il en voulait également à la jeune femme. Elle pouvait se perdre, se blesser, ou même se faire tuer dans ces montagnes regorgeant de dangers de toutes sortes. Cette petite avait beaucoup de détermination, mais elle manquait définitivement de bon sens. Comment pouvait-elle s'imaginer survivre toute seule dans cet environnement hostile ?

— Kane nous tuera, c'est sûr, prédit Noah. Bon sang, je voulais être gentil avec Célia, mais je n'avais pas deviné qu'elle en profiterait pour nous fausser compagnie !

Gédéon fixa l'horizon d'un air accablé.

— Apparemment, Kane la connaissait mieux que nous. Elle nous a bien bernés.

— Eh bien maintenant, il ne nous reste plus qu'à partir à sa recherche, annonça Noah d'une voix décidée. Espérons que nous l'aurons retrouvée avant le retour de Kane.

Il monta en selle et ajouta :

— Si j'avais su, j'aurais attendu une autre mission pour demander à Kane de m'apprendre le métier !

— Comme je vous comprends ! soupira le serviteur. Au moins cette épreuve m'aura appris une chose : je ne suis pas du tout fait pour ce genre d'existence aventureuse. J'espère seulement vivre assez longtemps pour revoir la civilisation... et ne plus la quitter !

— Ne compte pas trop là-dessus, mon pauvre Gédéon. Si nous ne retrouvons pas Célia, Kane nous précipitera dans un ravin.

Les deux hommes se mirent en route sur cette perspective peu réjouissante.

18

Kane avait inspecté la piste des diligences dans l'espoir de surprendre sa proie. Puisque le bandit avait échoué la veille dans sa tentative de hold-up, Kane le soupçonnait de réagir à l'inverse de ce qu'on attendait de lui : au lieu de rester caché pendant quelques jours et de bénir sa chance d'avoir pu s'échapper, peut-être avait-il décidé de retenter son coup aujourd'hui même.

Kane avait repéré trois endroits tout indiqués pour lancer une attaque. C'étaient de petites côtes qui obligeraient des chevaux tirant une lourde charge à ralentir. Après examen, un seul des trois sites paraissait particulièrement propice. En s'abritant derrière les épais buissons qui surplombaient la route à cet endroit, on pouvait voir arriver la diligence de loin, alors que les deux autres raidillons n'offraient aucune visibilité. Assurément, si Kane avait eu l'intention d'attaquer une diligence, il se serait posté là.

Se cachant un peu plus haut, dans un bosquet de trembles, Kane patienta en dévorant son déjeuner :

un reste de pemmican. En fin d'après-midi, comme il s'y attendait, un homme juché sur un mulet s'approcha discrètement des broussailles tout en consultant sa montre.

D'où il se trouvait, Kane ne pouvait l'identifier, mais d'après ses vêtements noirs et son masque, il devait s'agir du même bandit que la veille. Soudain, un événement inattendu se produisit. Kane vit l'homme se cacher furtivement dans les buissons alors qu'un bruit de sabots provenait de la piste. Kane en déduisit qu'un cavalier solitaire se rendait vers Denver. Précautionneusement, il releva la tête pour observer la route.

— Nom d'une pipe ! s'exclama-t-il presque à haute voix. Célia ? Comment est-ce possible ?

En vérité, cela n'avait rien d'étonnant. Il aurait dû se douter que Noah et Gédéon seraient incapables de la surveiller efficacement. C'était bien la dernière fois qu'il emmenait ces deux balourds avec lui.

Étouffant une bordée de jurons, Kane réfléchit rapidement à la position qu'il devait adopter. Il ne pouvait plus se permettre d'attendre pour surprendre le bandit en flagrant délit. Sinon Célia aurait le temps d'arriver à Denver et elle alerterait toute la ville, en expliquant que Kane Callahan était le complice de Griz Vanhook et qu'il fallait l'arrêter ! Ne restait donc qu'une solution : s'attaquer au bandit immédiatement et s'occuper de Célia tout de suite après.

Progressant entre les rochers avec la souplesse

d'un félin, Kane s'arrêta juste au-dessus de l'endroit où se tenait le Dandy Masqué. Il se laissa tomber sur lui et l'homme se retrouva plaqué au sol avant même d'avoir compris ce qui lui arrivait.

Le Dandy était loin d'être aussi bien bâti que Kane, mais son instinct de survie décuplait ses forces et il réussit à se dégager pour se précipiter vers son mulet. Il était presque monté en selle quand Kane l'agrippa par le bas de son manteau. De son autre main restée libre, il sortit son colt et se servit de la crosse pour l'assommer.

Inconscient, l'homme tomba si lourdement de son mulet que Kane n'eut pas le temps de s'écarter. Ils s'affalèrent tous deux dans la poussière, Kane à moitié écrasé par ce poids mort couché sur lui.

Furieux de ce contretemps, il repoussa le bandit de côté et bondit sur ses pieds. Prestement, il lui ligota les poignets dans le dos avant de lui enlever son masque. A la vue de ce visage vaguement familier, Kane fronça les sourcils. Il ne se souvenait pas l'avoir croisé à Denver, et pourtant il y avait quelque chose...

Kane décida qu'il résoudrait cette énigme plus tard. Il avait plus urgent à faire : si jamais Célia rencontrait la diligence, elle monterait dedans et Kane serait obligé d'attaquer le convoi pour récupérer la jeune femme !

Il courut vers son cheval et tenta de rejoindre la piste. Ce n'était pas chose facile car il devait emprunter des petits sentiers escarpés et encombrés de rochers, alors que Célia avançait sur une route bien dégagée. Elle devait déjà compter une large avance sur lui.

Il regarda fébrilement autour de lui, cherchant un raccourci qui lui permettrait de couper le chemin de Célia. Diable ! Il avait pourtant passé des heures à inspecter les lieux. S'il n'avait pas utilisé sa dernière corde pour ficeler le bandit, il n'aurait pas hésité à s'en servir pour saisir la jeune femme au vol. Faute de lasso, il fallait absolument trouver autre chose. Et vite ! Un bruit de sabots au loin annonçait l'arrivée de la diligence. Décidément, ces temps-ci, le destin semblait s'acharner contre Kane !

Inconsciente de ce qui se passait au-dessus d'elle, Célia continuait d'avancer, impatiente de rencontrer enfin la diligence. Elle ne s'était jamais considérée comme une cavalière émérite et cette pénible expérience en apportait la preuve irréfutable. Monter à cru était une véritable torture. Célia avait mal au dos et dans les reins et elle se cramponnait si fort à la crinière de son cheval que ses doigts étaient raides de crispation. Soudain, alors qu'elle abordait un virage, une pluie de cailloux et de petits rochers tomba devant elle. Cette mini-avalanche effraya son cheval, déjà rendu nerveux par cette cavalière qui s'agitait sans cesse pour garder son équilibre. Quand un rocher plus gros que les autres roula devant ses sabots, l'animal se cabra tout à fait et désarçonna Célia qui tomba lourdement à terre. Elle serrait encore entre ses doigts quelques poils de la crinière, mais sa monture s'était déjà enfuie au loin... Célia n'eut même pas le temps de se relever qu'un autre éboulement passa à côté d'elle. Aveuglée par la poussière, elle voulut se redresser en s'appuyant contre la paroi rocheuse. Mais au lieu de toucher la pierre, sa main rencontra une poitrine d'homme.

— On allait quelque part, chérie ? demanda Kane avec un sourire moqueur.

— Bonté divine ! Vous êtes partout ! s'exclama Célia avant de se relever vivement pour fuir.

Elle n'avait pas fait deux pas que Kane la saisissait par un bras et l'entraînait dans un amas rocheux qui surplombait la piste de plusieurs mètres. La diligence que Célia avait espéré prendre approchait à vive allure, mais la jeune femme était malheureusement dans l'impossibilité de crier pour attirer l'attention sur elle. La poussière et cette ascension au pas de course l'avaient essoufflée, si bien qu'elle eut beau ouvrir la bouche, aucun son n'en sortit.

Elle essaya de reprendre sa respiration pour faire une autre tentative, mais cette fois Kane la bâillonna avec sa main.

Furieuse et déçue à la fois, Célia entendit la diligence s'éloigner, la laissant aux mains de cet homme qu'elle ne désirait surtout pas affronter. Sapristi, comment faisait-il pour toujours retrouver sa trace ? Kane aurait fait un excellent shérif, pensa-t-elle. Son instinct le menait toujours au bon endroit au bon moment.

Dès que la diligence eut disparu à l'horizon, il entraîna Célia vers son cheval.

— Venez, je voudrais vous présenter quelqu'un, expliqua-t-il très sérieusement.

La jeune femme était pour le moins déconcertée par son attitude. Elle s'était attendue à des reproches, à des cris, et au lieu de cela il parlait d'une rencontre. Que manigançait-il encore ?

Kane installa Célia sur son cheval et monta en croupe derrière elle.

— Tenez-vous bien ! la gronda-t-il alors qu'elle essayait de trouver son équilibre. Mon cheval a eu déjà assez de mal à franchir ces rochers. Ce n'est pas la peine de l'énerver davantage en vous agitant dans tous les sens.

— Très bien ! rétorqua Célia d'une voix aigre. Inquiétez-vous pour votre cheval et ne faites pas attention à moi. J'ai simplement failli être ensevelie sous une avalanche de rochers, mais à part ça tout va bien.

— Je suis désolé...

— C'est une chance ! s'emporta Célia. Vous ne croyez quand même pas que mon père sera disposé à payer la rançon s'il doit me récupérer par petits morceaux ! Et j'en ai assez d'endurer vos mauvais traitements. Cette fois, j'ai bien cru ne pas en réchapper.

— Je vous ai dit que j'étais désolé, grommela Kane.

— Les regrets ne ressuscitent pas les morts !

— Mais bon sang, vous êtes encore en vie, oui ou non ?

— Oui, mais certainement pas grâce à vous !

Kane savait que Célia était furieuse d'avoir raté son évasion. Pourtant il y avait autre chose dans les regards haineux qu'elle lui lançait. Il était clair qu'elle regrettait amèrement leur nuit de passion.

— Qu'est-ce qui vous fâche le plus ? demanda-t-il pour en avoir le cœur net.

— Ce qui me fâche le plus ? répéta Célia avec colère.

— C'était ma question, ironisa Kane. J'aimerais connaître la réponse !

— Je vous hais ! La voilà, votre réponse !

Kane esquissa un sourire.

— Cela n'est pas très nouveau. Y a-t-il eu un seul moment où vous ne m'avez pas haï ?

La nuit dernière, je ne le haïssais pas le moins du monde ; je l'aimais, se souvint Célia, pleine de remords. Elle avait admis qu'elle était tombée amoureuse de lui quelques heures avant d'apprendre la vérité de la bouche de son frère. Son bouc émissaire... C'était décidément l'homme le plus cruel et le plus insensible que la terre eût jamais porté.

— Qui est cette mystérieuse personne que vous voulez me faire rencontrer ? interrogea-t-elle pour changer de conversation.

— J'espère que vous pourrez me le dire.

— Il y a deux ou trois choses que je peux déjà vous dire. D'abord, que vous êtes le plus odieux personnage que je connaisse. Ensuite, que je déteste...

— C'est une manie chez vous de vouloir toujours avoir le dernier mot ! la coupa Kane avec colère.

— J'ai rarement eu l'occasion d'avoir le dernier mot avec vous, et vous le savez très bien.

— Vraiment ? Et qu'étiez-vous en train de faire, alors ?

— Oh, c'était juste pour me soulager les nerfs. Reconnaissez que c'est bien peu de chose en comparaison de tout ce que vous me faites subir.

— Très bien, dans ce cas continuez, si cela peut soulager vos nerfs, lui concéda Kane d'un ton sarcastique.

— Merci.

Maigre consolation en vérité, songea Célia, puisqu'elle ne comptait pas pour Kane. Mais elle aurait préféré mourir plutôt que d'avouer à ce gredin qu'elle était tombée amoureuse de lui.

— Apparemment, il n'existe pas de code de bonne conduite entre brigands, ironisa Célia en découvrant le bandit ligoté qui gisait face contre terre au milieu des rochers. Que s'est-il passé ? Vous vous êtes disputés pour le partage du butin ?

Il y avait des moments, comme celui-ci, où Kane aurait volontiers étranglé cette sorcière. Il venait de rendre un fier service à la O'Roarke Express, mais Célia était trop entêtée pour l'admettre.

— Ou je me trompe, ou il s'agit du fameux Dandy, annonça-t-il.

Aimantée par la curiosité, Célia considéra le bandit sans broncher. Mais à l'instant où Kane le renversa sur le dos, elle poussa un cri de stupéfaction.

— Monsieur Alridge ! Que faites-vous donc ici ?

— Alridge ? répéta Kane en fronçant les sourcils. Il comprenait maintenant pourquoi cet homme lui avait paru familier.

— Serait-ce le frère de Lester Alridge ?

— Lui-même, confirma Célia.

Kane alla chercher le mulet de Peter et après avoir fouillé dans ses sacoches de selle, il en tira une lettre.

— Faites-moi voir ça, intervint Célia en s'emparant de la feuille pour la lire.

C'était la même écriture et le même ton sardonique que dans les messages laissés par le Dandy Masqué après chacun de ses méfaits.

Célia reporta son attention sur le prisonnier.

— Lester est-il votre complice ? interrogea-t-elle.

Peter Alridge détourna son regard sans dire un mot.

— Répondez-moi ! insista Célia en se plantant devant lui pour l'obliger à la regarder. Lester vous donnait-il, oui ou non, des informations ?

— Je ne parlerai qu'en présence de mon avocat, rétorqua Peter.

— Mais vous êtes avocat ! Du moins, c'est ce que vous avez toujours voulu faire croire...

— Il est avocat ? la coupa Kane en dévisageant Peter avec étonnement.

Il se demandait bien pourquoi il s'en était pris à l'agence dans laquelle travaillait son frère.

— La plaque gravée sur la porte de son bureau indique que Peter est avocat, expliqua Célia. Mais je ne l'ai pas souvent vu travailler. Ce qui n'est plus très étonnant, à présent. Comment pouvait-il défendre la loi, alors qu'il passait son temps à la bafouer ?

— Je n'ai rien à dire, déclara Peter sur un ton belliqueux.

Kane se saisit de lui sans ménagement et le secoua comme un prunier. En vain : Peter restait aussi muet qu'une carpe.

Kane le projeta alors violemment contre un rocher. Il répugnait à user de violence en présence de Célia. Mais, après tout, elle avait déjà une si détestable opinion de lui...

Le résultat ne se fit pas attendre. Peter poussa un cri de douleur avant de tout avouer :

— C'était mon idée, d'attaquer les diligences... Mais Lester me communiquait les horaires.

Célia soupira de déception. Elle avait espéré que son comptable était innocent. C'était un homme si doux, si agréable. Et il s'était toujours parfaitement conduit avec elle depuis le jour où elle avait pris la direction de l'agence. Mais, de toute évidence, Lester était aussi coupable que son frère. Et c'est sans doute lui qui avait également trafiqué les comptes !

Le bruit d'une cavalcade tira Célia de ses pensées. Elle se retourna et aperçut Noah et Gédéon qui galopaient dans leur direction.

Kane les observait, lui aussi, avec un regard qui montrait combien il était furieux après eux.

Profitant de sa distraction, Célia se précipita sur le cheval de Kane. C'était sa dernière chance de s'enfuir, et elle n'allait pas la laisser passer !

Rapide comme l'éclair, elle sauta en selle et talonna les flancs de l'animal. Avant que Kane ait pu réagir, elle dévalait déjà le sentier pour rejoindre la piste.

Kane avait le choix : soit il partait immédiatement à sa poursuite avec le mulet de Peter, soit il attendait que ses compagnons le rejoignent pour prendre l'un de leurs chevaux. Dans la fébrilité du moment, il opta pour la première solution.

Hélas, le mulet était loin d'être aussi rapide que son cheval. Et surtout il n'avait pas aussi bon caractère. Au début, l'animal sembla tolérer son cavalier impatient. Mais lorsque celui-ci voulut le presser d'aller plus vite, il refusa tout net d'avancer.

Kane mit pied à terre et regarda le mulet dans le blanc des yeux en lui criant quelques insultes bien senties. Cette intimidation n'eut aucun effet sur l'humeur de la bête. Et pendant ce temps-là, Célia devait être loin !

Quand Noah et Gédéon le rejoignirent enfin, l'appréhension des deux hommes était à son comble. Si Kane s'en prenait si méchamment à un pauvre mulet, Dieu seul savait quel sort les attendait !

— Tout est de votre faute ! explosa-t-il en leur jetant un regard meurtrier. Je ne vous avais pourtant pas demandé grand-chose, mais vous n'avez même pas été capables de vous en acquitter correctement ! Maintenant Célia est en route pour Denver où elle se fera un plaisir de tout raconter. Donne-moi ton cheval, Noah !

Le malheureux ne descendit pas assez vite aux yeux de Kane qui le tira brutalement à terre pour prendre sa place.

— Occupez-vous du prisonnier et attendez-moi à la sortie de Denver. C'est là que je vous retrouverai. Mais ne vous avisez pas de mettre un pied dans la ville, compris ?

La situation devenait très délicate. Kane n'était pas sûr de pouvoir rattraper cette furie. Certes, avant de kidnapper la jeune femme, il avait pris la précaution de télégraphier à Patrick. Mais celui-ci n'arriverait sans doute à Denver que d'ici trois ou quatre jours et en attendant, Célia aurait largement le temps de persuader toute la ville de monter une expédition punitive. Kane risquait d'être lynché avant l'arrivée de Patrick ! Du reste, ce dernier n'aurait pas non plus une situation très enviable. Il devrait s'expliquer sur son rôle dans toute cette histoire et Célia serait furieuse contre lui.

19

Pour une fois, la chance semblait sourire à Célia. Elle avait plusieurs longueurs d'avance sur son poursuivant qui aurait du mal à combler son retard. Mais se doutant que Kane ne renoncerait pas aussi facilement, elle chevaucha toute la nuit.

Elle commencerait par confondre Lester Alridge. Elle imaginait mal ce brave homme se rendant complice des attaques, cependant Peter l'avait bel et bien dénoncé.

Un autre dilemme préoccupait Célia. Kane Callahan... son souvenir hantait son esprit. Elle le haïssait, et en même temps elle l'aimait. Elle n'arrivait pas à le comprendre ! Il l'avait tourmentée par pure méchanceté avant de lui faire l'amour comme s'il n'existait qu'elle au monde. Il l'avait kidnappée pour obtenir une rançon, et d'un autre côté il neutralisait le bandit qui dévalisait les diligences. Pourquoi agissait-il ainsi ? « Pour satisfaire ma curiosité et se débarrasser d'un concurrent », supposa Célia. Mais qui pouvait vraiment connaître les motivations de Kane Callahan ?

Si elle avait eu seulement un grain de bon sens, elle aurait cessé de penser à lui. Mais son cœur n'était pas du même avis. Depuis le début, cet homme l'obligeait à lutter entre raison et sentiments. Kane méritait mille fois d'être pendu et cependant Célia se serait sentie incapable de prononcer elle-même sa condamnation devant un tribunal.

Bonté divine, pourquoi ne parvenait-elle pas à se montrer objective dès lors qu'il s'agissait de ce gredin ? Il était pourtant clair qu'il n'avait cherché à la séduire que pour s'attirer sa loyauté. Il avait espéré qu'elle tomberait amoureuse de lui et qu'ensuite elle le défendrait bec et ongles devant ses juges si jamais il se faisait prendre. Eh bien non ! Elle n'hésiterait pas à témoigner contre lui. Kane Callahan ne pouvait continuer à défier impunément la loi. Il constituait une menace pour la société en général et pour la O'Roarke Express en particulier !

Le soleil était déjà haut dans le ciel quand Célia aperçut les premières maisons de Denver. Elle se réjouit et soupira en même temps. Qu'allait-elle dire à Jim Metcalf quand il lui demanderait de décrire le bandit qui l'avait kidnappée ? La décision n'était pas facile à prendre. Elle savait pourtant bien ce qu'elle devait dire, alors pourquoi se sentait-elle si oppressée ?

« Parce que tu aimes ce gredin, pauvre idiote ! » Elle était furieuse d'en pincer pour un homme qui s'était servi d'elle pour se venger d'une mésaventure amoureuse. Cette Mélanie Brooks méritait bien une médaille. Il existait au moins une femme sur cette terre capable de briser le cœur de Kane Callahan. Cela relevait de l'exploit !

La seule consolation de Célia était de savoir que Kane ignorait tout de ses sentiments. Ce n'était pas grand-chose, mais c'était mieux que rien.

Arrivée à l'entrée de Denver, Célia ralentit l'allure et essaya de se faire aussi discrète que possible. Elle voulait confondre Lester avant que toute la ville sût qu'elle était de retour.

— Miss O'Roarke ! Vous voilà rentrée. Dieu merci, vous n'avez rien ! s'exclama le comptable en voyant la jeune femme pousser la porte de l'agence.

Célia resta un instant immobile en constatant que l'agence était exactement telle qu'elle l'avait laissée : propre et en ordre.

Quant à Lester, il semblait plein d'une nouvelle assurance. Lui qui répugnait autrefois à recevoir les clients se montrait ce matin-là affable et empressé. S'agissait-il vraiment du même homme qui avait conspiré avec Peter contre son employeur ?

Avant que Célia ait pu résoudre ce mystère, elle fut assaillie par les clients qui la félicitèrent pour son retour tout en lui posant des questions sur sa captivité.

Célia assura qu'elle se sentait en pleine forme malgré l'épreuve qu'elle avait traversée, et les remercia de s'être souciés de son sort.

Tout en racontant ses mésaventures — se gardant toutefois de donner des détails précis — elle observait Lester à la dérobée. Il était en train de ranger un livre de comptes... exactement à la place où Célia aurait souhaité le trouver ! Sapristi, comment allait-elle s'y prendre pour condamner le seul homme capable de diriger l'agence en son absence ? Et où diable se trouvait Owen Graves ? Sans doute occupé dans un coin à la seule chose qu'il sache faire, c'est-à-dire rien.

En fait, Owen s'était enfermé dans le bureau du fond avec un autre homme pour discuter. Le remue-ménage au comptoir attisa leur curiosité et ils sortirent pour voir ce qui se passait.

Apercevant enfin Owen Graves qui s'avançait vers elle, Célia constata qu'il semblait déçu de la revoir saine et sauve. De toute évidence, Owen avait savouré ces quelques journées sans la jeune femme sur son dos.

Soudain, Célia poussa un cri de surprise en découvrant l'homme qui suivait Owen. Patrick O'Roarke paraissait tout aussi stupéfait qu'elle. Instinctivement, elle courut se jeter dans les bras de son père et ils s'enlacèrent tendrement.

— Que fais-tu ici ? demandèrent-ils à l'unisson.

— Je croyais que tu avais été enlevée ! s'exclama Patrick.

— Oui, mais je me suis échappée, expliqua Célia avant de froncer les sourcils. Comment se fait-il que tu sois déjà ici ?

Patrick réfléchit à toute vitesse pour trouver une réponse plausible. Comme il s'était douté depuis le début que Kane serait obligé de recourir à un enlèvement pour forcer Célia à quitter la ville, il avait décidé de se mettre en route avant même l'annonce du kidnapping.

— J'étais dans le Kansas lorsqu'un télégramme à mon nom est passé par notre bureau de Leavenworth.

— Mais Leavenworth est à des centaines de kilomètres d'ici, remarqua Célia en dévisageant son père avec curiosité.

— Je te rappelle que nous possédons une compagnie de transports. J'ai fait affréter une diligence spéciale et nous avons changé de chevaux à chaque relais.

Patrick soupira de soulagement en voyant que Célia acceptait finalement ses explications. Cependant, la situation était loin d'être simple. Où diable était passé Kane ? Et comment Célia avait-elle pu lui échapper ? Il n'y avait donc personne, sur cette terre, capable de maîtriser sa fille ?

La jeune femme se tourna alors vers son comptable :

— Lester, je voudrais vous parler. Owen s'occupera des clients pendant que nous serons derrière.

Owen lança à Célia un regard furieux. Il détestait qu'on lui dît ce qu'il devait faire, surtout quand c'était une femme, et spécialement celle-là ! Mais la présence du propriétaire de l'agence le dissuada de se rebeller. Réprimant un juron, il passa derrière le comptoir et remplaça Lester.

Une fois dans le bureau, Célia s'assit à côté de

son père et désigna le siège vacant au comptable. Elle prit une profonde inspiration et mit de l'ordre dans ses pensées avant de commencer :

— Je vous suis très reconnaissante, Lester, d'avoir si bien pris soin de l'agence pendant mon absence.

— Merci, miss O'Roarke, répondit l'employé d'un ton modeste. Je n'ai fait que mon devoir.

— J'ai appris que nous comptions un héros parmi notre personnel, intervint Patrick en souriant à Lester avant de reporter son regard sur sa fille. On m'a raconté que Lester t'avait sauvé la vie et qu'il avait débarrassé Denver d'un dangereux bandit.

Pareil éloge ne facilitait pas la tâche de Célia !

— Pendant mon absence, j'ai pu mettre la main sur le Dandy Masqué qui s'en prenait à nos diligences, déclara-t-elle finalement.

Lester se tassa sur sa chaise et évita le regard de Célia.

— Tu l'as capturé ? s'étonna Patrick. Comment as-tu fait une chose pareille ?

— Je t'expliquerai plus tard, éluda Célia. Le problème qui nous intéresse pour l'instant, c'est que ce bandit qui semblait connaître parfaitement les horaires des diligences n'est autre que le frère de Lester.

— Quoi ? s'exclama Patrick en fixant d'un air ébahi le petit homme frêle qui s'était complètement recroquevillé sur son siège.

Lester soupira et baissa humblement les yeux.

— J'ai honte de le reconnaître, mais c'est l'entière vérité. Les premières fois où Peter m'a questionné sur les habitudes de l'agence et les horaires des diligences, j'ai cru qu'il s'intéressait simplement à mon travail. Ce n'est qu'après l'arrivée de Célia, quand elle a décidé de changer tous les horaires, que j'ai réalisé l'importance des renseignements que je donnais à Peter.

— Pourquoi n'êtes-vous pas venu me parler de vos soupçons ? interrogea la jeune femme.

Lester releva lentement la tête et la regarda.

— Parce que, en dépit de tous ses défauts, Peter reste mon frère. Nous nous sommes retrouvés orphelins très jeunes et c'est lui qui s'est occupé de moi. Malheureusement, il a conservé de cette époque difficile une sorte de ressentiment contre la société.

Lester soupira de nouveau, attristé par sa confession.

— En fait, mon frère est un escroc professionnel, reprit-il. Il s'installe quelque part sous une fausse identité et dès que la population réalise qu'il n'est qu'un charlatan, il fait ses bagages et part dans une autre ville. Il s'est déjà fait passer pour un coiffeur, un dentiste et même un docteur. Heureusement, il a eu assez de conscience morale pour arrêter cette comédie avant que son ignorance ne cause la mort d'un patient.

— Vous avez bien dû vous douter que Peter préparait quelque chose lorsqu'il est arrivé à Denver en se faisant passer pour un avocat, objecta Célia qui s'efforçait de ne pas montrer la sympathie qu'elle éprouvait pour Lester.

— C'est exact. Mais je n'imaginais pas qu'il s'en prendrait aux convois d'or. Et quand je l'ai compris, il était trop tard. Le plus triste, voyez-vous, c'est que Peter aurait pu remplir à la perfection tous les emplois qu'il a usurpés. C'est un garçon très intelligent, mais il n'a jamais eu la patience de poursuivre des études... Quel dommage !

Avec un nouveau soupir, Lester se leva de sa chaise.

— Je suis vraiment très heureux que vous soyez rentrée saine et sauve, miss O'Roarke. Je vais aller me constituer prisonnier, mais avant je voulais que vous sachiez que j'ai économisé dans l'espoir de rembourser un peu l'agence de tout ce que lui a volé Peter. L'argent est ici, en liquide. Simplement je n'ai pas su trouver un moyen de l'intégrer dans les comptes sans éveiller vos soupçons.

— Asseyez-vous, Lester, intervint Patrick de sa voix bourrue, qu'il employait quand il voulait marquer son autorité.

Cela marchait avec tout le monde, sauf avec Célia, bien sûr...

Le comptable retomba tristement sur sa chaise.

— Il y a autre chose dont je voulais vous parler, Lester, reprit Célia sans laisser parler son père. D'après mes calculs, d'importantes sommes ont été détournées de la caisse.

— Détournées ? Vous pensez que j'aurais pu falsifier les comptes pendant que mon frère... (Lester paraissait blessé et désorienté.) Je vous assure, miss O'Roarke, que je n'aurais pas... que je ne l'ai pas fait !

— Alors qui ? demanda Patrick d'un air songeur, avant de sursauter en entendant soudain quelqu'un courir dans le couloir.

Ils se levèrent tous les trois en même temps. Célia se rua dans le couloir et vit Owen Graves s'enfuir par la porte de derrière comme s'il avait le diable aux trousses. Apparemment, il avait surpris leur conversation. Elle aurait dû se douter depuis longtemps que ce bon à rien avait escroqué l'entreprise qui l'employait. Owen aurait pu être le frère de Peter, car visiblement ils partageaient la même philosophie du moindre effort. Ils faisaient une belle paire, tous les deux !

— Arrêtez cet homme ! cria-t-elle en s'élançant dans la ruelle.

Mais il était déjà trop tard. Owen avait disparu.

— Je vais le faire rechercher dans tout le pays ! promit Patrick. Quand je pense que j'ai passé plus d'une heure à l'écouter me raconter comment il t'avait patiemment appris le métier et comment il avait autorisé Lester à te remplacer ! Quelle crapule !

— Je me suis toujours demandé pourquoi tu l'avais nommé directeur.

— J'ai fait une erreur, je l'admets. Manifestement, il ne travaillait pas aussi bien qu'il était beau parleur... Ne t'inquiète plus à son sujet, continua Patrick en prenant le bras de sa fille pour la ramener à l'intérieur. C'est l'affaire de la police, maintenant. Tu as déjà eu assez d'épreuves comme cela.

Comment Célia avait-elle pu échapper à Kane ?

Cette question tourmentait Patrick depuis tout à l'heure, mais il ne pouvait en parler à sa fille sans dévoiler le rôle qu'il avait joué dans l'histoire. Or il ne fallait surtout pas que Célia apprît la vérité, sinon elle ne lui pardonnerait jamais !

— Nous devons prendre une décision au sujet de Lester, annonça-t-il en revenant dans le bureau.

— Je ne mérite aucune indulgence, déclara humblement le comptable. J'aurais dû faire part de mes soupçons à miss O'Roarke.

Célia considéra le petit homme frêle. Elle pouvait comprendre à quel point Lester avait été déchiré entre ses sentiments et son devoir, car elle-même était confrontée au même dilemme avec Kane. Devait-elle oui ou non le dénoncer ? Et pouvait-elle condamner Lester alors qu'elle n'avait pas trouvé de solution à son propre problème ?

— C'est à toi de prendre une décision, papa, répondit-elle enfin. Pour ma part, je ne veux pas le punir. Je pense que Lester s'est racheté en dirigeant l'agence pendant mon absence. Alors qu'il aurait pu la ruiner, il s'est efforcé au contraire de faire de son mieux. On ne peut pas lui reprocher les crimes de Peter. Compte tenu de la situation, je crois qu'à sa place j'aurais agi de la même façon.

Patrick semblait soulagé par la réaction de sa fille. Il se tourna vers Lester :

— Vous comprendrez, j'imagine, que je vais être obligé de faire juger votre frère. J'espère également que vous m'aiderez à retrouver l'or qui a été volé.

Lester hocha tristement la tête.

— Je comprends, monsieur. Je suis sûr que presque tout l'argent est caché non loin d'ici. Peter était trop occupé à préparer ses attaques et à faire disparaître ses traces pour avoir eu le temps de beaucoup en dépenser. Il n'empêche que j'aurais dû vous avertir de ses agissements. Je me sens très coupable, et je sais que je mérite un châtiment...

— Allons donc, vous voudriez que je mette en prison le héros de la ville ? plaisanta Patrick. Vous imaginez les répercussions pour mon commerce ? Les gens refuseraient de venir chez nous ! C'est tout bonnement impensable.

Un pâle sourire éclaira les lèvres du comptable.

— Je ne suis pas un héros, vous savez. L'autre nuit, quand j'ai affronté Griz, j'ai bien cru que ma dernière heure était arrivée. Mais je ne pouvais abandonner miss O'Roarke sans avoir tenté quelque chose.

— Ne parlons plus de tout cela, intervint Célia. Lester, vous continuerez de diriger l'agence, et votre frère sera jugé dans le Missouri pour ne pas vous causer d'ennuis. L'affaire est classée.

— Non, il nous reste à savoir où est Peter, corrigea Patrick en dévisageant sa fille.

Célia détourna le regard. Elle ne pouvait expliquer que le bandit se trouvait entre les mains de Kane. Comment allait-elle s'en sortir ? Bonté divine, elle se sentait pieds et poings liés, comme Lester l'avait été avant elle.

— Nous nous occuperons de Peter plus tard, finit-elle par répondre d'un air exténué. Je n'ai pas dormi de la nuit et je voudrais m'allonger, à présent.

Après avoir confié l'agence à Lester, Patrick accompagna Célia jusqu'à son hôtel. Ils n'avaient pas fait dix pas dans la rue qu'ils tombèrent sur le shérif adjoint. Jim avait appris le retour de Célia et venait aux nouvelles.

— Miss O'Roarke, grâce au ciel, vous êtes saine et sauve ! Je vous ai cherchée partout, sans pouvoir retrouver votre trace. Que s'est-il passé ? Qui vous a kidnappée ?

Célia redoutait cette question depuis un moment. Maintenant qu'elle était enfin posée, elle se sentait toujours aussi incapable d'y répondre. Était-elle devenue à ce point sentimentale ?

— Ma fille a connu l'enfer tous ces derniers jours, elle a besoin de repos, déclara Patrick d'une voix ferme. Je suggère d'attendre un peu avant de l'interroger.

— Mais...

Jim n'eut pas le temps d'en dire plus. Patrick avait déjà entraîné Célia.

Intriguée, la jeune femme jeta un coup d'œil à son père. Connaissant son habitude de régler tous les problèmes sans délai, elle s'étonnait qu'il eût éconduit le shérif adjoint.

D'autre part, même s'il donnait l'impression de s'être sincèrement inquiété pour elle, Patrick ne parlait pas de traquer son ravisseur. En y repensant, n'était-ce pas étrange qu'il eût été prévenu aussi rapidement de son enlèvement ? Célia avait le sentiment que quelque chose clochait. Par exemple, elle se serait attendue à ce qu'il la réprimandât par une phrase du genre : « Je te l'avais bien dit ! » En effet, il ne s'était pas privé de la mettre en garde contre les dangers qui la guettaient si elle s'entêtait à rester à Denver. Et cependant, il ne s'était pas fâché...

Célia connaissait son père mieux que quiconque, or il ne réagissait pas du tout comme prévu.

Dès que la jeune femme fut installée dans sa chambre, Patrick prit congé d'elle rapidement.

— Repose-toi, je m'occupe de tout, déclara-t-il en faisant un geste de la main qui était sans doute censé résoudre tous les problèmes par magie. Je vais embaucher quelqu'un pour remplacer Owen Graves et ensuite nous repartirons pour Saint Louis. J'ai un conseil d'administration la semaine prochaine, nos actionnaires seront heureux d'apprendre que cette agence est remise à flot.

Après avoir embrassé sa fille sur la joue, Patrick ouvrit la porte de la chambre.

— Je vais demander qu'on te prépare un bain, dit-il sur le seuil. Et ce soir nous dînerons tranquillement ici. Il faut oublier ce qui s'est passé.

Quand la porte se fut refermée sur lui, Célia resta quelques minutes à contempler le panneau de bois. Décidément, Patrick O'Roarke se comportait bizarrement. Ou elle se trompait fort, ou il était impatient de la laisser pour aller faire autre chose...

Célia s'assit sur son lit en attendant qu'on lui montât son bain. Elle avait d'abord pensé dormir tout le restant de la journée, mais compte tenu de ses soupçons, elle se demandait si en fait elle n'allait pas discrètement surveiller son père. Si c'était lui qui avait été kidnappé, Célia aurait ameuté toute la ville pour tenter quelque chose. Or Patrick ne lui avait même pas demandé de décrire l'homme qui l'avait enlevée ! Son intuition lui disait qu'il y avait anguille sous roche...

20

Kane arriva aux abords de Denver à la tombée de la nuit. Il s'agitait nerveusement sur sa selle en regardant autour de lui. Allait-il tomber sur des patrouilles de mineurs partis à sa recherche et décidés à le tuer ?

A la fois soulagé et surpris, il constata qu'aucun fusil n'était braqué sur lui quand il s'engagea dans les premières rues de la ville. Si sa tête était mise à prix, les chasseurs de primes avaient dû partir dans la mauvaise direction. Cela semblait extraordinaire car Célia, qui les commandait forcément, n'aurait jamais commis une telle erreur.

Kane prit résolument la direction de l'agence. La jeune femme devait s'y trouver. Il redoutait de tomber dans un piège, car il n'était pas impossible que Célia, pensant qu'il se rendrait tout de suite à l'agence, eût pris ses dispositions en conséquence. Cette chipie était intelligente, elle l'avait souvent prouvé, mais Kane préféra s'en remettre une fois de plus à son intuition. Or celle-ci lui chuchotait qu'il n'avait rien à redouter pour l'instant.

Il laissa prudemment son cheval dans la ruelle et s'approcha de la seule fenêtre éclairée de l'agence. Là, une surprise l'attendait : Patrick O'Roarke se tenait assis derrière une pile de dossiers. Il tambourinait des doigts sur le bureau et semblait nerveux.

Discrètement, Kane fit le tour du bâtiment. Quand il se fut assuré qu'il n'y avait personne d'autre que Patrick, il revint cogner au carreau.

Patrick sursauta et se leva pour aller voir à la fenêtre.

— Bonté divine, vous ! s'exclama-t-il en reconnaissant Kane. Vous pouvez vous flatter de m'avoir causé bien des ennuis.

Il alla ouvrir la porte pour le laisser entrer.

— Où donc étiez-vous ? Et que diable s'est-il passé ? Je croyais pourtant avoir engagé le meilleur détective du pays pour s'occuper de ma fille.

— Le monstre aux yeux verts que vous appelez votre fille m'a échappé, marmonna Kane d'une voix sourde.

— Je suis au courant, merci !

— Je n'ai jamais vu quelqu'un d'aussi contrariant. Ni le charme, ni la persuasion amicale n'ont eu d'effets sur elle. J'ai donc été obligé de recourir à des moyens plus sévères. Mais cette diablesse a réussi à s'enfuir.

— Elle est rentrée ici dans la matinée. Mais *vous*, où étiez-vous ?

— Pourquoi êtes-vous déjà là ? le questionna à son tour Kane au lieu de répondre. Je vous ai écrit il y a seulement quatre jours.

— Je n'ai pas attendu d'avoir de vos nouvelles, j'étais persuadé que vous seriez obligé de la kidnapper. Mais maintenant qu'elle vous a échappé, nous sommes dans de beaux draps. Si jamais elle vous dénonce à Metcalf, je ne sais pas comment nous allons nous en sortir !

— Vous voulez dire qu'elle n'a pas encore parlé à Jim ? s'étonna Kane.

— Je ne lui en ai pas laissé le temps. Quand il a voulu l'interroger, je lui ai fait comprendre que Célia avait d'abord besoin de se reposer. Mais cette excuse ne durera pas éternellement. En tout cas, si vous croyez que je vais vous payer la totalité des dix mille dollars convenus pour éloigner Célia de Denver, vous vous trompez lourdement. Je n'ai pas...

— Toi ! Mon propre père ! Comment as-tu pu faire une chose pareille ?

La voix qui venait du couloir fit sursauter les deux hommes. Un silence de mort s'abattit soudain. Kane n'avait pas été le seul à passer par la ruelle pour entrer discrètement dans l'agence. Cela faisait déjà deux heures que Célia espionnait son père. Elle ne savait guère ce qu'elle espérait découvrir, mais certainement pas ça !

Célia quitta l'obscurité du couloir et entra dans le bureau éclairé. Elle portait une robe de soie bleue qui rehaussait sa beauté, mais ses traits étaient déformés par la colère.

— Mon propre père a conspiré contre moi ? explosa-t-elle en lançant à Patrick un regard noir. Tu as embauché...

Elle pointa un doigt accusateur sur Kane :

— Tu as embauché Kane Callahan...

Brutalement, la mémoire lui revint. Elle se rappelait, à présent, où elle avait déjà entendu ce nom.

— C'est à lui que tu t'étais adressé, il y a quatre ans, pour traquer les bandits qui s'en prenaient à notre agence de Californie ! Cette fois, tu l'as lancé à mes trousses ! gronda Célia en dévisageant son père avec mépris avant de se retourner contre Kane : Ainsi, vous deviez me faire partir de Denver en échange de dix mille dollars ? Jamais je n'aurais imaginé un scénario aussi sordide et machiavélique...

Elle s'avança vers lui. Maintenant, elle le voyait sous un jour totalement différent.

— Vous m'avez fait croire que vous étiez un joueur et un voleur, siffla-t-elle. Je vous...

Célia se sentait au bord de la crise de nerfs. Elle n'arrivait pas à déterminer ce qui était le pire : avoir cru que Kane était un bandit, ou découvrir qu'il avait joué la comédie pour l'abuser. Mais à cause de ces deux hommes, elle avait enduré tant d'épreuves en si peu de jours, qu'elle voulait se venger, et tout de suite !

Cédant à une impulsion, elle saisit deux caisses de bois et les lança l'une sur Kane et l'autre sur son père. A sa grande déception, ils esquivèrent tous deux les projectiles.

— J'ai des informations qui devraient t'intéresser, papa. Ce détective soi-disant à ton service a empoché tout l'or volé par Griz. Il a voulu gagner sur les deux tableaux !

Patrick se tourna vers Kane et le dévisagea avec incrédulité.

— Je n'ai pas volé l'or, expliqua celui-ci. Je l'ai simplement mis en sûreté pendant que l'agence n'était plus gardée. Gédéon et Noah ont l'or et s'occupent de Peter Alridge. Ils sont à la sortie de la ville, ils attendent mes instructions.

Célia avait l'impression que le monde s'écroulait sous ses pieds. Pendant deux semaines, on s'était moqué d'elle ! Son enlèvement par Kane n'avait été qu'une machination afin de la faire revenir chez son père. Qui avait déboursé dix mille dollars pour faire kidnapper sa propre fille ! Tous deux méritaient la pendaison !

— Célia, je t'en prie, je...

Patrick n'eut pas le temps de terminer sa phrase car il dut se baisser précipitamment pour éviter une nouvelle caisse volante.

— J'espère bien ne jamais vous revoir, l'un comme l'autre !

Elle pivota sur ses talons et quitta l'agence comme une furie.

Son propre père ! Célia n'arrivait pas à y croire. Quant à Kane... ce gredin n'avait vraiment aucune excuse. Dire qu'elle avait été assez naïve pour se demander si elle devait ou non le dénoncer !

— Au moins, à présent, je n'ai plus à m'interroger sur ce que je vais faire ! marmonna-t-elle à haute voix en se dirigeant à grands pas vers son hôtel.

D'abord, elle allait quitter Denver au plus vite, pour retourner à Saint Louis. Mais elle n'y resterait pas. Elle ferait ses bagages et chercherait du travail ailleurs. Il n'était plus question de vivre sous le même toit que son père — ce traître ! Et elle n'adresserait plus jamais la parole à Kane Callahan. Il s'était servi d'elle pour assouvir sa bestialité et se venger de cette Mélanie... — comment s'appelait-elle, déjà ? — mais c'était terminé. Il ne la tourmenterait plus.

— Regardez ce que vous avez fait ! accusa Patrick en se tournant vers Kane.

Ils étaient sortis tous les deux pour voir s'éloigner Célia.

— Moi ? C'était votre idée, pas la mienne, rétorqua Kane en se mettant à faire les cent pas dans la ruelle. Ce n'est certainement pas moi qui suis venu vous proposer de la kidnapper.

— Je me demande bien pourquoi j'ai fait appel à vous. C'est Lester qui a réglé son compte à Griz Vanhook et je ne serais pas étonné d'apprendre que Célia a elle-même arrêté Peter Alridge en revenant ici. Je voudrais bien savoir ce que *vous* avez fait !

Kane s'arrêta soudain de marcher pour faire face à Patrick.

— Lester n'y est pour rien. C'est moi qui ai tué Griz.

— Vous ? s'exclama Patrick, incrédule.

Kane lui raconta ce qui s'était passé ce soir-là dans l'agence.

— Dans ce cas, pourquoi n'avoir rien dit ? interrogea Patrick.

— J'avais autre chose à faire, figurez-vous ! Je voulais éloigner votre fille de cette satanée ville et il y avait urgence. Elle avait déjà failli se faire tuer plusieurs fois, mais je n'avais pas réussi à la persuader de partir. Ni les menaces, ni les supplications, ni les raisonnements logiques n'avaient d'effet sur elle. Même après avoir été enlevée, elle a continué à me défier.

Kane reprit ses déambulations dans la ruelle avant d'ajouter :

— J'ai commis l'erreur de confier Célia à Noah et Gédéon. Ce sont eux qui l'ont laissée s'échapper pendant que j'étais sur les traces de Peter Alridge. En arrivant ici, je n'avais aucune idée de l'accueil qui m'attendait. J'aurais pu tout aussi bien me faire lyncher.

Kane refit quelques pas, les mains croisées dans son dos.

— Bon sang, j'aurais dû refuser cette mission !

— De toute façon, je ne suis pas près de refaire appel à vous.

— J'en suis ravi. Car j'en ai plus qu'assez de la famille O'Roarke.

— Et les O'Roarke en ont plus qu'assez de vous ! cria Patrick qui s'échauffait dangereusement. Si vous voulez mon avis, vous ne valez plus rien comme détective. J'engagerai quelqu'un d'autre pour retrouver Owen Graves. C'est lui qui falsifiait les comptes de l'agence, mais bien sûr vous n'avez pas été capable de me le dire ! C'est Célia qui a découvert le pot aux roses, et Owen s'est enfui Dieu sait où. Mais vous ne risquez pas de le rattraper. Vous ne pourriez même pas suivre les traces d'un hippopotame dans la boue !

— Et vous, vous croyez sans doute que vous méritez la médaille du père idéal ! rétorqua Kane, sarcastique. Quelle sorte d'homme êtes-vous donc pour avoir osé envisager le rapt de votre propre fille ? Si Célia se fâche avec vous, vous l'aurez bien mérité. Et si vous aviez un peu de jugeote, vous ne seriez pas accouru si vite à Denver et elle ne nous aurait jamais espionnés !

— Sortez de mon agence ! hurla Patrick, les yeux exorbités par la colère.

— Mais je suis déjà dehors ! lui fit remarquer Kane en souriant. Cette ruelle ne vous appartient pas, que je sache.

— Qu'à cela ne tienne. Je l'achèterai et je vous ferai mettre en prison pour violation de domicile.

— Vous êtes bien comme votre fille, Patrick. Vous voulez toujours avoir le dernier mot.

— Hors de ma vue, ou je vais vraiment perdre patience.

— Je suis parti ! lança Kane en s'éloignant.

— Tant mieux ! gronda Patrick avant de rentrer dans l'agence.

Il referma la porte si violemment que les murs en tremblèrent.

« Je ne vais pas pleurer, se jura Célia qui s'était jetée sur son lit et martelait son oreiller de coups de poing. Ce ne sont pas ces deux gredins qui vont me faire pleurer ! » Un monstre aux yeux verts ? Voilà donc ce que Kane pensait d'elle... Et il l'avait séduite uniquement dans le but de l'éloigner de Denver. Il se souciait d'elle comme d'une guigne et elle avait été assez folle pour s'attacher à lui. Elle n'allait pas en prime se mettre à pleurer...

Pourtant, une première larme coula sur sa joue, bientôt suivie d'une deuxième. Et avant que Célia ait pu se contenir, elle éclata en sanglots. Plus jamais elle ne laisserait Kane Callahan l'approcher. Il était sorti de sa vie pour toujours, et elle en était ravie...

Non, tu n'es pas ravie, lui chuchota une petite voix intérieure.

— Oh, que si ! s'exclama Célia.

Le bruit de sa voix résonna dans l'obscurité de sa chambre.

Alors pourquoi pleures-tu ? insista la petite voix perfide. Célia détestait se sentir ainsi déchirée entre ses émotions. Il était urgent de se reprendre en main, et pour cela il fallait aborder sereinement chaque problème après l'autre. Et le plus épineux s'appelait Kane Callahan.

Ainsi, c'était donc un détective, qui profitait de son métier pour jouer plusieurs rôles. Selon son humeur, il se faisait passer pour un joueur, un hors-la-loi ou un soupirant romantique. Tout cela dans l'intérêt de ses missions. Précisément, Célia n'avait été rien d'autre pour lui qu'une mission. Il avait passé un contrat avec son père, et elle ne pourrait jamais le leur pardonner. Ils s'étaient arrogé le droit de se mêler de ses affaires sous prétexte qu'elle n'était qu'une femme et, en tant que telle, incapable d'assurer sa propre sécurité.

Kane s'en était scrupuleusement tenu à sa mission. Il avait été payé pour l'enlever, il l'avait enlevée. Au passage, il lui avait brisé le cœur, mais ce n'était pas son problème...

Elle ne devait plus jamais repenser à lui ! Et le meilleur moyen était de quitter Denver au plus vite. Car trop de choses dans cette ville lui rappelaient Kane Callahan. A commencer par sa chambre d'hôtel. C'était là, sur son propre lit, qu'il l'avait initiée au plaisir... Dire que tout cela n'avait été qu'une comédie ! Longtemps, Célia avait cru qu'elle avait retenu la leçon infligée par Michael Dupris. Et pourtant, avec quelle facilité elle s'était laissé prendre au jeu de Kane...

Séchant ses larmes, elle décida qu'il était temps de réagir. Elle n'attendrait même pas la diligence du lendemain pour quitter Denver. Elle partirait à cheval cette nuit même. Elle ne voulait pas courir le moindre risque de rencontrer Kane. Ni à l'agence, ni dans la rue... nulle part !

Elle bondit du lit et commença à empaqueter ses affaires dans une petite sacoche. Elle avait l'intention de galoper jusqu'à Cheyenne, dans le Wyoming, et de là elle prendrait le train pour rejoindre Saint Louis. Libre à Patrick de rentrer en diligence, s'il le souhaitait, mais pour sa part Célia comptait recourir à un moyen de locomotion plus rapide.

Un jour, le chemin de fer relierait la côte Est à la côte Ouest et plus personne ne voudrait prendre de diligences. Ce serait la ruine de la O'Roarke Express, mais Célia n'en avait cure. Dès qu'elle serait de retour dans le Missouri, elle entreprendrait des démarches pour trouver un emploi dans une compagnie de chemin de fer !

Plus déterminée que jamais, elle s'empara de sa sacoche et ouvrit la porte pour sortir. Une mauvaise surprise l'attendait : le seul homme au monde qu'elle ne voulait surtout pas voir lui bloquait le passage aussi sûrement qu'un énorme rocher infranchissable...

21

— Laissez-moi passer !

Kane ne bougea pas d'un pouce.

— Vous n'irez nulle part tant que nous n'aurons pas parlé.

— Nous sommes en train de parler, il me semble, répondit Célia avec dédain.

— Très bien, alors écoutez ce que j'ai à vous dire.

— Ça ne m'intéresse pas, répliqua-t-elle en relevant le menton d'un air de défi.

Kane la repoussa à l'intérieur de sa chambre et ferma la porte derrière lui. Célia voulut se rebeller, mais il la saisit par le bras et la serra contre lui.

— Je ne vous laisserai pas partir d'ici en me haïssant. Vous pouvez penser ce que vous voulez de mon contrat, mais vous ne quitterez pas Denver sans connaître mes sentiments.

— Je m'en moque éperdument ! explosa la jeune femme, au bord des larmes. Vous me dégoûtez ! Je ne compte pas plus pour vous que vous ne comptez pour moi. Le simple fait de vous voir me donne la nausée.

— A ce point ? ironisa Kane qui s'efforçait de garder son calme. Pourtant, vous ne m'avez pas dit cela la première fois que nous avons fait l'amour. C'était précisément dans cette chambre, vous vous souvenez ?

Célia était folle de rage. Rassemblant ses forces, elle tenta de lui échapper mais il la serra encore plus fort.

— Laissez-moi partir ! cria-t-elle. Je ne veux pas...

Elle n'eut pas l'occasion de terminer sa phrase. Kane s'empara de ses lèvres pour étouffer ses protestations.

Célia refusa de répondre à son baiser. Elle s'obligeait à ne rien ressentir, à ne rien éprouver. Mais plus elle essayait d'échapper à l'étreinte de Kane, plus il la serrait contre lui. Elle réussit cependant à lui donner dans les tibias un bon coup de pied qui le fit lâcher prise un court instant. Elle en profita pour courir se réfugier à l'autre bout de la chambre. Chaque fois qu'elle se trouvait à moins de dix pas de cet homme, elle avait toutes les peines du monde à maîtriser ses sens. Alors mieux valait ne pas tenter le diable !

— Je ne veux pas que vous me touchiez ! Allez-vous-en. Vous n'obtiendrez rien de moi, sinon mon mépris.

— Je voudrais que nous repartions de zéro, tous les deux, soupira Kane avec un air de sincérité. Oublions le passé !

— Je l'ai déjà oublié. Et vous avec.

— Ah oui ? interrogea-t-il en haussant un sourcil. Dans ce cas, prouvez-moi que vous avez oublié nos baisers.

Célia ne savait pas refuser un défi. Puisque Kane semblait croire qu'elle ne pourrait le toucher sans manifester la moindre émotion, elle allait lui montrer qu'elle en était parfaitement capable.

— Vous attendez une preuve, c'est bien cela ? demanda-t-elle en marchant délibérément vers lui.

— En effet. Et je ne me contenterai pas d'un simple petit baiser sur la joue.

Célia serra les dents et fit appel à toute sa volonté. Il lui faudrait user de ses talents de comédienne. Elle comptait lui donner un baiser magistral, un baiser qui le mettrait à ses pieds. Et quand il serait réduit à sa merci, elle lui rirait au nez et s'en irait.

Passant aux actes, elle vint se lover contre Kane. Son corps ondula audacieusement au contact du sien et elle fit courir ses mains sur ses épaules, derrière son cou, le long de son torse musclé. Elle voulait faire naître son désir avant de le frustrer.

Célia avait tout prévu dans sa tête. Sauf une chose : son corps n'avait pas compris qu'il ne s'agissait que d'une comédie et il la trahit encore une fois. Lorsque Kane posa les mains sur ses hanches pour l'attirer contre lui, son cœur s'emballa dans sa poitrine.

Ce n'était rien d'autre qu'une attirance purement physique, songea Célia. A sa place, n'importe quelle autre femme aurait réagi ainsi à la sensualité qui émanait de cet homme. On ne pouvait résister à son charme, mais cela ne voulait rien dire du tout. Elle gardait le contrôle de la situation et sa détermination était intacte...

Des mots, que tout cela ! A l'instant où leurs lèvres s'unirent, Célia comprit qu'elle se trouvait en fâcheuse posture. Son corps ne tenait plus aucun compte des messages désespérés que lui adressait son cerveau. Soudain, elle retrouvait cette formidable sensation de désir et, tout au fond d'elle-même, malgré les épreuves et les humiliations de ces derniers jours, la flamme de son amour pour Kane s'était rallumée...

Depuis le début, Kane avait deviné les intentions de Célia. Cette adorable sorcière ne manquait décidément pas d'esprit. Elle voulait lui rendre la monnaie de sa pièce et l'abuser comme il l'avait abusée. Mais ce petit jeu pouvait se jouer à deux, décida-t-il. Il souhaitait mettre Célia face à ses sentiments et l'obliger à reconnaître qu'il s'était tissé entre eux un lien particulier.

Quand il s'empara délicatement de ses lèvres, il la sentit frissonner entre ses bras, mais il se contenta de ce qu'elle lui offrait et ne chercha pas à pousser les choses trop loin. Délibérément, il ne la caressa qu'à travers le tissu de sa robe. Il voulait l'enivrer de délicieuses sensations sans même toucher sa peau.

Soudain, Célia se demanda qui tourmentait qui. Elle se sentait prise à son propre piège. Elle avait projeté de séduire Kane en recourant aux mêmes artifices qu'il avait employés contre elle, mais elle avait de plus en plus de mal à se concentrer sur son objectif. Impérieux, le désir s'emparait d'elle.

Risquant le tout pour le tout, elle glissa une main sous la chemise de Kane pour caresser son torse. Puisqu'il lui avait enseigné quelles caresses lui donnaient le plus de plaisir, elle allait y recourir pour le soumettre à sa loi. Ses lèvres s'aventurèrent sur sa peau bronzée...

Kane ne put retenir un gémissement de bien-être. Bon sang, il n'avait pas mesuré à quel point Célia était devenue experte...

— On joue gros, il me semble, grogna-t-il en voyant qu'elle souriait de satisfaction.

— Plus la mise est importante, plus cela me plaît. J'aime vivre dangereusement. Pas vous, monsieur le détective ?

Quand les mains de Célia descendirent vers sa ceinture, Kane crut manquer d'air. Son sang bouillait dans ses veines, mais il était encore capable de continuer le duel et de rendre caresse pour caresse.

Pour une fois, Célia portait autre chose que ses sempiternelles robes collet monté et il en profita. Il laissa courir ses doigts le long du corsage et écarta le tissu pour titiller ses mamelons tendus avant d'y porter les lèvres...

A présent, ni Kane ni Célia ne se souvenaient plus de leurs premières intentions. Ce qui avait commencé comme un défi n'était plus que l'appel du désir. Et ils étaient aussi impatients l'un que l'autre d'y répondre. Leurs baisers se faisaient de plus en plus avides tandis qu'ils se déshabillaient fébrilement.

Célia n'aurait su dire comment ils se retrouvèrent enfin sur son lit, entièrement nus, s'enlaçant avec fougue comme s'ils voulaient oublier une séparation de plusieurs mois alors qu'ils s'étaient quittés la veille.

Une seule chose comptait maintenant, et ce n'était plus son désir de vengeance, mais bien au contraire celui de revivre dans les bras de Kane ces instants magiques qu'ils avaient déjà connus. Elle redécouvrait le bonheur de sentir son corps musclé épouser le sien et s'imprégnait de son odeur virile, de sa force.

Quand il écarta ses cuisses pour prendre possession d'elle, la jeune femme l'accueillit avec une joie intense. Désormais, plus rien n'existait que cette fusion de leurs corps qui les conduisit, une fois de plus, dans l'au-delà du temps...

Au bout d'un long moment, Célia commença à reprendre ses esprits. Elle réalisa alors à quel point elle avait été inconsciente de vouloir relever le défi de Kane. Quelle folie d'avoir cru pouvoir le battre sur son propre terrain ! Elle n'avait pas son expérience, et une fois de plus, il avait été le maître, et elle la novice.

Célia n'était à ses yeux qu'une conquête parmi d'autres. Une remplaçante de cette fameuse Mélanie qu'il aimait toujours.

— Vous avez eu ce que vous désiriez, maintenant laissez-moi partir, demanda Célia, qui se sentait de plus en plus mortifiée.

Comme Kane refusait de bouger, et qu'il l'écrasait de tout son poids, elle lui tira les cheveux.

— Célia, bon sang, ouille... grogna-t-il en roulant sur le côté.

La jeune femme en profita pour sauter du lit. Tout en rassemblant ses vêtements éparpillés dans la chambre, elle réfléchissait à un moyen de renverser la situation à son avantage. Ce duel avait tourné à sa propre humiliation, mais il n'était pas trop tard pour sauver ce qu'il lui restait de fierté. Tant pis pour son cœur, il resterait derrière elle. Mais du moins voulait-elle quitter cette chambre et Denver la tête haute !

— Voyez-vous, je peux moi aussi me mettre dans la peau de quelqu'un d'autre, finit-elle par dire à Kane. Et je peux donner l'illusion d'éprouver des sentiments qui ne sont pas les miens, comme par exemple faire croire que je suis amoureuse, alors qu'en réalité je n'ai cherché qu'à passer un bon moment. Vous avez été un excellent professeur, Kane Callahan. A présent, je suis devenue aussi calculatrice et insensible que vous.

Kane avait envie de l'étrangler. Célia s'acharnait à vouloir salir quelque chose de rare et d'unique.

— Ainsi, pour vous ce n'était rien d'autre qu'un jeu ?

— Exactement, un simple jeu, confirma-t-elle en remettant sa robe. Comment avez-vous pu penser une seconde que je serais assez folle pour vous pardonner tout ce que vous m'avez fait subir ?

Sans lui laisser le temps de répondre, elle poursuivit :

— J'ai compris que si un homme peut séduire une femme uniquement pour son plaisir, alors rien n'empêche une femme d'en faire autant. Il y aura bientôt d'autres hommes que vous dans mon lit, Kane Callahan. Vous pouvez parier vos dix mille dollars là-dessus !

C'était un mensonge éhonté, bien sûr. Célia n'aurait pas supporté qu'un autre la caressât aussi intimement que Kane.

— Attendez une minute ! gronda-t-il en sautant du lit, entièrement nu. C'est moi qui vous ai appris à faire l'amour. Vous m'appartenez et...

Lui appartenir ? C'était précisément le genre de vocabulaire à ne pas employer avec Célia.

— Voyez-vous vos initiales gravées sur ma peau comme un tatouage de bétail ? L'enfer gèlera avant que je donne mon cœur à un gredin tel que vous ! Je préférerais encore aimer Jim Metcalf. Lui, au moins, serait plus sincère et plus honnête.

— Jim n'est pas le genre d'homme qu'il vous faut, et vous le savez parfaitement.

— Je trouverai bien celui qui me conviendra, ne vous inquiétez pas pour cela !

Kane n'avait pas prévu que sa petite visite à Célia tournerait ainsi ! Il était venu s'excuser de cette comédie qu'il avait dû lui jouer. Il souhaitait la convaincre qu'il avait toujours été sincère quand il lui avait fait l'amour. Mais il était décidément impossible d'avoir une discussion raisonnable avec Célia.

— J'ai quelque chose à vous dire, et je vous garantis que vous allez l'entendre, s'énerva-t-il.

Il voulut se précipiter sur Célia pour l'attraper par le bras, mais elle réussit à lui échapper. En deux enjambées, elle ramassa sa sacoche ainsi que les vêtements de Kane avant de sortir en trombe de la chambre.

Kane n'avait plus que deux possibilités : soit rester sans bouger où il se trouvait, soit s'élancer à sa poursuite... tout nu.

— Bon sang, Célia, reviens ici ! gronda-t-il d'une voix de stentor.

La jeune femme se contenta d'abandonner ses vêtements dans le couloir, sans ralentir sa course. Elle allait quitter Denver immédiatement. Plus jamais elle ne se laisserait prendre au piège d'un sourire enjôleur ou d'un tendre baiser.

Sa rencontre avec Kane lui avait au moins appris une chose : l'amour n'était qu'une illusion, un douloureux vertige qui commençait par un plaisir bien fugace et s'achevait dans de longues souffrances morales.

Les larmes aux yeux, elle se rendit à l'écurie de louage pour choisir une monture. Elle ne voulait penser à rien. Elle était simplement impatiente de galoper en pleine campagne et de laisser le vent de la nuit sécher ses larmes.

Tout était fini. Kane ne serait rien d'autre, désormais, qu'une page de son passé. Et cette page était irrémédiablement tournée.

Pour récupérer ses vêtements, Kane fut obligé de sortir tout nu dans le couloir. Une vieille dame qui s'apprêtait à rentrer dans sa chambre en eut le choc de sa vie. Dès qu'elle eut précipitamment refermé sa porte derrière elle, Kane entendit un son mat et il se demanda si la vieille dame ne s'était pas évanouie. Mais il se garda d'aller lui porter secours ou même de lui présenter ses excuses : elle l'avait sans doute déjà assez vu comme cela !

Il s'habilla rapidement et partit aussitôt rejoindre Noah et Gédéon qui l'attendaient à la sortie de la ville. Kane se sentait d'une humeur exécrable. Il avait le cœur brisé, il s'était montré en costume d'Adam à une dame qui aurait pu être sa grand-mère, et pour couronner le tout, Patrick O'Roarke le croyait devenu incompétent.

Noah et Gédéon firent les frais de sa colère froide. Il refusa de répondre à leurs questions et se contenta de saisir les rênes du mulet de Peter. Il prit ensuite la direction du Missouri.

Au bout de quelques kilomètres, Noah revint à la charge :

— Enfin, Kane, nous aimerions tout de même savoir ce qui s'est passé à Denver !

— Il ne s'est rien passé du tout, répliqua Kane d'un ton irrité. L'affaire est terminée et nous emmenons Peter pour qu'il soit jugé dans le Missouri. Un point c'est tout.

— Et Célia ? intervint Gédéon. Est-elle rentrée sans encombre ?

— L'incorrigible miss O'Roarke est toujours aussi incorrigible, le rassura Kane d'une voix aigre. Maintenant, faites-moi plaisir et taisez-vous. Notre prisonnier n'a pas besoin d'entendre certains détails.

Noah approcha sa monture de celle de Kane et baissa la voix pour lui parler :

— Peter a essayé de monnayer sa fuite. Il nous a proposé de révéler où il avait caché l'or si nous le laissions s'échapper.

Kane étouffa un juron. Il avait été si troublé par ses disputes avec Célia et Patrick qu'il avait complètement oublié le butin !

— J'ai fait croire à Peter que nous étions disposés à lui permettre de s'évader, annonça fièrement Noah. Alors il m'a raconté que l'or était caché dans l'armoire de son cabinet d'avocat. Tu vois bien que j'ai les qualités pour devenir un bon détective. Je suis aussi rusé et calculateur que toi.

Célia avait dit à peu près la même chose, et Kane se renfrogna encore davantage.

— Je préfère me considérer comme intelligent et perspicace, rectifia-t-il.

Puis, sans explication, il tendit les rênes du mulet à Noah et fit demi-tour.

— Où allez-vous ? demanda Gédéon.

— Je retourne à Denver. Il faut que je parle à Patrick.

— Il est déjà là-bas ? Mais que fait-il ?

— Il sème la pagaille ! gronda Kane avant de s'élancer au galop et de disparaître dans la nuit.

Dès qu'il fut de retour à Denver, Kane se rendit tout droit au bureau de Peter. Il trouva l'or sans difficulté et alla le porter à Patrick, en lui annonçant par la même occasion que son entêtée de fille était partie pour Saint Louis. Cette nouvelle n'apaisa en rien la colère de l'Irlandais. Il reprocha vertement à Kane d'avoir laissé s'échapper Célia. Le ton monta et les deux hommes se séparèrent en aussi mauvais termes que précédemment.

Kane repartit aussitôt pour rattraper ses deux compagnons. Mais tandis qu'il chevauchait seul dans la nuit, l'image de Célia revint le hanter.

— Tu vas me manquer, petite sorcière. Beaucoup plus que tu ne le crois, dit-il à haute voix.

Il n'arrivait pas à se faire à l'idée que Célia était définitivement sortie de sa vie.

— Non, ce n'est pas terminé ! décida-t-il soudain. J'ai quelque chose à te dire, et tu l'entendras. Même si je dois t'attacher sur une chaise pour t'obliger à m'écouter !

Ce n'était pas dans la nature de Kane d'accepter aussi facilement une défaite. Il n'avait jamais abandonné une seule mission avant d'avoir remporté un succès complet, et il n'allait pas davantage renoncer avec Célia. Elle n'avait encore rien vu. C'est *lui* qui aurait le dernier mot. Il lui ferait admettre qu'elle l'aimait autant qu'il l'aimait. Car elle l'aimait, bon sang ! Aucune femme n'aurait été capable de répondre avec autant d'ardeur à ses caresses sans éprouver quelque chose à son égard — et tout spécialement une femme encore innocente comme Célia.

Un sourire éclairait ses lèvres lorsqu'il rejoignit

Noah et Gédéon. Il ne renoncerait jamais à cette chipie. Et il balaierait tous les obstacles qu'elle mettrait en travers de sa route. Pour la première fois de sa vie, il était réellement amoureux et ce sentiment lui donnait une force nouvelle. Il avait enfin trouvé un sens à sa vie et Célia avait beau le fuir, il finirait par lui prouver qu'ils étaient faits l'un pour l'autre.

22

Independence, Missouri
1866

A son retour du tribunal, Kane s'enferma dans son bureau. Grâce à son témoignage, Peter Alridge avait été condamné à cinq ans de prison.

Patrick O'Roarke avait également assisté au procès, bien sûr, mais Kane s'était fait un point d'honneur de l'éviter. Puisque l'Irlandais avait mis en doute ses qualités professionnelles, Kane n'avait pas jugé utile de lui adresser la parole.

Cependant, un jour ou l'autre, ils finiraient par se retrouver face à face. Kane n'avait pas renoncé à son intention de revoir Célia. Bientôt, il se rendrait à Saint Louis et lui déclarerait ses sentiments, qu'elle le voulût ou non.

Le mois qui venait de s'écouler avait été très pénible pour Kane. Le souvenir de Célia hantait ses journées et lui gâchait l'existence. Même au cours du procès, il avait pensé au moins une bonne douzaine de fois à elle...

— Je me suis dit que vous auriez peut-être envie d'un petit remontant, annonça Gédéon en faisant irruption dans le bureau, un plateau à la main.

Kane éprouva un étrange sentiment de déjà-vu. Deux mois auparavant, il se trouvait dans cette même pièce, obsédé par la pensée d'une autre femme, quand Gédéon était venu pareillement lui offrir du cognac. L'alcool ne résoudrait pas les tourments de Kane, mais s'il buvait jusqu'à s'abrutir, du moins y gagnerait-il un soulagement passager.

Gédéon posa le plateau sur le bureau et se redressa, toujours aussi raide qu'à son habitude.

— Le procès étant terminé, désirez-vous que je prépare tout de suite vos bagages, monsieur ?

— Diable ! Et où voudrais-tu que j'aille ? s'étonna Kane en se versant à boire.

D'un geste nerveux, Gédéon se servit lui aussi un verre avant de répondre :

— Eh bien, à Saint Louis, évidemment. Il y a des obligations qui vous attendent là-bas, n'est-ce pas ?

Kane haussa les sourcils. Depuis qu'ils étaient rentrés de Denver, il n'avait révélé à personne son intention d'aller retrouver Célia.

— Dis-moi tout de suite où tu veux en venir, s'il te plaît, demanda-t-il avec impatience.

— Mon opinion, monsieur... annonça Gédéon d'une voix hésitante, c'est que vous et miss O'Roarke... Enfin voilà : malgré tous vos efforts pour dissimuler la vérité, j'ai deviné ce qui s'était passé entre vous et la jeune lady dans notre cabane des montagnes. Et j'ajoute que je réprouve totalement votre conduite.

Kane s'agita sur son siège, mal à l'aise. Il contempla le portrait de son père accroché au mur, pour éviter le regard accusateur de Gédéon.

— Nous savons, vous et moi, que vous ne vous êtes pas contenté de faire peur à la demoiselle, reprit celui-ci. Si vous refusez de prendre vos responsabilités dans cette affaire, vous m'obligerez à aller tout raconter à Patrick O'Roarke. Et il ne me faudra pas longtemps pour le trouver : il se tient en ce moment même derrière cette porte.

— Patrick est ici ? s'exclama Kane en bondissant de son fauteuil.

— En chair et en os. Comptez-vous lui avouer la vérité ou serai-je obligé de m'en charger ?

— J'en fais mon affaire, répondit distraitement Kane en fixant le panneau de bois.

— Vous avez dit à peu près la même chose quand vous avez amené miss O'Roarke dans la cabane, répliqua Gédéon d'un ton sarcastique. Et nous savons tous deux que cela a tourné au désastre. Pour un homme qui a la réputation de résoudre tous les problèmes des gens, vous n'avez pas l'air très doué pour débrouiller vos propres...

— J'aimerais que tu t'occupes de tes affaires et que tu ne te mêles pas des miennes, le coupa Kane.

— Sauf si vous vous permettez de déflorer des jeunes vierges sous prétexte de remplir une mission. Je voudrais...

— C'est assez ! gronda Kane.

— C'est aussi mon avis, répliqua Gédéon sans se démonter. Puisque vous avez souillé la réputation de miss O'Roarke, vous devez l'épouser.

Le comportement de Kane avait choqué la droiture du serviteur et à ses yeux, seul un mariage pouvait racheter la faute commise. Kane ne demandait pas mieux, en vérité. Mais Célia était sûrement d'un tout autre avis. Elle le haïssait et Kane était prêt à parier qu'un mois après leur séparation, elle n'avait pas changé à son sujet.

— Pourquoi ne fais-tu pas entrer Patrick ? suggéra Kane. Il doit commencer à s'impatienter.

— Et j'imagine qu'il deviendrait tout à fait furieux s'il apprenait que l'homme qui devait protéger sa fille s'est permis de...

— J'ai dit que c'était assez ! l'interrompit Kane d'une voix menaçante. Tu as le choix, Gédéon : soit tu sors d'ici de ton plein gré, soit je me charge de te raccompagner à la porte.

Gédéon opta pour la première solution. A présent qu'il avait dit ce qu'il avait sur le cœur, il n'avait plus à s'attarder dans cette pièce. Alors autant éviter de se faire botter le derrière ! Gédéon sortit et Patrick entra. L'Irlandais vint se planter au milieu du bureau et se tint raide comme une statue.

— Je suis venu vous remercier d'avoir aidé la justice et de m'avoir permis de récupérer l'or qui m'avait été volé, débita-t-il à toute vitesse.

— C'était tout naturel, répliqua sèchement Kane.

— Je voudrais vous confier une autre mission, ajouta Patrick en retenant sa respiration.

Kane le regarda avec étonnement.

— Si j'ai bonne mémoire, vous aviez juré de ne plus jamais me parler et encore moins de faire appel à mes services ?

— J'ai changé d'avis. Il s'agit encore de ma fille. Et aussi de ce gredin d'Owen Graves qui a réussi à semer le détective que j'avais lancé à ses trousses.

— Qu'est-il arrivé à Célia ? s'inquiéta immédiatement Kane.

Patrick soupira et se laissa tomber dans un fauteuil.

— Quand je suis rentré à Saint Louis après avoir réorganisé notre agence de Denver, Célia avait quitté la maison. Elle s'est installée dans un petit cottage à l'est de la ville et refuse absolument de me voir. Pour me faire enrager encore plus, elle travaille désormais dans la compagnie ferroviaire d'Edward Talbert.

Patrick passa nerveusement une main dans ses cheveux roux avant de continuer :

— Elle a agi ainsi uniquement pour se venger, car elle connaît bien ma répulsion pour le train. Il ne s'agit pas seulement de concurrence. La plupart des compagnies travaillent en cheville avec des promoteurs véreux qui achètent pour une bouchée de pain les terrains où passeront les lignes. Je voudrais que vous vous assuriez que la compagnie de Talbert ne commet pas d'irrégularités, car je ne veux pas que Célia soit mêlée aux agissements d'une bande de vautours. Et je veux également qu'Owen Graves aille rejoindre le plus tôt possible Peter Alridge derrière les barreaux.

— Il me sera difficile de me trouver dans deux endroits en même temps, fit remarquer Kane.

— Alors envoyez Noah à la poursuite d'Owen. Je vous veux à Saint Louis. Dites-moi votre prix.

Kane croisa les bras sur sa poitrine et fixa longuement l'impétueux Irlandais.

— N'importe quel prix, Patrick ?

— Ne vous ai-je pas proposé à l'instant de fixer vous-même votre tarif ? s'exclama Patrick en bondissant de son fauteuil. Je souhaite de tout cœur rentrer dans les bonnes grâces de Célia, mais à défaut d'obtenir son pardon, je veux au moins avoir la certitude qu'elle ne travaille pas pour des escrocs. Maintenant acceptez-vous cette mission, oui ou non ?

Kane était persuadé que Célia avait hérité du tempérament enflammé de son père. Il se demandait comment allait réagir Patrick en apprenant le prix qu'il comptait réclamer en échange de ses services.

— J'accepte d'enquêter sur la compagnie de Talbert, annonça-t-il. En échange, vous me donnez la permission d'épouser votre fille.

Patrick se sentit flageoler sur ses jambes et se rassit précipitamment.

— Épouser Célia ? s'étrangla-t-il en dévisageant Kane d'un air abasourdi. Dieu du ciel, elle vous en veut au moins autant qu'à moi ! Si je lui annonce que j'ai projeté de la marier avec vous, elle nous déclarera la guerre ! Je refuse de...

Kane fit un geste de la main pour l'apaiser.

— Je ne vous demande pas de forcer sa volonté, mais seulement de me donner votre bénédiction si j'obtiens son accord.

— C'est votre prix ? Simplement mon accord ? interrogea Patrick, de plus en plus étonné.

Mais il ajouta d'un air suspicieux :

— Si c'est votre façon de vous venger après votre échec de Denver, je...

— Je veux votre fille, le coupa Kane sans ménagement. Et la vengeance n'a rien à voir dans tout cela.

— Mais que ferez-vous d'elle si vous parvenez à vos fins ? questionna encore Patrick qui ne comprenait décidément pas la requête de Kane.

— Je l'aimerai autant qu'elle mérite d'être aimée... si elle m'en laisse la possibilité.

— Vous êtes amoureux de ma fille ? Mais vous savez pourtant qu'elle vous déteste !

Kane le savait, en effet, mais cela ne changeait rien. Il s'était senti trop misérable, pendant tout ce mois où il avait été séparé d'elle. Et il ne souhaitait pas être malheureux jusqu'à la fin de ses jours alors qu'il existait peut-être une issue à ses tourments.

— Je sais parfaitement ce que je veux, Patrick, et je n'ignore pas les difficultés que je rencontrerai pour l'obtenir. Maintenant, aurai-je votre accord pour l'épouser, oui ou non ?

Patrick considéra pensivement son interlocuteur pendant quelques instants. Malgré les circonstances qui avaient quelque peu brouillé les deux hommes, il avait gardé toute son admiration pour Kane. Du reste, il n'avait pas hésité à faire de nouveau appel à ses services. D'autre part, Kane Callahan était l'homme qu'il fallait pour Célia. Lui seul parviendrait peut-être à apaiser son tempérament belliqueux.

— Très bien, vous avez mon accord, répondit-il finalement. Mais si vous le dites à ma fille avant d'avoir obtenu son consentement, je nierai totalement avoir eu cette conversation avec vous. Célia est déjà assez irritée contre moi. Elle ne me pardonnerait jamais d'avoir voulu régenter sa vie privée.

— Quelle conversation ? demanda Kane avec l'air de la plus parfaite innocence.

Patrick se leva de son fauteuil et esquissa un sourire avant de lui serrer la main.

— Je vous souhaite bonne chance. J'espère avoir de vos nouvelles le plus tôt possible.

— Je vais prévenir Noah que vous lui confiez la mission de retrouver Owen Graves. Vous conviendrez d'un prix avec lui quand il aura réussi.

Patrick acquiesça à cette proposition et quitta le bureau en adressant un dernier salut à Kane.

Celui-ci avait à peine eu le temps de se resservir à boire que Gédéon entrait dans la pièce avec un sourire amusé.

— Qu'y a-t-il de si drôle ?

— Vous, monsieur. Quand je pense que vous vous êtes fait passer si longtemps pour un coureur de jupons invétéré...

— Je sais ce que tu penses, le coupa Kane qui se rappelait leur conversation de tout à l'heure.

— Je voulais vous dire que je suis enchanté de cette nouvelle ! Je n'aurais pas rêvé meilleure union pour vous.

Kane jeta un coup d'œil à son serviteur. Manifestement, il avait écouté à la porte.

— Tu as raté ta vocation, Gédéon. Tu aurais fait un parfait espion.

— J'ai bien peur que vos talents et ceux de votre frère n'aient fini par déteindre sur moi, répondit le domestique en rougissant.

— A propos, où se trouve Noah ?

Gédéon haussa les épaules : il n'en avait pas la moindre idée. Kane soupira.

— Je vais partir à sa recherche pour l'informer de la mission qui l'attend. Pendant ce temps, tu prépareras nos bagages. Je prendrai le prochain train pour Saint Louis.

— *Nos* bagages, monsieur ?

— Je t'emmène avec moi. J'aurai besoin d'un soutien moral pour affronter Célia. Je crains qu'elle ne se montre pas très coopérative.

— Mais le jeu en vaut la chandelle, commenta Gédéon avec un large sourire. Si vous voulez mon avis, Célia n'a rien à voir avec cette évaporée de Mélanie Brooks.

— Je croyais que tu aimais Mélanie ? s'étonna Kane.

— Ce que j'aimais, c'était la perspective de vous voir enfin vous installer. Mais si j'avais eu à choisir votre fiancée, Mélanie n'aurait certainement pas figuré sur ma liste.

— Je ne sais pas pourquoi je l'avais mise sur la mienne, reconnut Kane avec une moue amusée. Ce n'est sans doute pas un hasard si je ne suis jamais arrivé à fixer une date pour le mariage.

— Encore heureux ! En revanche, j'approuve totalement le choix de miss O'Roarke.

— Pour l'instant, je doute fort qu'elle-même l'approuve.

— Connaissant votre ténacité, je suis persuadé que vous saurez convaincre la jeune lady que vous êtes faits pour vivre ensemble.

— J'aimerais bien avoir ton assurance, soupira Kane.

— Je pourrais lui parler, si vous voulez, proposa le serviteur.

— Grands dieux, non ! Tu serais capable de la sermonner sur les devoirs de la vie conjugale, et ce serait le meilleur moyen de la faire fuir. Elle est aussi indépendante qu'entêtée.

— Très bien, je vous laisse résoudre ce dilemme pendant que je prépare les bagages, annonça Gédéon en quittant la pièce.

Une fois seul, Kane se servit un autre verre de cognac et médita sur les difficultés qui l'attendaient. Si seulement Célia consentait à enlever ses œillères ne fût-ce qu'une minute, elle admettrait l'évidence : ils avaient besoin l'un de l'autre...

Kane soupira et se mit à tourner en rond, comme chaque fois qu'il réfléchissait intensément. Il n'avait encore jamais entrepris aucune action dont il fût si peu assuré du résultat. Convaincre Célia de la sincérité de ses sentiments serait un véritable exploit. Et en parieur avisé, Kane n'aurait pas osé risquer un seul dollar sur ses chances de réussite.

23

Saint Louis, Missouri
1866

Depuis dix minutes qu'elle se trouvait dans l'attelage d'Edward Talbert, Célia avait du mal à masquer son ennui. Edward était venu la chercher chez elle pour la conduire au grand bal qu'il donnait ce soir-là dans sa demeure. Durant tout le trajet, il avait assommé la jeune femme de sa conversation insipide. La seule chose vraiment étonnante était qu'Edward commençait toutes ses phrases par « Je ». Il était très imbu de lui-même, mais Célia se demandait bien ce qui pouvait justifier sa fierté. En comparaison de Ka...

Elle s'empressa de penser à autre chose. Malgré son serment de tout faire pour oublier Kane Callahan, ce gredin continuait de la hanter.

Voilà bientôt deux mois que Célia s'efforçait d'effacer le Colorado de sa mémoire, mais les souvenirs affluaient toujours au moment où elle s'y attendait le moins.

Pourtant, elle se répétait toutes les bonnes raisons pour lesquelles elle devait se réjouir que Kane eût disparu de sa vie. Et elle s'était ingéniée à travailler sans relâche et à ne jamais rester longtemps au même endroit pour empêcher la nostalgie de l'assaillir. Malheureusement sans succès...

— J'ai réussi à convaincre hier un homme d'affaires très influent d'investir dans notre compagnie, annonça Edward en se rengorgeant. Je lui ai assuré que nous aurions atteint Denver dans moins de trois ans. Et ensuite, nous attaquerons la jonction avec la côte Ouest.

Célia tressaillit en entendant le nom de Denver, mais elle s'obligea à sourire.

— Je suis sûre que vous réussirez, Edward, répondit-elle d'un air absent.

Célia savait pertinemment qu'elle avait été engagée dans la compagnie davantage en raison de ses charmes que de ses compétences. Et cependant, elle avait accepté le poste. Fut un temps, pas si lointain, où elle se serait sentie insultée — comme elle se sentait insultée quand Owen se montrait paternaliste avec elle sous prétexte qu'elle était une femme. Mais ce qui lui semblait presque vital à l'époque — se faire sa propre place dans ce monde d'hommes — n'avait aujourd'hui plus guère d'importance à ses yeux.

— J'ai invité la plupart de nos actionnaires à la réception de ce soir, racontait Edward quand elle se remit à l'écouter. Je voudrais que vous les séduisiez tous, Célia. Je veux qu'ils tombent sous le charme de notre nouvelle collaboratrice.

Célia ne broncha pas. Ainsi, Edward souhaitait qu'elle flirtât avec ses associés... Et pourquoi ne le ferait-elle pas, après tout ? Du reste, Edward lui demandait chaque fois la même chose dès lors qu'ils assistaient à une réception ou à une rencontre de travail. Pourquoi ne lui avait-elle jamais dit non ? Peut-être parce que cette comédie la rassurait sur elle-même. Son cœur était brisé, mais elle continuait de plaire aux hommes. Bien sûr, ces flirts avec des financiers et des industriels ne signifiaient rien. Ce n'était qu'un jeu puéril qui lui permettait d'oublier ses tourments.

Célia n'avait pas été capable d'obtenir l'amour de Kane. Bon sang, elle n'avait même pas essayé ! Elle avait épuisé toute son énergie à le combattre. Et le pire de tout, c'est qu'elle se comportait désormais avec les hommes exactement comme lui avec les femmes après la trahison amoureuse de cette Mélanie... sapristi, comment s'appelait-elle déjà ?

— Je ne vous obligerai pas à rester toute la soirée auprès de moi, chérie, susurra Edward en posant un baiser sur ses lèvres. Dans l'intérêt de nos affaires, il vaut mieux que nous nous partagions les invités, mais j'espère qu'un peu plus tard... quand la soirée sera terminée...

Il lui adressa son plus charmant sourire avant de continuer :

— Le Tout-Saint Louis jase sur notre relation depuis que nous sortons toujours ensemble. J'ai pensé que nous pourrions peut-être faire certaines choses que nous prêtent les ragots...

Célia retint au dernier moment la réplique bien sentie qu'elle avait sur le bout de la langue. Si Edward s'imaginait pouvoir coucher avec elle, il serait fort déçu. Célia tolérait son arrogance uniquement pour se venger de son père.

— Ah, nous sommes arrivés, déclara Edward au moment où la voiture s'immobilisait devant son imposante demeure de deux étages. Célia, ma chère, je compte sur vous pour éblouir mes invités.

Célia rassembla les jupes de sa robe en satin bouton-d'or et descendit de voiture avec beaucoup de grâce. Elle parcourut du regard l'allée illuminée de lanternes où s'étirait la file imposante des attelages. Tout ce que comptait Saint Louis de gens riches et influents serait présent à la soirée.

Célia s'arma de courage pour supporter les quelques heures de conversations oiseuses et de sourires apprêtés qui l'attendaient. Depuis son retour du Colorado, elle avait assisté à plusieurs réceptions de ce genre et chaque fois elle s'était sentie désespérément seule au milieu de la foule. Mais tous les soirs, c'était au moment de se coucher que le vide de sa vie lui était le plus insupportable. Elle n'avait personne avec qui discuter sincèrement, personne capable de l'émouvoir et de la faire vibrer. Elle avait le sentiment de traverser un désert glacé qui n'en finissait pas.

— J'aimerais que vous accordiez une attention particulière à Jonathan Beezely, lui confia Edward à voix basse. Il s'est marié récemment, mais je sais qu'il n'est pas insensible aux jolies femmes. C'est un homme très riche et je voudrais le convaincre d'investir davantage dans la compagnie. Je suis sûr qu'il se montrera plus généreux si vous l'y encouragez.

Célia arbora son plus charmant sourire en entrant dans le hall. Une ou deux fois, elle s'était reproché de jouer cette comédie hypocrite, mais elle avait décidé que c'était le seul moyen de chasser définitivement Kane Callahan de son esprit. Quand elle y serait parvenue, elle ne se priverait pas de dire à Edward Talbert ce qu'elle pensait de lui !

Célia fronça soudain les sourcils en se remémorant ses dernières paroles. Beezely... Où avait-elle déjà entendu ce nom ? Cela ne lui revenait pas pour l'instant... Qu'importe ! se dit-elle en commençant à saluer les invités. Elle avait toute la soirée pour s'en souvenir.

Affichant une bonne humeur qu'elle était loin de ressentir, elle s'acquitta à merveille de la corvée des baisemains et autres salutations. A leur entrée dans la salle de bal, Edward lui désigna discrètement les quelques financiers avec lesquels elle devrait se montrer particulièrement affable. Il la laissa opérer seule, mais revint la chercher une demi-heure plus tard.

— Notre nouvel actionnaire vient d'arriver, annonça-t-il. Je voudrais que vous lui souhaitiez la bienvenue et lui teniez un peu compagnie.

Il l'entraîna à travers la salle de bal vers un homme de haute stature aux cheveux de jais, impeccablement sanglé dans un habit de soirée.

Célia crut flageoler sur ses jambes quand elle le reconnut. Son cœur s'emballa et c'est à cet instant précis qu'elle réalisa à quel point Kane avait durablement marqué sa mémoire.

Elle détourna délibérément le regard et s'aperçut que toutes les femmes présentes admiraient le nouveau venu. Bonté divine, que diable faisait-il ici ? Et de plus, habillé comme un parfait gentleman !

— Célia, je vous présente Kane Callahan, intervint Edward. Bien que sa famille ait fait fortune dans le transport fluvial, Kane a compris que le rail représente l'avenir.

Et désignant avec un sourire la jeune femme stupéfaite qui l'accompagnait, il ajouta :

— Kane, voici Célia O'Roarke.

Avec une grâce affectée, Kane s'inclina et lui baisa la main. C'était à peine une caresse mais il sentit Célia frissonner et il soupira de soulagement. « Ouf ! » pensa-t-il. L'étincelle existait toujours entre eux.

— Tout le plaisir est pour moi, répondit-il d'une voix rauque. De ma vie, je n'ai rencontré qu'une seule fois une femme aussi belle.

— Ah ? s'exclama Edward, amusé. Mais où se trouve donc cette créature capable de rivaliser avec notre charmante Célia ?

Notre Célia ? Kane serra les dents. Elle était *sienne*. La seule pensée qu'un autre homme pût la toucher lui broyait le cœur.

— Lors d'un voyage dans le Colorado, j'ai fait la connaissance d'une jeune femme tout à fait remarquable, expliqua-t-il sans quitter des yeux Célia qui rougissait. Mais à la réflexion, elle n'était pas aussi belle que vous.

Si Célia avait pu prendre ses jambes à son cou sans provoquer de scandale, elle n'aurait pas hésité une seconde. A l'instant où Kane avait effleuré sa main de ses lèvres, elle avait bien cru défaillir. A présent, elle se sentait submergée par un raz de marée de souvenirs et d'émotions.

— Je vous laisse faire connaissance, déclara Edward. Mais n'essayez pas de me voler Célia, Callahan. Vous aurez également à répondre devant les autres actionnaires si vous les privez de sa charmante compagnie.

Dès qu'Edward se fut éloigné, Célia s'efforça de retrouver son calme et soutint sans sourciller le regard de ce gredin.

Kane réprima un sourire. Il n'avait certes pas oublié la façon dont Célia le défiait quand elle était en colère, et il s'amusait de constater qu'elle n'avait rien perdu de sa combativité.

— Que faites-vous ici ? siffla-t-elle à voix basse. Vous devez avoir joué tant de rôles différents dans votre vie, que vous ne savez sans doute même plus qui vous êtes ! (Elle le regarda des pieds à la tête avec une moue sceptique.) Un nabab du transport fluvial qui se reconvertit dans le chemin de fer, vraiment ? Grands dieux, ne me dites pas que j'ai la malchance de me trouver au beau milieu de votre nouvelle enquête !

— Oui et non, répliqua Kane avec un large sourire.

— J'aime la précision de vos réponses !

Comme un amateur d'art qui contemplerait un chef-d'œuvre, Kane détailla longuement la jeune femme.

— Et moi je vous aime telle que vous êtes ce soir. Cette robe vous va à ravir, savez-vous ? Elle est beaucoup plus suggestive que celles que vous portiez à Denver. Mais personne d'autre que moi ne connaît mieux votre beauté qui...

— Taisez-vous ! le coupa Célia. Je vous ai posé une question, il me semble. Ne me croyez pas assez idiote pour perdre le fil de la conversation à cause de vos flatteries.

De toute évidence, Célia n'était pas disposée à coopérer ! Kane s'y était attendu, mais il ne pouvait s'empêcher de penser que si elle avait daigné l'aider ne serait-ce qu'un tout petit peu, les choses auraient été beaucoup plus faciles.

— Que voulez-vous ? demanda-t-elle puisqu'il ne répondait toujours pas à sa question.

— Je voulais vous dire que je vous aime. Je vous l'ai déjà dit dans le Colorado et je recommence ici. Je veux vivre avec vous, pour toujours.

A une époque, Célia aurait peut-être cru une pareille confession. Pourtant, elle n'arrivait pas à lui faire confiance. Pas après ce que Noah lui avait raconté sur cette Mélanie Quelque Chose. Ni après ce qu'elle avait découvert du contrat passé entre son père et Kane pour la déloger de Denver. Beaucoup de choses avaient changé depuis leurs nuits passées dans la montagne.

— Vous ne me croyez pas ? Ou êtes-vous tellement entêtée que vous vous interdisez de me croire ?

Kane saisit son menton pour l'obliger à lui faire face.

— Je t'aime, Célia...

Elle s'écarta de lui et prit une profonde inspiration. Cet homme avait le don de la troubler dès qu'il la touchait !

— J'ai d'abord cru que vous étiez un voleur, un parasite et un joueur, et...

— Joueur, parasite et voleur, corrigea Kane avec un sourire provocant. On dirait que votre science du classement alphabétique est mise en défaut.

— Quelle importance ! répondit Célia qui ne voulait pas perdre le fil de sa démonstration. Finalement, il est apparu que vous n'étiez rien de tout cela. Je ne peux donc pas croire ce que je vois de vous, puisque vous êtes passé maître dans l'art de l'illusion. Et je ne peux pas davantage croire ce que j'entends, car vous m'avez raconté trop de mensonges depuis que je vous connais.

— Alors, croyez seulement ce que vous ressentez, la défia Kane en se rapprochant.

Soudain, ce fut comme si la foule qui les entourait avait disparu d'un coup de baguette magique. Célia avait l'impression que la salle de bal n'était pas plus large que les épaules de Kane.

— Laisse parler tes sentiments, Célia, murmura-t-il. Et crois en mon amour quand je te prends dans mes bras. Rappelle-toi nos nuits dans la montagne...

Il l'attira contre lui et commença à la conduire au rythme de la musique jouée par l'orchestre. Mais Kane la tenait enlacée beaucoup plus étroitement qu'un cavalier évoluant sur une piste de danse ! Le cœur de Célia cognait dans sa poitrine et le contact de ce corps viril incendiait ses veines.

— Arrêtez ! l'implora-t-elle d'une voix tremblante.

— Arrêter quoi ? fit Kane en approchant ses lèvres de son oreille. Arrêter de danser, ou de vous aimer ? L'un est possible, mais l'autre non. Je veux vous embrasser, vous caresser, vous faire l'amour comme quand nous étions...

Célia refusait de l'entendre davantage. Elle s'écarta de lui, autant que le permettait le bras qu'il avait passé autour de sa taille.

— C'est mon père qui vous a envoyé ici, n'est-ce pas ? l'accusa-t-elle brutalement.

Kane gagnait du terrain, il le sentait. Elle tremblait dans ses bras, et ce n'était pas de colère. Son corps se rappelait ce qu'ils avaient partagé ensemble.

— Papa vous a payé pour me faire rentrer à la maison, avouez-le ! reprit Célia en le dévisageant. Mais c'est inutile, je ne quitterai pas mon cottage. Je suppose qu'il a dû également vous charger d'une enquête sur la compagnie d'Edward. Il déteste le train et il est persuadé que la corruption y sévit partout.

Comme à son habitude, l'imagination de Célia allait bon train. Mais pour une fois, Kane devait reconnaître qu'elle n'était pas loin de la vérité. Cela faisait déjà quinze jours qu'il enquêtait discrètement sur la compagnie d'Edward.

— Vous manquez beaucoup à votre père, se contenta-t-il d'avouer.

— Je m'en doutais ! siffla Célia. Vous êtes venu parce qu'il vous l'a demandé !

— Patrick et moi prenons vos intérêts à cœur.

— Mes intérêts ! A d'autres !

Célia aurait voulu pouvoir s'enfuir de cette salle de bal et courir jusqu'à l'autre bout de la terre. Cet homme lui rappelait trop de sensations qu'elle s'était efforcée d'oublier à jamais.

— Patrick vous aime autant que moi, murmura-t-il contre ses lèvres.

— Vous vous répétez. Je ne vous ai pas cru jusqu'ici, et il n'y a aucune raison pour que je vous croie maintenant. Mais puisque je refuse de coopérer avec vous deux, j'imagine que vous avez prévu de me séquestrer pour me terroriser une fois de plus ?

Kane s'était juré de garder son sang-froid, quoi qu'il advînt, mais les accusations de Célia eurent raison de ses bonnes résolutions.

— Bon sang, explosa-t-il, vous êtes aussi têtue qu'une mule ! Que faut-il donc faire pour ébranler le rocher qui vous sert de cerveau ?

— Dites-moi plutôt ce qu'il faut faire pour que vous compreniez enfin que je suis insensible à toutes vos tentatives de séduction. Je sais parfaitement que je ne représente rien pour vous. Noah m'a raconté votre rupture avec une certaine Mélanie. Et c'est également votre frère qui m'a expliqué que vous me maltraitiez pour vous venger d'elle.

Kane était effondré. Bon sang de bois ! Noah était le plus grand imbécile que la terre eût jamais porté. A cause de lui, Célia avait une nouvelle et excellente raison de le détester. Pas étonnant qu'elle refusât son amour. Mais Noah paierait cher sa bêtise ! Dès qu'il le reverrait, Kane ne manquerait pas de lui infliger la correction qu'il méritait.

Ravie d'avoir eu le dernier mot, Célia se dégagea avec l'intention d'aller rejoindre Edward. Mais en se détournant, elle se heurta à une jeune femme blonde.

— Kane !... Que fais-tu à Saint Louis ? s'exclama celle-ci qui n'avait d'yeux que pour lui.

Kane maudit sa malchance. Pourquoi fallait-il que Mélanie surgît précisément au moment où il était en train de s'expliquer avec Célia ?

Célia dévisageait avec curiosité l'inconnue. De toute évidence, elle était surprise de trouver Kane à cette réception. Quand elle finit par s'apercevoir de la présence de Célia, elle lui adressa un sourire poli.

— Permettez-moi de me présenter, puisque Kane manque à tous ses devoirs. Je m'appelle Mélanie Beezely.

Célia comprenait maintenant à qui elle avait affaire. Et elle comprenait également pourquoi Kane avait tenu à elle. Mélanie était aussi belle que sensuelle, et le décolleté audacieux de sa robe ne cachait rien de ses formes voluptueuses. Pour ajouter encore aux bienfaits de la nature, Mélanie arborait des manières raffinées, une toilette hors de prix et des bijoux qui scintillaient sur sa peau nacrée. Sans oublier un sourire dévastateur qui devait jeter tous les hommes à ses pieds.

— Je suis Célia O'Roarke, répondit-elle sans chaleur.

— Edward n'a cessé de chanter vos louanges, ces dernières semaines ! s'enthousiasma Mélanie. Il semble tenir beaucoup à vous.

Esquissant un vague sourire, Célia s'excusa et passa son chemin. Il n'était vraiment pas étonnant que Kane eût aimé cette femme, songeait-elle. Mélanie incarnait tout ce que les hommes pouvaient rechercher : la beauté, la grâce, la séduction... et aussi la disponibilité, à en juger par les coups d'œil aguicheurs qu'elle avait lancés à Kane. Ou Célia se trompait — ce dont elle doutait fort — ou la jeune Mme Beezely pratiquait autant les écarts de conduite que son mari.

Moins de cinq minutes plus tard, Edward présentait Célia à Jonathan Beezely et la jeune femme eut la confirmation de ses soupçons. Malgré tous les efforts de Célia pour évoquer la construction des nouvelles lignes de chemin de fer, Jonathan s'ingénia à ponctuer leur conversation d'allusions qui n'avaient rien à voir avec les rails ni avec les locomotives. Célia avait du mal à comprendre qu'il pût lui accorder autant d'attention alors qu'il avait une femme aussi ravissante. Apparemment, le mariage n'avait pas assagi les Beezely : l'un comme l'autre semblaient prendre le plus grand plaisir à multiplier les conquêtes.

Jetant un coup d'œil sur la piste de danse où Mélanie paradait dans les bras de Kane, Célia prit soudain conscience de sa propre médiocrité. Elle ne pourrait jamais rivaliser avec cette blonde. Patrick lui avait appris à se servir de son intelligence et à se débrouiller dans la vie, mais pour ce qui était de séduire les hommes, elle savait bien que...

Elle soupira d'impuissance. En vérité, elle était si troublée qu'elle ne savait plus rien. Ni ce qu'elle voulait, ni ce qu'elle ressentait exactement. Kane serrait dans ses bras la seule femme qu'il eût jamais désirée. Célia ne comptait pas à ses yeux. Il avait probablement appris que Mélanie serait parmi les invités d'Edward et c'était la raison de sa présence ici...

Plus vite Célia accepterait le fait qu'elle se torturait inutilement en continuant de nourrir des sentiments pour Kane, plus vite elle retrouverait sa joie de vivre. Si elle avait eu seulement un gramme de bon sens, elle serait retournée chez son père. Patrick serait satisfait et Kane n'aurait plus aucune raison de rester à Saint Louis — sauf pour y courtiser l'amour de sa vie.

Et d'ailleurs, elle allait rentrer à la maison. Il y avait des limites à l'obstination. Son père lui manquait et ils avaient assez souffert comme cela, tous les deux. Elle devait lui pardonner, à présent. Au fond il n'avait pas mal agi. Ses intentions étaient louables quand il avait souhaité l'éloigner de Denver. Seule la méthode employée avait manqué d'élégance.

Aujourd'hui, Célia préférait oublier cet épisode et retrouver enfin cette maison familiale où elle se sentait si bien. En revanche, elle continuerait de travailler pour Edward. Patrick en serait sans doute attristé, mais elle avait besoin de cette occupation pour l'aider à oublier l'homme qui avait brisé son cœur.

24

— Tu m'as manqué, Kane, lui chuchota Mélanie aussi près de son oreille que la décence le permettait. C'est toi que j'ai toujours voulu. Tu le savais, n'est-ce pas ? ajouta-t-elle tandis qu'ils continuaient à valser dans la grande salle de bal.

— Vraiment ? interrogea Kane d'une voix neutre.

Cette rencontre inattendue lui avait au moins confirmé une chose : il ne l'avait jamais vraiment aimée. Et il s'expliquait maintenant pourquoi il avait toujours trouvé un prétexte pour différer la date de leur mariage. Certes, Mélanie avait pour elle la beauté, alliée à un sens inné de la séduction qui charmait tous les hommes. Mais aussi désirable fût-elle, elle n'avait ni l'esprit, ni la combativité et le courage de Célia.

Jusqu'à ce soir, Kane n'avait pas réalisé à quel point il aimait Célia. C'était un sentiment qui allait bien au-delà de la seule attirance physique. Aucune autre femme ne retenait plus son attention, désormais.

— Mon Dieu, Kane, tu n'as pas besoin de me

raconter combien je t'ai blessé, roucoula Mélanie dans son oreille. Je me suis abominablement mal conduite à ton égard et j'en ai bien conscience. J'étais fâchée contre toi parce que tu ne te décidais pas à fixer la date de notre mariage, et comme une idiote j'ai choisi le premier venu pour te remplacer.

— Tu as très bien choisi, répondit-il en observant Célia du coin de l'œil.

Il était furieux de la voir danser avec Jonathan Beezely. Ce mondain suffisant convenait davantage à Mélanie.

— En apparence seulement. Mais Jonathan n'est pas comme toi, Kane. J'aimerais que nous recommencions comme avant, ajouta-t-elle en le regardant dans les yeux.

Il n'était pas possible d'être plus explicite. Mais Kane n'avait que faire de sa proposition.

Mélanie fronça les sourcils. L'indifférence de Kane l'exaspérait. Depuis un petit moment, elle avait remarqué vers qui il portait ses regards. Elle décida de lui ouvrir les yeux :

— Tu perds ton temps si tu as décidé de me rendre jalouse en faisant la cour à Célia O'Roarke. Edward a jeté son dévolu sur elle et d'après ce que je sais, ils sont aussi proches l'un de l'autre qu'on peut l'être. Du reste, bien qu'Edward ne tarisse pas d'éloges sur les qualités professionnelles de Célia, tout le monde sait très bien pourquoi il l'a engagée.

Kane ne broncha pas mais il bouillait de rage. Si Célia s'était jetée dans les bras d'un autre homme, il l'écorcherait vive. Elle l'avait trahi. C'est lui qui l'avait initiée à l'amour et elle lui appartenait ! D'accord, ils s'étaient souvent affrontés, mais n'avaient-ils pas connu ensemble des moments d'intense bonheur ? Comment osait-elle, après cela, se laisser courtiser par ce dindon prétentieux ? Depuis leur séparation, Kane n'avait touché aucune femme. S'il fallait donner une preuve de son amour, c'était bien celle-ci...

— Mélanie, mettons tout de suite les choses au point. Je n'ai nulle envie de me compter parmi tes nombreuses conquêtes. Je ne fais plus partie de ta vie, c'est toi-même qui en as décidé ainsi le jour où tu es partie pour Saint Louis. A présent, tu ferais mieux de rejoindre ton mari, qui m'a l'air tout aussi captivé par Célia qu'Edward. Si tu veux mon avis, vous vous faites mutuellement du tort, Jonathan et toi.

Sur ces mots, Kane sortit sur la terrasse et se fondit dans l'obscurité.

Mélanie jeta un regard noir vers la jeune femme aux cheveux auburn qui avait attiré l'attention de Jonathan. Elle savait pertinemment que son mari ne dédaignait pas de prendre quelques libertés dans les bras des autres femmes. Mais elle n'était pas davantage fidèle et elle avait bien l'intention de faire plier Kane Callahan. Juste pour lui prouver qu'elle pouvait encore le séduire. Il l'avait éconduite en beauté, mais il ne perdait rien pour attendre. Kane méritait une bonne leçon et Mélanie allait lui faire passer l'envie de courtiser Célia O'Roarke.

Célia s'était mentalement préparée à ce moment

où Edward la raccompagnerait jusqu'à la porte de son cottage. Il lui avait avoué ses intentions, avant la soirée, et elle avait décidé que les baisers d'Edward l'aideraient à oublier un certain démon aux cheveux de jais...

Mais à peine se fut-il emparé de ses lèvres que Célia ne put s'empêcher de faire une comparaison. Sur ce point, comme sur tous les autres, Edward ne pourrait jamais rivaliser avec Kane Callahan. Pas plus qu'il n'arriverait à prendre dans son cœur la place qu'occupait ce gredin. Il y avait baiser et baiser, constata-t-elle amèrement, et celui-là n'avait rien à voir avec les étreintes enfiévrées de Kane.

— Je vous désire, murmura Edward en l'attirant contre lui. Je veux...

Célia pressa ses mains contre sa poitrine pour l'éloigner.

— Edward, je n'ai pas l'habitude...

— Je sais, la coupa-t-il. Mais je vais vous apprendre...

— Vous ne m'avez pas laissée finir. Je ne...

Edward ne souhaitait pas en entendre davantage. Il fit taire Célia en l'embrassant de nouveau. Quand il libéra enfin ses lèvres, elle laissa éclater sa fureur :

— Ça suffit ! J'ai quelque chose à vous dire et je voudrais que vous m'écoutiez.

— J'en ai assez, femme ! Combien de temps comptez-vous encore me faire attendre ? Qu'espérez-vous ? Une demande en mariage ?

— Tout ce que je désire, pour l'instant, c'est aller me coucher. La soirée a été fatigante.

— Mais je suis d'accord pour que vous alliez vous coucher... avec moi, précisa Edward en essayant de lui voler un autre baiser.

Célia n'eut d'autre ressource que de le repousser violemment, ce qui ne fit qu'aggraver sa frustration.

— N'oubliez pas que c'est moi qui vous ai fait entrer dans la compagnie, lui rappela-t-il d'un ton menaçant. Je pourrais vous licencier aussi facilement que je vous ai engagée.

Célia faillit s'étrangler d'indignation.

— Êtes-vous en train de suggérer que je perdrais mon emploi si je me refusais à vous ?

— Moi, je n'ai rien dit. C'est vous. J'ose croire que vous n'êtes pas assez naïve pour penser que je vous ai embauchée uniquement pour vos compétences intellectuelles. Avant tout je suis un homme, et vous me plaisez beaucoup.

— Bonne nuit, Edward. J'espère que vous aurez repris votre sang-froid d'ici notre prochaine rencontre. Mais si je dois coucher avec vous pour garder mon poste, je préfère démissionner.

— Célia, attendez un instant...

Il n'eut pas le temps de terminer sa phrase. Célia lui claqua si violemment la porte au nez qu'il faillit tomber à la renverse. Il eut beau frapper, elle refusa d'ouvrir.

— Allez-vous-en ! lui cria-t-elle finalement, excédée.

Et c'est ce que fit Edward. De toute évidence, il

avait manqué son coup et il ne lui restait pas d'autre solution...

— Bravo, vous vous en êtes merveilleusement sortie ! la félicita Kane en quittant l'ombre du vestibule pour s'approcher d'elle.

Célia sursauta.

— Dieu du ciel ! Encore vous ! Comment êtes-vous entré ici ?

— Je suis un détective, ne l'oubliez pas. Pénétrer dans n'importe quelle maison est pour moi un jeu d'enfant.

Kane avait été grandement soulagé en entendant la conversation qui venait d'avoir lieu devant la porte de Célia. Les remarques d'Edward avaient dissipé ses craintes : Mélanie lui avait donc menti.

En le voyant s'avancer, Célia se dépêcha d'entrer dans le salon et d'allumer du feu dans la cheminée. Ce n'était pas le noir qui lui faisait peur, mais plutôt les tentations que l'obscurité encourageait à chaque fois qu'elle se trouvait seule avec Kane. Elle se réfugia derrière le sofa et le défia du regard.

Elle n'avait pas l'intention de céder au désir qu'elle ressentait pour cet homme. Une fois de plus, il était venu lui mentir et il n'était pas question de croire une seconde à son petit jeu machiavélique.

— Votre mission a pleinement réussi, l'informa-t-elle d'un ton acerbe. Vous direz à mon père que je vais revenir vivre avec lui. Vous n'aurez plus besoin de recourir à aucun stratagème pour m'y obliger. Je rentre à la maison, et vous pouvez déjà songer à votre prochain contrat, monsieur le détective. Vous avez gagné, je reconnais ma défaite.

Kane haussa les sourcils sans pour autant s'arrêter d'avancer vers elle.

— Que s'est-il passé ? Vous pensez que votre père pourra vous protéger des avances de votre soupirant ?

— Non. Cela, je peux m'en charger moi-même...

Kane était si proche à présent, qu'elle dut se reculer dans un coin de la pièce. Mais elle ne pouvait plus lui échapper et en deux enjambées il l'attira contre lui.

— J'ai déjà eu mon compte de baisers pour ce soir, si c'est votre intention. Et je vous ai dit que vous aviez réussi votre mission. J'imagine que papa vous paiera généreusement pour ce succès, ajouta-t-elle en désignant la porte. Bonne nuit, Kane, et adieu. Je suis sûre que Mélanie vous attend avec impatience. Vous avez tellement de temps à rattraper tous les deux...

Kane la serra contre lui pour l'empêcher de s'échapper. Bon sang, il s'était bien douté qu'elle ne l'accueillerait pas à bras ouverts, mais il avait au moins espéré qu'elle lui prêterait une oreille attentive. Au lieu de cela, ils allaient encore se battre comme des chiffonniers !

— Premièrement, je n'ai pas réclamé un dollar à votre père après l'échec de Denver, lui annonça-t-il de but en blanc.

— Pas un dollar ? répéta Célia qui s'efforçait de combattre l'attraction irrésistible que son corps éprouvait pour ce géant.

Mais s'il ne s'éloignait pas rapidement d'elle, elle ne répondrait plus de rien...

— Pas un dollar, confirma-t-il. Je ne cours pas après l'argent. Mon père avait fondé une compagnie de transport fluvial très florissante. Je suis riche, pour votre information. Et je ne suis devenu détective que par goût de l'aventure. Deuxièmement, j'ai enquêté sur la compagnie d'Edward Talbert pour m'assurer qu'elle était fiable. Patrick et moi ne voulons y investir notre argent qu'à cette seule condition.

— Vraiment ? questionna Célia qui avait du mal à le croire.

— Vraiment. Et troisièmement, je n'ai pas demandé d'argent à votre père pour enquêter sur Edward. Du reste, il m'a l'air tout à fait honnête, même si sa conduite avec vous est un peu trop envahissante à mon goût.

— Tout cela est très intéressant. Mais si vous en avez terminé, j'aimerais aller me coucher à présent. Demain, je dois préparer mon déménagement. Et n'oublions pas Mélanie, qui doit être impatiente de vous revoir.

— Oubliez Mélanie. En ce qui me concerne, c'est fait depuis longtemps.

— Pas d'après Noah.

— Et vous avez cru mon frère ! Mais ce chenapan n'y connaît rien. Votre père l'a chargé de retrouver la trace d'Owen Graves mais je ne suis pas certain qu'il y arrivera sans mon aide. Noah a encore tout à apprendre du métier de détective. Pour l'instant il fourre son nez là où il ne devrait pas — par exemple dans ma vie privée.

— Pourquoi me racontez-vous tout cela ? interrogea Célia qui se sentait devenir nerveuse. Tout ce que je vous demande, c'est de me laisser tranquille.

— Je vous raconte cela pour vous expliquer qu'il n'y a pas de Mélanie qui compte, murmura Kane en s'approchant de ses lèvres.

— Pas de Mélanie ? Elle m'a pourtant paru très réelle, tout à l'heure. Et de toute évidence, bien disposée à votre égard.

— Mais pourquoi serais-je ici ce soir si je désirais Mélanie ?

— Simplement parce qu'elle n'a pas encore eu le temps de fausser compagnie à son mari. Ils sont arrivés à la soirée ensemble et ils en sont partis ensemble. Mais j'imagine que d'ici la fin de la nuit, elle aura trouvé un stratagème pour vous rejoindre. En attendant, vous êtes venu tuer le temps avec moi.

Kane ne put s'empêcher d'éclater de rire. L'imagination de Célia était littéralement stupéfiante. Elle échafaudait une succession d'hypothèses toutes plus farfelues les unes que les autres mais qui s'enchaînaient avec une logique implacable.

— Je trouve vos déductions très amusantes, dit-il en passant une main dans ses boucles soyeuses.

Célia retira sa main d'un geste vif, comme si elle avait voulu chasser un moustique.

— Je veux que vous partiez. *Tout de suite...*

— Et moi je veux que vous m'aimiez pour toujours, répliqua Kane en la serrant contre lui.

— L'amour est la dernière chose que vous attendez d'une femme, rétorqua-t-elle en essayant vainement de lui échapper.

Son corps menaçait à nouveau de la trahir...

— Je vous aime, bon sang ! gronda Kane, frustré. Que faut-il donc faire pour vous en convaincre ?

— Mettez-vous une corde au cou et jetez-vous dans la rivière, cela devrait suffire.

Kane finit par admettre sa défaite. Il connaissait trop l'obstination de Célia pour espérer la faire changer d'avis ce soir. Et s'il essayait de la forcer, comme Edward tout à l'heure, il ne ferait que la braquer davantage. L'idée de quitter la jeune femme alors qu'il la désirait si fort lui répugnait, mais il n'y avait hélas aucune autre solution. Il faudrait que Célia vînt à lui de son plein gré. C'était leur dernière chance, désormais.

— Très bien, je te laisse suivre ton chemin, petite friponne. Comme tu l'as toujours fait, d'ailleurs. Mais je veux au moins avoir le dernier mot : Mélanie m'a invité à la rejoindre cette nuit, c'est exact. Il semble que les liens du mariage soient très flexibles chez les Beezely. Mais à l'instant même où je l'ai revue, je me suis demandé ce que j'avais bien pu lui trouver autrefois.

— Elle est belle, élégante et raffinée, fit remarquer Célia.

— C'est vrai, mais je ne l'ai jamais aimée. En fait, j'ignorais ce qu'était l'amour avant de te rencontrer. Et ce que mon imbécile de frère a pris pour une vengeance n'était que ma propre maladresse à débrouiller le fil de mes sentiments.

Kane se passa une main dans les cheveux et soupira avant de se mettre à faire les cent pas dans le petit salon.

— Tu es persuadée que je t'ai fait connaître l'enfer, mais la réciproque est aussi vraie. J'ai été contraint de jouer un rôle que je détestais. Pour t'inciter à quitter Denver, je devais t'effrayer et te donner la plus mauvaise image de moi. Je devais endurer ta haine et ton mépris alors que je n'attendais que ton amour. Mets-toi à ma place : je ne pouvais t'avouer la vérité sans trahir la confiance de mon client, qui n'était autre que ton propre père.

Kane s'immobilisa brutalement et pointa un doigt accusateur sur Célia.

— Si tu n'étais pas aussi entêtée, tu n'aurais pas contraint ton père à venir réclamer mon aide et je n'aurais pas été obligé d'agir comme je l'ai fait. Mais le seul crime que j'ai commis a été de t'aimer. Et crois-moi, je l'ai payé cher. Quoi que je puisse dire à présent, tu refuses toujours de me croire. Je commence à me demander si finalement l'amour est une chose aussi merveilleuse qu'on le prétend. Mon père m'avait pourtant mis en garde. Ma mère l'a quitté pour aller vivre avec un autre homme, l'abandonnant avec deux jeunes garçons sur les bras. Et plus tard, alors que je pensais sincèrement m'installer dans la vie en épousant Mélanie, elle a préféré convoler avec Jonathan Beezely.

Kane se demandait pourquoi il lui racontait tout cela. Célia le regardait aller et venir devant elle comme si... En fait, il n'arrivait même pas à savoir ce qu'elle pensait.

— Et puis un jour, j'ai rencontré une sorcière aux yeux verts qui était si incroyablement têtue que personne ne pouvait lui faire entendre raison, reprit-il. Elle risquait sa vie à Denver, mais refusait fermement d'en partir. J'ai fait tout mon possible pour assurer sa sécurité, mais je n'ai reçu en retour que défiance et mépris. Si c'est la récompense normale quand on aime une femme, alors je préfère rentrer chez moi et vivre en ermite pour le restant de mes jours.

Célia commençait à comprendre ce qu'avait vécu Kane. L'abandon de sa mère l'avait profondément marqué. Et la trahison de Mélanie n'avait fait que renforcer son opinion sur l'inconstance des femmes. A cause de Michael Dupris, elle-même avait été si échaudée par les hommes qu'elle avait éconduit le seul qui eût réellement compté. Kane et elle étaient partis du mauvais pied, et leur relation n'avait fait que se détériorer. Et cependant, rien n'était plus pareil depuis qu'ils étaient séparés. Elle se sentait vidée de sa substance, comme amputée d'une partie d'elle-même...

Kane soupira. Il avait espéré que Célia dirait quelque chose... n'importe quoi ! Mais elle qui avait d'habitude la parole si facile se contentait de le regarder de ses beaux yeux verts.

— Demain matin, j'irai prévenir Patrick que tu reviens vivre chez lui. Il en sera ravi, marmonna-t-il en se dirigeant vers la porte.

Il se retourna sur le seuil et adressa un dernier regard à la jeune femme qui se tenait toujours raide comme une statue.

— Je pars, Célia. Tu ne me reverras plus jamais, puisque c'est ce que tu souhaites. Tu m'as si souvent demandé de te laisser seule...

La porte se referma sur ces mots.

Seule... cette dernière syllabe résonna sinistrement entre les murs du salon, avant de se fondre dans le silence.

Célia reprit lentement sa respiration. Elle n'avait pas du tout été préparée à entendre la confession de Kane. Elle avait été si troublée qu'elle était restée plantée là, à l'écouter sans réagir. Mais elle ne pouvait le laisser rentrer chez lui comme ça !

Après sa mésaventure avec Michael, elle s'était juré de ne plus jamais avouer son amour à aucun homme. C'est pourquoi elle avait tant de mal, à présent, à exprimer ses sentiments. Mais si elle ne rattrapait pas Kane, cette fois il partirait pour toujours.

Paniquée par cette perspective, la jeune femme se décida enfin à réagir. Mais le temps de se précipiter dehors, il était déjà loin dans son buggy. Impossible de le rattraper à pied ! Étouffant un juron, Célia parcourut des yeux la petite rue où elle habitait. Soudain, elle aperçut un cheval attaché devant une taverne. Elle courut le détacher et monta prestement en selle.

« Quelle ironie ! » songea-t-elle en se lançant sur les traces du buggy. Depuis qu'elle connaissait Kane, elle avait passé son temps à le fuir. Et voilà qu'à présent elle courait après lui, par crainte de le perdre définitivement !

C'est d'ailleurs ce qui risquait d'arriver si elle ne parvenait pas à rattraper ce maudit buggy ! Elle ignorait où logeait Kane et si elle se laissait distancer par la voiture, elle ne pourrait le retrouver.

Quand elle vit enfin le véhicule s'immobiliser devant un des meilleurs hôtels de la ville, elle soupira de soulagement. Au moins, elle savait déjà où il dormait, même s'il lui restait encore à localiser sa chambre.

Célia réfléchit à toute vitesse sur ce qu'elle dirait à Kane. Elle voulait tout lui raconter de sa mésaventure avec Michael Dupris afin qu'il comprît pourquoi elle s'était montrée méfiante et cynique. Elle avait été trop humiliée par cette lamentable histoire pour oser la raconter à quiconque, mais à présent il devait connaître la vérité.

Arrêtant sa monture, la jeune femme sauta à terre et entra dans l'hôtel. Sans la moindre hésitation elle demanda au concierge le numéro de la chambre de M. Callahan, puis rassembla ses jupes pour monter les marches deux par deux.

Ce serait la minute de vérité, songeait Célia en se dirigeant vers la chambre indiquée par le concierge. Elle s'était enfin décidée à croire à la sincérité de Kane. Fasse le ciel qu'il ne lui eût pas menti ! Elle ne se sentait pas la force de supporter une seconde trahison.

Terriblement déprimé, Kane tâtonna longtemps avant de réussir à allumer la lampe de sa chambre. Quand une flamme claire dissipa enfin l'obscurité, il sursauta en découvrant l'invitée surprise qui s'était glissée dans son lit.

— Mélanie...

— Kane ! s'exclama la jeune femme en lui tendant les bras.

A cet instant précis, la porte s'ouvrit sur une visiteuse inattendue. Kane se retourna et pâlit subitement en réalisant à quel point cette situation équivoque pouvait facilement nourrir une imagination débridée comme celle de Célia. Elle arrivait vraiment au mauvais moment ! Comment lui expliquer, à présent, qu'il n'y était pour rien ?

En découvrant Mélanie couchée dans le lit de Kane, Célia crut recevoir un coup de poing à l'estomac. Elle croisa un instant le regard de la jeune femme blonde avant de reporter toute son attention sur Kane, qui paraissait livide.

L'instant était crucial, mais Kane se sentait incapable de trouver quoi que ce fût à dire. Sa cause semblait irrémédiablement perdue.

— Bon sang ! grogna-t-il enfin, baissant les bras d'impuissance.

Cette fois, il n'y avait plus aucun doute : il avait perdu Célia pour de bon.

25

Kane pouvait lire dans les yeux de Célia sa condamnation aux enfers. Le fait qu'elle l'eût suivi jusqu'à son hôtel prouvait qu'elle avait fini par lui accorder une nouvelle chance. Mais à présent il se doutait de ce qu'elle devait ressentir, et il en avait le cœur serré.

Mélanie sourit de satisfaction en voyant Célia blêmir sur le pas de la porte. Cette petite idiote était tombée sous le charme de Kane et elle était venue s'offrir à lui. Mais elle ne l'aurait pas ! Mélanie avait bien l'intention de finir la nuit dans ses bras.

Après le bal, elle était rentrée avec Jonathan chez eux, mais dès que son mari s'était endormi, elle s'était échappée pour rejoindre Kane. Elle avait tout comploté pendant la soirée, et n'avait eu aucun mal à trouver l'adresse de son hôtel.

En revanche, elle n'avait pas du tout prévu la visite de Célia, mais finalement elle se réjouissait de l'incident. Au moins, cette idiote se tiendrait loin de Kane, à l'avenir !

Humiliée au-delà du possible, Célia pivota sur ses

talons pour quitter la chambre. Kane Callahan méritait bien l'enfer ! Dire qu'elle avait été assez naïve pour croire à son amour ! Elle avait couru après lui afin de lui avouer le sien... et l'avait surpris en flagrant délit de mensonge, comme trois ans plus tôt elle avait surpris Michael avec sa maîtresse. Kane s'était simplement amusé à la tourmenter avant de rejoindre Mélanie. Maudit soit-il !

Avant que Célia ne franchît la porte, Kane la rattrapa par le bras et l'obligea à faire marche arrière.

— J'ignorais que Mélanie était ici !

— Tiens donc ! répliqua Célia avec dédain.

— Dis-le-lui, Mélanie ! ordonna-t-il sans quitter Célia des yeux.

Mélanie serra le drap contre elle et soupira théâtralement.

— Mais, mon chéri, je ne comprends pas pourquoi je devrais mentir, minauda-t-elle. Célia peut bien savoir ce qu'il y a entre nous. Ce qu'il y a toujours eu, d'ailleurs...

Kane n'avait encore jamais frappé une femme, mais cette fois l'envie le démangeait. Mélanie faisait exprès d'humilier Célia pour sauver sa propre vanité. Eh bien, il ne la laisserait pas faire !

— Elle ment, grogna-t-il.

— Il me semble que le mensonge règne en maître, ici, accusa Célia en lui décochant un regard incendiaire.

De toute évidence, c'était lui qu'elle prenait pour un menteur.

— Bon sang, Célia, je t'aime et je ne veux plus m'en cacher. Mélanie n'a rien à faire ici. Sa place est dans le lit de son mari. Ou de n'importe quel autre homme à sa convenance. Mais pas dans le mien !

Mélanie sursauta d'indignation. Elle était plus déterminée que jamais à ruiner les sentiments que Kane nourrissait pour cette jeune écervelée.

— Ne vous laissez pas influencer par lui, il vous brisera le cœur, lança-t-elle à Célia. Moi je l'ai attendu pendant plus d'un an. Il est incapable de tenir en place et on ne sait jamais où il se trouve ni quand il reviendra. Si vous aviez un peu de bon sens, vous...

— Habille-toi, Mélanie, coupa Kane brutalement. Tout est fini entre nous depuis longtemps. Retourne voir ton mari. Je ne veux pas de toi ici.

Furieuse et humiliée, la jeune femme s'enroula dans le drap et courut s'abriter derrière le paravent. Moins d'une minute plus tard elle s'était rhabillée et s'apprêtait à quitter la chambre.

— Vous seriez folle de rester, Célia O'Roarke, déclara-t-elle en essayant de garder la tête haute malgré les circonstances. Si vous espérez mieux qu'une simple nuit d'amour, ce n'est pas avec *lui* que vous trouverez votre bonheur. Vous n'arriverez jamais à lui faire prendre racine quelque part, même si vous le plantiez en terre et que vous l'arrosiez deux fois par semaine. Kane ne s'attachera jamais à personne. D'autre part, si vous restez, j'ai bien peur que la nouvelle ne fasse le tour de la ville.

Vous devrez affronter les ragots... et le mépris d'Edward. En vérité, je ne serais pas étonnée que ce charmant tête-à-tête vous coûte votre poste.

Et sur cette menace, Mélanie s'empressa de disparaître.

Célia jeta un coup d'œil au lit maintenant déserté avant de reporter son attention sur Kane. Le fait qu'il eût éconduit Mélanie sans lui donner la moindre chance de sauver sa fierté l'avait bouleversée. Cette soirée était décidément riche en émotions contradictoires !

— Les gens peuvent changer, murmura-t-il en s'approchant d'elle. Je n'aurais pas pu changer pour Mélanie parce qu'elle n'avait pas les qualités pour me retenir. Mais pour toi... pour toi je serais prêt à tant de concessions, soupira-t-il. J'ai besoin de toi, Célia.

Kane savait qu'il la poussait dans ses derniers retranchements. Malgré le déplorable incident causé par Mélanie, il voulait arracher sa décision ce soir même. Bon sang, il n'en pouvait plus d'attendre !

Délicatement, il tendit la main pour caresser son visage.

— Il est temps de savoir ce que tu veux faire, Célia — rester ou partir. Je t'ai dit ce que je ressentais pour toi, maintenant c'est à *toi* d'écrire la suite.

Célia leva les yeux vers lui et prit sa décision. Le temps était venu d'oublier définitivement ce qu'elle avait vécu avec Michael Dupris. Cet épisode pénible ne devait plus l'empêcher d'aimer le seul homme

qui comptait pour elle. Ensemble, ils allaient prendre un nouveau départ...

— Eh bien ? insista Kane qui bouillait d'impatience.

— Je vais faire ce que j'aurais dû faire il y a longtemps, annonça-t-elle d'un air résolu.

— C'est bien ce que je redoutais, marmonna-t-il d'une voix abattue.

Kane n'avait rien compris. Il croyait que Célia allait partir pour ne jamais revenir. Amer, il tira le revolver de sa ceinture et le tendit à la jeune femme.

— Prends-le et abrège mes souffrances. Comme cela, nous serons deux à être heureux.

— Merci, je ne vais pas m'en priver, répondit-elle en pointant l'arme sur sa poitrine. Et maintenant, déshabillez-vous, monsieur le détective. Enlevez tout...

Comme Kane la regardait avec des yeux éberlués, elle enfonça le canon du colt entre ses côtes.

— Je sais me servir de cette arme, au cas où vous en douteriez. Faites ce que je vous ai dit. Et vite !

— Je suppose que tu plaideras la légitime défense quand la police viendra enquêter sur mon assassinat. Comme je serai tout nu, tu pourras prétendre que j'ai cherché à abuser de toi. Connaissant ton imagination, je suis sûr que tu n'auras aucun mal à échafauder un scénario crédible.

Célia l'aida à enlever sa veste qu'elle jeta au loin.

— A présent, la chemise.

— J'aurais dû me douter que tu voudrais prendre ta revanche, grommela Kane.

Il était persuadé que Célia souhaitait l'humilier comme elle l'avait été pendant son enlèvement.

— Les chaussures et le pantalon, vite ! ordonna-t-elle.

Quand Kane fut entièrement nu, Célia désigna le lit :

— Allez vous allonger.

— Non, je préfère mourir debout, si tu n'y vois pas d'inconvénient.

— J'en vois un, au contraire. Et pour que tout soit complet, je vais m'occuper des liens.

Pointant toujours l'arme sur Kane, Célia s'approcha des tentures et en arracha les cordons de passementerie avant de les lui lancer :

— Attachez-vous avec ça aux montants du lit. Vous savez comment vous y prendre, si j'ai bonne mémoire.

— Célia, je crois que ce petit jeu a assez duré...

— Obéissez ! cria-t-elle.

Kane obéit. Il savait parfaitement qu'il était impossible de discuter face à un revolver chargé, surtout lorsqu'il était brandi par une femme aussi impulsive que Célia O'Roarke.

Quand il fut allongé sur le lit, ligoté comme Célia l'avait été dans les montagnes, la jeune femme posa le colt sur un guéridon.

Kane faillit s'étrangler en la voyant alors enlever sa robe avec des gestes lascifs qui éveillèrent instantanément son désir.

Ainsi, elle avait prémédité de lui faire subir la pire des tortures avant de l'expédier dans l'autre monde ! Elle voulait le faire souffrir dans sa chair et dans son âme. Et assurément, il connaissait déjà l'enfer en la voyant se dénuder sous ses yeux, tout en sachant qu'il lui était impossible de la toucher.

— Et maintenant, monsieur le détective, à nous deux ! ronronna-t-elle en posant une main sur la fine toison qui recouvrait sa poitrine.

Elle se pencha et laissa courir ses lèvres sur le torse musclé tandis que ses mains s'aventuraient plus bas, pour se livrer à toutes les divines tortures qu'il lui avait enseignées. Kane laissa échapper un gémissement de frustration.

Célia appréciait beaucoup la situation. Pour la première fois, Kane était entièrement à sa merci et elle en profitait pour savourer chaque centimètre de ce corps parfait livré à ses caresses.

— Dites-le-moi, ordonna-t-elle soudain en posant une pluie de baisers sur son ventre.

Il comprit ce qu'elle demandait et secoua négativement la tête.

— Non. Je refuse de mourir en avouant mon amour.

— Alors c'est moi qui vais le dire, annonça Célia en le regardant dans les yeux. Je vous aime, Kane Callahan. Même si Mélanie ou n'importe quelle autre femme tentait de vous enlever à moi, cela ne changerait rien à mes sentiments.

Elle remonta une main sur ses cuisses. Kane tressaillit et faillit s'étrangler.

— C'est l'entière vérité, reprit-elle. J'ai passé deux mois à essayer de vous oublier, mais je n'y suis pas arrivée. Edward Talbert ne compte pour rien, à mes yeux. Je ne pourrais pas supporter qu'il me touche. C'est vous que je désire.

Kane voyait briller dans ses prunelles émeraude la même lueur que le soir où ils s'étaient amusés à s'asperger d'eau dans la cabane. Il n'avait pas compris, alors, ce qu'elle ressentait, mais tout devenait clair à présent. Elle l'aimait. Elle l'aimait vraiment !

— Lâche-moi, Célia, implora-t-il d'une voix caressante.

Elle secoua la tête.

— Oh non, je ne vous lâcherai plus jamais ! rétorqua-t-elle avec un sourire espiègle. Et maintenant, dois-je employer les grands moyens pour obtenir votre confession, ou la ferez-vous de votre plein gré ?

— Employez les grands moyens, suggéra Kane en lui retournant son sourire.

— J'espérais cette réponse.

Célia reprit son exquise torture là où elle s'était arrêtée. Bon sang, ce qu'elle lui faisait subir ! Et ce qu'il aurait aimé lui faire subir en retour ! Mais il était toujours ligoté et cette impuissance commençait à le rendre fou.

— Célia... S'il te plaît...

— S'il te plaît, quoi ? murmura-t-elle contre ses lèvres.

— Détache-moi.

— Pour quoi faire ?

— Tu m'as montré ton amour, à présent je voudrais te montrer le mien.

— Je n'en ai pas encore fini avec vous, répliqua-t-elle avant de reprendre ses caresses ensorcelantes.

Avec une audace incroyable, elle portait son désir jusqu'à l'insoutenable sans jamais lui donner entière satisfaction. Kane pensa mourir mille fois de frustration.

— Viens ! l'implora-t-il encore.

Cette fois, Célia lui obéit, car elle-même ne pouvait plus supporter davantage cette attente.

Sans détacher Kane, elle se positionna afin que leurs corps impatients puissent enfin se fondre en un seul.

Et la magie recommença, comme dans les montagnes. Ils se laissèrent porter par des vagues de plaisir de plus en plus intenses, jusqu'à ce que la jouissance les laissât pantelants sur les rivages de la plénitude...

Ils restèrent enlacés pendant de longues minutes à savourer ce bonheur. Puis Kane plongea son regard dans les prunelles émeraude.

— J'aimerais que tu m'expliques pourquoi tu as voulu toute cette mise en scène.

— Eh bien... commença Célia avec un sourire mutin. Même si je ne suis pas la seule femme que tu...

Kane posa un baiser sur ses lèvres.

— Je les ai toutes oubliées. Je ne veux plus me rappeler que toi.

— En tout cas, c'était la première fois qu'une femme t'attachait et...

— ... et me rendait fou ? compléta Kane d'une voix

rauque. Mmmm, c'est certain... mais il n'était pas nécessaire d'aller jusque-là. Depuis le jour où je t'ai rencontrée, tu as hanté mon esprit. Avant de te connaître, j'ignorais ce qu'était le bonheur.

— C'est vrai ? demanda Célia en se lovant contre lui. Et si Mélanie revenait dans ton lit ?

— Je lui dirais d'aller voir ailleurs, répondit-il sans hésitation. Je n'ai besoin que de toi.

— Mais que se passera-t-il si un jour une jolie femme attire ton attention lors d'une mission ?

— Qui a dit que je repartirais courir le monde pour te laisser seule aux mains de tous les Edward Talbert et Jonathan Beezely de la terre ?

— Tu ne partiras plus ? s'étonna Célia.

— Non. Finies les enquêtes. Je renonce à mon métier de détective. Et toi, tu ne travailleras plus pour Edward. Je n'aime pas les gens qui convoitent ce qui m'appartient.

Célia médita la décision de Kane. Il voulait abandonner son travail pour elle ? Et elle devrait quitter le sien ? C'était absurde !

— Mais que ferons-nous de nos journées ?

Kane eut un sourire diabolique.

— Devine, petite sorcière... murmura-t-il d'une voix rauque. Et maintenant, mon amour, il est temps que je te fasse découvrir tout ce que tu ne connais pas encore.

Célia esquiva son baiser.

— Je ne veux pas que tu m'aimes comme les autres femmes que tu as connues avant moi.

Kane fut ému de sa réaction. Il prit délicatement

son visage entre ses mains et posa un tendre baiser sur ses lèvres.

— Célia, il y a des choses qu'un homme ne peut pas changer, comme ce qu'il a vécu dans son passé, seul ou avec d'autres gens. Avant de te connaître et de t'aimer, je ne m'étais jamais attaché à rien, ni à personne. Je sais à quel point je t'ai maltraitée dans le Colorado, mais j'étais moi-même bien à plaindre. J'ai détesté cette mission dès l'instant où j'ai senti que je commençais à t'aimer. La première fois que nous avons fait l'amour, je t'ai demandé de m'épouser et ce soir-là je n'ai jamais été aussi sérieux de ma vie. Mais tu as refusé de me croire.

— J'avoue qu'il m'arrive parfois de me montrer têtue, reconnut Célia. C'est mon principal défaut.

Elle était bouleversée par la confession de Kane. Croisant son regard, elle lut dans ses yeux bleus qu'il cherchait désespérément à comprendre pourquoi elle s'était montrée, dès le début, si méfiante à son égard. Le temps était venu de tout lui raconter.

— Je refusais de te croire parce que j'avais *peur* de te croire, commença-t-elle. Il y a trois ans de cela, je suis tombée amoureuse pour la première fois de ma vie. A l'époque, j'étais jeune et encore très innocente. Je me suis laissé berner par les belles paroles d'un aventurier coureur de dot. Jusqu'au soir où...

La voix de Célia mourut dans sa gorge et Kane comprit alors que ses suppositions avaient été exactes : Célia avait été trahie par un homme.

— ... je l'ai trouvé dans les bras d'une autre

femme, termina-t-elle d'une voix triste. Un peu plus tard, j'ai appris que Michael ne s'était intéressé à moi que pour ma fortune. Sa maîtresse agissait de même avec des hommes riches.

— Michael comment ? demanda Kane.

— Ça n'a plus d'importance, aujourd'hui. Je t'ai raconté cette histoire uniquement pour que tu comprennes pourquoi je me méfiais autant de toi.

— Michael comment ? insista-t-il.

— Michael Dupris.

— Michael Dupris... de Philadelphie ? dit Kane en éclatant de rire.

— Tu le connais ?

— Oh... certainement. Pendant la guerre, il a cherché à se faire de l'argent en vendant des renseignements aux Sudistes. J'ai été obligé de m'occuper de lui... A l'heure actuelle, Michael et sa complice dorment dans une prison de Pennsylvanie. Et ils y resteront encore longtemps !

Célia se réjouit d'apprendre que l'homme qui l'avait tant fait souffrir, elle et d'autres jeunes héritières, avait fini par recevoir le châtiment qu'il méritait. Du reste, s'il n'avait pas hésité à trahir son pays pour de l'argent, c'était bien la preuve que Michael ne possédait aucun scrupule...

— Célia ?

La voix chaleureuse de Kane la tira de ses pensées.

— Oui ? répondit-elle en levant les yeux vers lui.

— Je t'aime. Et je veux passer le restant de mes jours avec toi. Je t'ai demandé une fois de m'épouser, tu as refusé, mais je renouvelle ma demande aujourd'hui. Non parce que tu es riche. Ni à cause de cette magie qui renaît à chaque fois que nous faisons l'amour... encore que cela soit très important. Mais parce que, dès que je te regarde, j'ai le sentiment qu'une nouvelle vie s'ouvre devant moi.

Les ultimes réticences de Célia fondirent quand il posa un tendre baiser sur ses lèvres. Le passé n'aurait plus cours, désormais. Elle ne s'était jamais sentie si aimée, si désirée, si heureuse...

Elle noua les mains derrière son cou et lui rendit son baiser avec tout l'amour qu'elle avait à donner. Soudain, elle ne se souciait plus de savoir combien de femmes Kane avait connues avant elle. Seul comptait l'avenir qui les attendait.

— Je t'aime, murmura-t-elle du fond du cœur.

— Est-ce que cela veut dire oui ?

— Oui.

Il la serra très fort dans ses bras. Quand il la relâcha, elle le dévisagea avec un sourire provocant.

— Au sujet de cette magie dont tu parlais tout à l'heure...

Kane ne pouvait résister à son charme ensorcelant. La lueur qui dansait au fond de ses yeux émeraude électrisa tout son corps. Désirer Célia était devenu pour lui aussi naturel que respirer.

La jeune femme sentit le désir la submerger à l'instant où il la prit dans ses bras pour l'embrasser avec fougue. Le monde extérieur n'existait plus. Elle répondit à son baiser avec la même ardeur et bientôt leurs deux cœurs battirent à l'unisson comme s'ils s'étaient fondus en un seul...

Hélas, ce bonheur qui avait été si long et si difficile à conquérir était encore bien fragile. Kane et Célia s'étaient fait des ennemis, et s'ils avaient deviné le sort qui les attendait, ils ne se seraient pas endormis aussi sereinement cette nuit-là.

26

Kane fut réveillé par les premiers rayons du soleil. Il sourit de bonheur en contemplant la jeune femme qui dormait paisiblement à son côté. Sans la quitter des yeux, il se remémora la succession d'événements qui en moins de trois mois avaient changé sa vie.

A une époque — pas si lointaine — Kane aurait pu jurer qu'il ne connaissait pas de plus grand plaisir dans la vie que la chasse aux criminels. Mais sa rencontre avec Célia avait été plus palpitante que n'importe quelle aventure. Et aujourd'hui il ne voyait pas de plus beau défi que de garder auprès de lui cette délicieuse friponne qu'il avait eu tant de mal à conquérir...

Quand elle s'étira contre lui, il se redressa légèrement pour poser un baiser sur ses lèvres. Il se sentait apaisé, et pleinement heureux, après leur discussion de la veille. Bon sang, il aimait Célia plus que jamais !

— Vous semblez de bonne humeur, ce matin, constata la jeune femme qui venait d'ouvrir les yeux.

Elle se lova contre lui et ce contact éveilla aussitôt son désir. Quand Célia commença à le caresser, il dut s'armer de courage pour prendre ses mains entre les siennes et les garder prisonnières.

— Je serais encore de bien meilleure humeur si nous pouvions passer la journée à refaire ce que nous avons fait cette nuit. Mais c'est impossible. Nous n'avons pas le temps.

Célia fit la moue et libéra ses mains pour reprendre ses investigations audacieuses.

— Stop ! l'implora Kane. J'essaie d'être raisonnable.

— Je préfère quand tu ne l'es pas.

— Je dois voir ton père. Un télégramme m'attendait à la réception de l'hôtel hier soir. Noah a finalement réussi à capturer Owen Graves. D'autre part, je pense qu'il faut annoncer notre mariage au plus vite avant que ton amie Mélanie ne raconte à toute la ville qui elle a trouvé dans ma chambre cette nuit.

Célia sursauta d'indignation.

— *Mon* amie Mélanie ? Tu sembles oublier *qui* a trouvé *qui* dans cette chambre !

Avec un sourire coquin, Kane repoussa le drap pour admirer son corps superbe.

— Mais rappelle-toi *qui* est restée avec *qui*, et *qui* est partie d'ici toute dépitée. Maintenant dépêche-toi de t'habiller, petite friponne.

Célia soupira bruyamment mais se décida à lui obéir. Elle se vengerait plus tard de ce gredin !

— Tu es fâchée ? demanda Kane en la voyant s'habiller un peu trop rapidement.

— Furieuse ! Je ne suis pas près d'oublier que tu t'es refusé à moi ce matin. La prochaine fois, je t'attacherai définitivement sur le lit. Tu ne pourras plus jamais en partir !

Kane parut savourer cette perspective.

— Je saurai te rappeler cette menace, à l'occasion, plaisanta-t-il avant d'ajouter plus sérieusement : Je m'occuperai des papiers du mariage dès cet après-midi.

— Et moi j'irai m'approvisionner en cordages ! répliqua Célia avec un sourire mutin qui fit fondre Kane.

Patrick O'Roarke soupira de soulagement en voyant sa fille franchir la porte du salon, une valise à la main. Derrière elle, Kane Callahan portait d'autres bagages et semblait particulièrement détendu. Patrick crut deviner la raison de sa bonne humeur et en fut un peu ennuyé. Néanmoins, il bondit de son fauteuil pour prendre Célia dans ses bras.

— Mon Dieu, je suis si heureux de ton retour ! s'exclama-t-il en la couvrant de baisers. J'espère que cela signifie que tu m'as pardonné... Tu sais, je...

Célia ne pouvait rien répondre. Son père la serrait si fort qu'elle trouvait juste assez d'air pour respirer.

— Elle est revenue, mais elle ne va pas rester, répondit Kane à sa place. Votre fille a accepté de m'épouser aujourd'hui même.

— Mais elle vient juste d'arriver ! protesta Patrick. Et puis j'ai l'intention d'organiser un grand mariage. Célia est ma fille unique, je veux faire les choses correctement.

— Je crois qu'une cérémonie intime suffira. J'ai déjà attendu assez longtemps comme cela.

Ou je me trompe, ou tu n'as pas attendu du tout, gredin ! pesta intérieurement Patrick avant de répondre sur un ton sans réplique :

— Non.

Kane voulut s'opposer à son futur beau-père, mais il fut interrompu par le bruit de la sonnette.

Patrick se précipita pour aller ouvrir. Owen Graves se tenait devant la porte, encadré par un Noah triomphant et un Gédéon toujours aussi solennel qu'à son habitude. Owen portait des menottes aux poignets et son regard meurtrier témoignait de sa fureur d'avoir été capturé.

— J'ai pensé que vous voudriez interroger Owen sur ses malversations, annonça Noah en le poussant dans la pièce.

Un sourire de fierté éclaira son visage quand il découvrit la présence de son frère.

— J'ai suivi tes instructions à la lettre, déclara-t-il, visiblement satisfait de lui-même. Owen avait pris un nouvel emploi dans une gare du Nebraska. Je n'ai eu aucune difficulté à m'emparer de lui.

Kane sourit à son jeune frère. Grâce à ce succès, Noah semblait avoir acquis une assurance nouvelle.

— Tu t'es très bien débrouillé, petit frère, le félicita-t-il.

— Merci, grand frère. Mais je dois reconnaître que j'ai bénéficié des conseils d'un excellent professeur...

Tout à son triomphe, Noah commit l'erreur d'en oublier son captif. Owen profita de sa distraction pour lui échapper et se jeter sur Célia. Avant que la jeune femme ait pu réagir, Owen avait passé ses deux mains menottées autour de son cou et menaçait de l'étrangler. Kane étouffa un juron. Il ne pouvait rien tenter sans mettre Célia en péril.

— Tu as oublié le plus important, Noah, dit-il à son frère sans quitter Owen des yeux. Il ne faut jamais faire confiance à un prisonnier. *Jamais*, entends-tu ?

— Donnez à Célia les clés des menottes, ordonna Owen d'une voix impatiente.

Noah jeta un regard de défi à l'homme qui venait de le ridiculiser devant son frère.

— Tout de suite, ou je lui brise le cou ! aboya Owen.

Pour donner plus de poids à sa menace, il resserra l'étau de ses mains. La jeune femme avait de plus en plus de mal à respirer.

— Donne-lui les clés, commanda Kane.

— Mais...

— Fais-le !

Noah obéit. Moins de cinq secondes plus tard, Célia avait ouvert les menottes et Owen l'entraînait vers la porte. Kane bouillait intérieurement. Ce bandit avait déjà été capturé une fois et il semblait prêt à tout pour ne pas se faire reprendre. Kane pouvait lire sa froide détermination dans ses yeux cruels.

— Je veux tout l'argent qu'il y a dans cette maison, exigea Owen en se mettant dos au mur pour se protéger. Et un pistolet, ajouta-t-il après réflexion. Donnez-moi un pistolet.

— Donne-lui ton colt, Noah, proposa Kane.

Il ne voulait pas se séparer de son propre revolver, au cas où il trouverait une occasion de s'en servir.

— Mais...

— Donnez-le-moi ! vociféra Owen en cravatant Célia pour montrer qu'il ne plaisantait pas.

A contrecœur, Noah s'approcha du bandit pour lui tendre son arme. Mais sa fierté se rebellait de devoir ainsi obéir aux ordres de ce pourceau. D'un bond, il essaya de se jeter sur Owen, mais ce dernier esquiva l'attaque et réussit à s'emparer du colt dont il se servit pour assommer Noah. Le jeune homme tomba sur les genoux avant de s'affaler aux pieds de Célia.

Celle-ci voulut tirer parti de la distraction d'Owen. Elle lui envoya un coup de coude dans le ventre pour tenter de lui échapper. Sans succès. Le bandit la serra plus fort contre lui et enfonça le canon du colt entre ses côtes.

— Bon sang, Célia, n'essaie pas de te battre avec lui ! implora Kane qui craignait que le caractère impulsif de la jeune femme ne provoquât une catastrophe.

— Amenez l'argent ! grinça Owen.

— Pas avant que vous nous disiez ce que vous comptez faire de ma fille, répliqua Patrick.

— Ça dépendra d'elle. Et de vous. Si elle se tient tranquille et si vous ne vous lancez pas à mes trousses, je peux envisager de la relâcher quand j'aurai quitté la ville.

— Emmenez-moi à sa place, proposa Kane en s'avançant prudemment. Je vous promets que vous pourrez sortir de Saint Louis sans encombre.

— Non, répondit Owen sans hésiter. Les femmes sont plus faciles à manier que...

C'était précisément le genre de remarque à ne pas formuler devant Célia. Impulsivement, elle décocha au bandit un coup de pied dans les tibias avant de réaliser qu'elle aurait mieux fait de s'abstenir. Mais il était trop tard. Owen l'assomma avec la crosse du pistolet et la jeune femme s'affaissa dans ses bras, happée par le néant.

Kane tressaillit comme s'il avait reçu lui-même le coup sur la tête. Owen devenait de plus en plus dangereux à chaque minute qui passait. Deux de ses victimes étaient déjà sans connaissance et il n'hésiterait pas à tuer quiconque se mettrait en travers de son chemin.

— Posez l'argent sur la table, ordonna Owen en pointant le canon du revolver sur la tempe de Célia, toujours évanouie.

Patrick s'exécuta le premier. Il s'approcha de la table et vida le contenu de ses poches. Kane et Gédéon l'imitèrent ensuite.

— Maintenant, emportez Noah dans ce placard et rentrez dedans avec lui, commanda Owen en désignant de la tête le petit réduit aménagé au fond du vestibule.

Réprimant un juron, Kane attrapa son frère sous les bras et le tira sur le tapis. Quand les quatre hommes furent entassés dans le placard comme des sardines dans une boîte, Owen les enferma à clé. Puis il ramassa l'argent, passa les menottes aux poignets de la jeune femme et la chargea sur son dos tel un vulgaire sac de farine.

En deux enjambées il gagna la sortie et, avisant le buggy de Kane, il sauta dedans.

Lorsqu'il eut posé Célia sur le plancher, il s'empara des rênes et lança le cheval au triple galop. La voiture descendit la rue comme une flèche, frôlant dangereusement les pauvres piétons qui avaient le malheur de se trouver sur son passage.

— Noah... Noah ?

Le jeune homme cligna des paupières et ouvrit les yeux. Mais il ne vit rien, excepté un mince rai de lumière qui semblait filtrer sous une porte. Où était-il donc, et que s'était-il passé ?

— Noah ?...

— Qui est là ? marmonna-t-il, encore à moitié inconscient.

— C'est moi, Kane. Il faut te lever, sinon je vais être obligé de te passer sur le corps pour ouvrir cette maudite porte.

Noah se redressa péniblement sur ses genoux, mais de tous côtés il se cognait à d'autres corps.

— Où sommes-nous ?

Kane le souleva sans ménagement et le remit sur ses pieds avant de le confier à Gédéon.

— Tiens-le, ordonna-t-il au serviteur avant de s'adresser à Patrick : Poussez-vous, s'il vous plaît, j'ai besoin de recul.

— Me pousser ? Mais où ? Nous sommes quatre dans ce minuscule réduit !

Avec un grognement, Kane repoussa Patrick contre le mur et donna un grand coup d'épaule dans la porte. Le bois grinça mais ne céda pas. Kane recommença. A la troisième tentative, la porte vola finalement en éclats et Kane traversa en trombe le vestibule avant de se ruer dehors, ses trois compagnons sur les talons.

Il sauta sur le premier cheval venu et s'élança à la poursuite du buggy. La colère et l'inquiétude le taraudaient. Owen était prêt aux pires extrémités pour sauver sa peau. Si jamais ce gredin osait toucher à un seul cheveu de Célia...

Kane préféra chasser cette idée. Il devait absolument garder son sang-froid s'il voulait capturer Owen sans lui laisser le temps de s'en prendre à la jeune femme. Et, en tout premier lieu, il devait adopter un plan d'action.

Kane arrêta sa monture et regarda tout autour de lui. Noah, Patrick et Gédéon qui chevauchaient dans son sillage en profitèrent pour le rattraper.

— Suivez la voiture, leur ordonna-t-il. Moi, je vais passer par les petites ruelles pour essayer de l'intercepter avant qu'il sorte de la ville.

Les trois hommes prirent le buggy en chasse tandis que Kane lançait son cheval dans un lacis de ruelles très étroites qui ralentirent sa progression. S'en remettant à son flair habituel, Kane espérait avoir choisi la bonne direction. Il était à peu près certain qu'Owen prendrait la route du nord, la seule qui débouchait assez rapidement dans la campagne en longeant le Mississippi. Owen voulait vraisemblablement s'éloigner des habitations au plus vite, d'autant que Célia ne manquerait pas de crier pour attirer l'attention dès qu'elle se réveillerait. Kane ne s'était encore jamais trompé dans ses déductions. Il pria le ciel pour que cette fois ne fît pas exception à la règle !

27

C'est le choc répété de son menton contre le plancher du buggy qui ramena Célia à la réalité. Les cahots de la voiture lancée à vive allure dans les rues secouaient durement sa tête. Un gémissement de douleur lui échappa et elle cligna plusieurs fois des yeux avant de les ouvrir tout à fait.

Réalisant où elle se trouvait, elle chercha aussitôt un moyen de s'échapper. Tout de suite, elle vit le parti qu'elle pourrait tirer des menottes en acier qui enserraient ses poignets. Si elle agissait assez rapidement pour frapper Owen et l'assommer, elle retrouverait sa liberté. Et, au passage, elle rendrait à Owen le coup qu'il lui avait donné sur la tête !

Dès qu'elle se sentit complètement réveillée, Célia passa à l'action. Par chance, Owen était si concentré sur sa conduite qu'il ne lui prêtait aucune attention. La jeune femme bondit comme un beau diable dans son dos et le bandit n'eut pas le temps d'esquiver l'attaque. Toutefois, il en fallait plus pour l'assommer, et elle s'apprêta à frapper de nouveau. Mais d'un brusque revers de la main, Owen la poussa violemment sur le côté pour s'épargner une nouvelle bosse.

Célia poussa un cri d'horreur. La voiture lancée à toute allure abordait un virage serré qui surplombait le Mississippi. La jeune femme bascula par-dessus la portière du buggy et dévala la pente abrupte qui menait vers l'eau. Malgré ses efforts désespérés, elle ne parvint pas à freiner sa chute. Il n'y avait à cet endroit que des galets glissants qui n'offraient aucune prise et Célia, terrifiée, finit sa course par un plongeon dans les remous du fleuve. Elle voulut appeler à l'aide, mais avant qu'elle pût reprendre sa respiration, une vague la submergea...

Kane éperonna son cheval quand il aperçut enfin le nuage de poussière devant lui. Owen avait réussi à sortir de la ville en un temps record et Kane, furieux de s'être laissé distancer, se demandait comment le bandit avait fait pour ne pas écraser la moitié de la population de Saint Louis sur son passage.

Ignorant que Célia était tombée dans le fleuve, il galopait sur les traces du buggy. Puisqu'il n'avait pas réussi à couper le chemin de la voiture, il ne voyait d'autre solution que de la suivre. Il jeta un coup d'œil derrière lui pour s'assurer que ses compagnons le talonnaient avant de reporter son attention sur l'attelage.

Réalisant qu'il était pourchassé, Owen tira son revolver et fit feu sur le cavalier qui se rapprochait. Kane se baissa contre l'encolure de son cheval tandis que la balle sifflait à ses oreilles.

Il ne pouvait pas répliquer, de peur de blesser Célia, mais peu à peu il grignotait l'avance d'Owen, obligeant le bandit à décharger son revolver sur lui. Kane était pratiquement arrivé à la hauteur du buggy quand Owen se trouva à court de munitions. Il passa alors à l'attaque.

En voyant ce géant fondre sur lui, Owen paniqua et sauta de voiture pour se jeter dans les épais fourrés qui bordaient la piste. Le véhicule continua sa course pendant quelques minutes avant de quitter brusquement la route. Soudain, l'une des roues heurta un amas rocheux qui surplombait le fleuve et Kane, horrifié, vit la voiture verser sur le côté. Le cheval affolé tira encore le buggy renversé sur quelques mètres avant de pouvoir se libérer.

Le cœur battant la chamade, Kane sauta de son cheval et courut vers le buggy pour l'empêcher de tomber dans le fleuve.

Après ce qui lui parut une éternité, Patrick, Gédéon et Noah arrivèrent enfin pour lui porter assistance. En joignant leurs forces, les quatre hommes réussirent à soulever la voiture...

Pas de Célia ? Kane n'en croyait pas ses yeux. Où diable était-elle passée ? Il regarda le fleuve juste au-dessous des rochers : personne. La jeune femme était introuvable.

— Occupez-vous d'Owen, ordonna-t-il. Il n'est plus armé, mais pour l'amour de Dieu, ne lui faites pas confiance pour autant !

Sur ces mots, Kane alla récupérer son cheval et fit demi-tour vers la ville. Imaginant le pire, il s'attendait à découvrir le corps de Célia dans les broussailles qui bordaient la route.

Ne trouvant toujours rien, il supposa qu'elle avait dû s'échapper au moment où elle avait repris connaissance. Du moins avait-il l'assurance qu'Owen n'avait pas tiré sur elle : le bandit avait vidé son chargeur sur lui, puisqu'il avait compté six coups de feu.

Mais alors, où était Célia ? se demandait-il en considérant le fleuve qui coulait en contrebas... Était-elle tombée... Kane s'efforça de chasser les pensées morbides qui l'assaillaient. Bon sang, à force de fréquenter Célia, il finissait par avoir autant d'imagination qu'elle !

— Au se-cours !

L'appel venait du fleuve...

Kane sauta de cheval et se posta sur la rive pour essayer de localiser la voix.

— Au se-cours ! répéta Célia avant de boire la tasse.

Soudain, Kane l'aperçut. Elle s'était accrochée, de ses deux mains toujours menottées, à une branche qui dérivait à la surface de l'eau. A chaque remous, sa tête disparaissait dans les vagues, lui donnant à peine le temps de reprendre sa respiration.

Kane regarda fébrilement autour de lui, à la recherche d'un canot ou d'une barque, mais il ne vit rien. Et le courant était trop fort à cet endroit pour qu'il envisage un sauvetage à la nage. Finalement il jeta son dévolu sur un tronc d'arbre échoué dans les roseaux, en espérant que ce radeau de fortune ferait l'affaire.

— Kane ! s'écria Célia dans un ultime sursaut.

La force du courant l'épuisait et elle avait de plus en plus de difficulté à maintenir sa tête hors de l'eau.

Désespéré, Kane se dépêcha de tirer le tronc d'arbre le long du rivage sur une distance de plusieurs mètres en amont. S'il voulait avoir une chance de rattraper Célia, il devait partir derrière elle pour se servir du courant à son avantage.

Une prière muette sur les lèvres, il s'élança enfin dans l'eau, ramant avec ses deux bras vers Célia. Par bonheur, il réussit à s'approcher suffisamment de la branche pour tendre le bras à la jeune femme. La tenant fermement par le poignet, il l'attira à lui.

— Il était grand temps que tu arrives ! fit-elle remarquer en reprenant sa respiration. J'allais couler.

— Après toutes les fois où je t'ai sauvé la vie, j'espérais que tu me remercierais enfin, au lieu de toujours m'adresser des reproches.

— Merci.

— De rien. A présent, raconte-moi ce que tu fais au milieu du fleuve. Tu devrais déjà être morte.

— C'est ce que tu aurais préféré ? lança Célia en s'asseyant sur le tronc d'arbre.

— Bon sang, non ! Je t'aime, Célia. Je me demandais simplement si je pouvais espérer te garder en vie au moins jusqu'à notre mariage. Avec tous les risques que tu prends, je commence à en douter sérieusement !

Maintenant que le danger était passé, Célia se sentait plus sereine. Elle s'approcha de Kane et le gratifia d'un baiser brûlant.

— Tu es vraiment quelqu'un de bien, Kane Callahan, murmura-t-elle. Te l'avais-je déjà dit ?

Kane se détendit enfin. Il laissa refluer l'angoisse qui l'avait maintenu sous pression depuis qu'Owen avait pris Célia en otage. Le corps ensorcelant de la jeune femme était de nouveau pressé contre le sien et il se sentait apaisé. Il avait été très honoré de recevoir les louanges du gouvernement lorsqu'il avait réussi quelques missions pendant la guerre, mais s'attirer un compliment de la part de Célia O'Roarke le bouleversait davantage.

— Que faisons-nous maintenant, monsieur le détective ? demanda-t-elle en considérant le rivage qui paraissait bien loin.

— Nous allons pagayer, répondit Kane sans la moindre hésitation.

— Avec mes menottes ?

— Tu prendras le côté droit et moi le côté gauche, annonça-t-il en se couchant sur le tronc d'arbre.

Avec des gestes mesurés, pour ne pas faire chavirer leur radeau de fortune, il se glissa jusqu'à l'extrémité du tronc et fit signe à Célia de s'allonger sur lui, sa tête posée sur son derrière et son corps lové entre ses jambes. Célia ne put s'empêcher de pouffer en songeant au tableau insolite qu'ils devaient former.

— Qu'y a-t-il de si drôle ?

— Rien. J'étais simplement en train d'admirer mon oreiller... Et de penser à une nouvelle version du baiser joue contre joue.

— Célia ! Tu n'as pas honte ! s'indigna Kane en lui jetant un regard par-dessus son épaule.

Elle lui opposa son plus désarmant sourire.

— Tu as un très beau...

— Célia, pour l'amour de Dieu ! Que t'arrive-t-il ?

— Pagaie, Kane, répondit-elle en faisant mine de se concentrer sur ses gestes. Nous avons encore du chemin à faire.

Kane se remit à pagayer, un sourire aux lèvres. Il venait de découvrir une nouvelle facette de la personnalité de Célia, qui n'était pas pour lui déplaire. La jeune femme se défaisait peu à peu de sa carapace de froideur comme un papillon sort de sa chrysalide, et Kane était heureux de se savoir à l'origine de cette métamorphose.

— Dieu du ciel !

Patrick faillit s'étrangler en découvrant Kane et sa fille juchés sur un tronc d'arbre au beau milieu du fleuve.

Laissant Noah s'occuper seul d'Owen qui avait finalement été repris, Gédéon se précipita sur le rivage. Il avisa une grosse branche à laquelle Kane pourrait s'accrocher quand il passerait à proximité et se posta près d'elle. Dès que son maître eut agrippé la branche, Gédéon le tira sur le rivage, puis il fit de même avec Célia, non sans lui lancer un regard désapprobateur.

— Si je puis me permettre une réflexion, miss, vous avez le don de vous mettre dans des situations périlleuses. Kane et vous feriez bien de choisir enfin une vie un peu moins aventureuse !

Célia le dévisagea avec un sourire espiègle.

— Ne seriez-vous pas cet homme qui avait pitié de moi lorsque j'étais prisonnière dans les montagnes ?

Gédéon passa par toutes les couleurs de l'arc-en-ciel.

— A l'époque, j'ignorais tout de votre fougue, se justifia-t-il avant de lancer un coup d'œil à son maître. On m'avait mis en garde, mais je ne voulais rien croire de ce que j'avais entendu. En fait, Kane avait amplement raison.

— Dois-je comprendre que vous désapprouvez notre mariage ? interrogea Célia.

— Au contraire ! Si vous voulez mon avis, je pense même que Kane aurait dû vous épouser avant de...

Kane lui donna dans le ventre un coup de coude qui le fit taire.

— Je crois qu'il est temps de retourner en ville, tu n'es pas d'accord, Gédéon ? J'aimerais pouvoir enlever ces vêtements trempés.

Célia dévisagea les deux hommes avec curiosité avant de se tourner vers Kane :

— Qu'allait-il dire ? demanda-t-elle alors qu'ils remontaient vers la route.

— Rien d'important, j'en suis sûr, se contenta de répondre Kane.

Il ne voulait pas embarrasser Célia en lui révélant que son serviteur avait deviné ce qui s'était passé dans la cabane. Gédéon était la bonté et la générosité incarnées, mais parfois il avait le tort de parler sans réfléchir.

Patrick, qui n'avait rien perdu du sauvetage depuis le bord de la route, s'avança à leur rencontre.

— Tout bien considéré, j'ai décidé qu'un mariage précipité s'imposait, annonça-t-il.

— Puis-je savoir pourquoi vous avez changé si rapidement d'avis ? fit Kane en adressant un large sourire à l'Irlandais.

Patrick se tourna vers sa fille.

— Je crois qu'elle a le plus grand besoin d'une protection permanente, déclara-t-il très sérieusement.

— Papa ! s'indigna Célia.

— C'est pourtant la vérité. Tu es beaucoup trop remuante et Kane me paraît le seul homme capable de te faire rester en place. Plus vite vous serez mariés et mieux cela sera pour tout le monde.

— Je suis entièrement de cet avis, approuva Gédéon.

— Je vous remercie tous de votre confiance, grinça Célia qui n'était pas loin de se fâcher.

Soudain, son attention fut attirée par l'homme qu'on avait attaché au cheval de Noah, en prenant la précaution supplémentaire de lier ses mains dans son dos. Oubliant son indignation, Célia alla récupérer la clé des menottes dans la poche du gilet d'Owen et se libéra elle-même. Puis elle serra son poing et l'écrasa méchamment sur le visage du bandit.

— Voilà votre récompense pour avoir failli me tuer, espèce de misérable coureur de jupons sans foi ni loi. J'avais envie de faire ça depuis le jour où je vous ai rencontré. J'espère bien que vous moisirez longtemps en prison !

Quand elle se retourna, elle vit Patrick, Kane, Noah et Gédéon qui la regardaient avec un sourire amusé.

— Il l'a bien mérité, expliqua-t-elle pour se justifier.

— J'aurais été ravi de m'en charger à votre place, la provoqua Kane.

— Pas la peine. Je peux parfaitement prendre soin...

— ... de moi ! complétèrent les quatre hommes en chœur.

Célia se sentit rougir.

— Es-tu vraiment sûr de vouloir m'épouser ? demanda-t-elle à Kane. Même mon propre père me reproche mes défauts. Je reconnais que j'ai peut-être un peu trop de caractère. Et que je suis trop indépendante, également. Sans oublier ma manie de tout classer, comme tu ne t'es pas privé de me le faire remarquer. Et...

Kane posa un doigt sur ses lèvres.

— Je t'aime telle que tu es, assura-t-il avant de lui donner un baiser sur le front.

— J'essaierai de mieux me contrôler, à l'avenir, promit Célia avec un sourire.

Kane s'approcha pour lui murmurer à l'oreille :

— J'espère bien que non. Je préfère quand tu perds tout à fait le contrôle de toi-même, mon amour.

Célia rougit et s'écarta précipitamment de lui.

— Au sujet de notre mariage...

— Je me charge de tout, intervint Patrick. Le temps que Noah jette Owen en prison et que vous enfiliez des vêtements secs, la cérémonie sera prête.

— Ce ne sera pas trop tôt, si vous voulez mon avis,

marmonna Gédéon avant de recevoir un nouveau coup de coude qui le réduisit au silence.

La petite troupe reprit le chemin de Saint Louis. Célia était montée en croupe devant Kane et instinctivement il la serra contre lui. Tout au long de ces interminables minutes pendant lesquelles il l'avait cherchée partout en imaginant le pire, Kane s'était demandé s'il pourrait jamais vivre sans elle. La réponse était évidente. Célia était définitivement devenue une partie de lui-même. Sans elle, la vie n'avait plus aucun sens.

— Kane ? Est-ce que tout va bien ? demanda brusquement Célia.

Elle le regardait par-dessus son épaule et lui trouvait une expression bizarre.

— Maintenant, oui, soupira-t-il. J'étais simplement en train de repenser à ma frayeur de tout à l'heure quand je croyais t'avoir perdue. Bon sang ! Je ne veux plus jamais revivre cela ! Gédéon a raison, nous ferions mieux d'adopter une vie plus rangée, désormais.

Célia masqua son sourire. Les circonstances avaient rendu Kane soudain très sentimental, mais elle se doutait qu'il ne resterait pas longtemps dans les mêmes dispositions d'esprit. Les défis et les frissons lui étaient aussi nécessaires pour vivre que l'air qu'il respirait. Et Célia n'était pas différente de lui. En vérité, elle était prête à parier que d'ici quelques mois le virus de l'aventure les reprendrait.

Pour sa part, la jeune femme savait déjà qu'elle ne passerait pas le restant de ses jours à voir tourner le monde depuis sa fenêtre. Elle voulait se rendre utile à la société et, à bien y réfléchir, le métier de détective lui paraissait particulièrement exaltant.

Surtout avec un bon professeur pour lui enseigner les ficelles du métier...

28

Célia consulta distraitement la pile de courrier arrivée le matin, apercevant au passage plusieurs cartons d'invitations. Depuis son mariage précipité avec Kane, quatre mois plus tôt, ils avaient multiplié les fêtes, les réceptions et les divertissements de toutes sortes. Courses de chevaux, soirées au théâtre, dîners mondains, croisières sur le Missouri... ils avaient vraiment goûté à ce qu'on appelait la « belle vie ». Et si leurs journées avaient été bien remplies, chacune de leurs nuits avait rallumé les flammes de la passion.

Célia ne pouvait donc trouver la moindre ombre au tableau de sa vie conjugale avec Kane Callahan. Celui-ci était tout à la fois le mari idéal et le plus merveilleux des amants. Il était dévoué, attentif, sensuel et...

Elle fronça les sourcils en découvrant dans le courrier adressé à Kane une enveloppe à en-tête du Congrès de Washington. Discrètement, Célia regarda autour d'elle pour s'assurer qu'elle était seule dans le bureau avant de décacheter soigneusement la lettre.

Il s'agissait d'un député qui demandait à Kane d'enquêter sur une compagnie ferroviaire installée à Chicago. La compagnie lui avait offert un pot-de-vin et le député voulait mesurer l'étendue de la corruption.

La jeune femme contempla quelques minutes la lettre en tambourinant des doigts sur la table. Son imagination s'était mise en marche, elle échafaudait déjà divers plans pour infiltrer la compagnie et espionner ses comptes. Après son expérience de Denver, elle se sentait tout à fait capable de s'acquitter d'une pareille mission.

— Pourriez-vous me dire ce que vous faites ici, chère madame ?

Célia sursauta en reconnaissant la voix de Kane. Bonté divine, elle ne l'avait pas entendu entrer ! Il avait le don de se déplacer aussi silencieusement qu'un chat.

— Je ne faisais rien de particulier, répondit-elle avec un sourire innocent.

Célia paraissait tout à coup si angélique que Kane se demanda si une auréole n'allait pas lui pousser derrière la tête. Cette attitude éveilla ses soupçons et c'est alors qu'il remarqua la lettre qu'elle essayait de dissimuler dans son poing fermé. Il s'approcha et prit le papier.

— Non, répondit-il sans hésiter après avoir lu la requête du député. Gédéon écrira à ce monsieur de s'adresser à mon frère. Désormais, c'est Noah qui me remplace dans toutes les missions. Il a fait beaucoup de progrès, et tu sais parfaitement que j'ai renoncé au métier de détective.

Célia regarda son mari droit dans les yeux.

— Pourrais-tu prétendre que tu ne regrettes pas un seul instant la vie que tu menais avant notre mariage ?

Elle le mettait au défi d'oser nier une pareille évidence. Elle avait deviné que Kane avait autant envie de bouger qu'elle, même s'il faisait beaucoup d'efforts pour le cacher. Mais Célia commençait à bien le connaître. Et à deux ou trois reprises, elle l'avait surpris en train de tourner en rond dans son bureau...

Sans s'en rendre compte, Kane se mit à faire les cent pas devant Célia. De toute évidence, il était aussi comblé et heureux qu'un homme pouvait l'être. Et cependant... son goût pour l'action le taraudait de plus en plus souvent. Mais il ne souhaitait pas se séparer de Célia pendant plusieurs semaines.

— Alors ? Vas-tu admettre que tu aimerais reprendre la route, ou dois-je le faire à ta place ? le questionna brusquement Célia, qui ne put retenir un sourire en lisant sur son visage le combat qu'il livrait.

— Très bien, je l'admets, avoua-t-il finalement, non sans réticence. Il est exact que j'aimerais repartir pour de nouvelles enquêtes, mais je n'ai nullement l'intention de te laisser seule ici.

— Qui parle d'une chose pareille ? demanda-t-elle naïvement.

— Oh non... soupira-t-il en hochant tristement la tête. (Il avait deviné ce que Célia suggérait.) Je t'ai trop souvent vue flirter avec le danger quand nous

nous sommes connus, pour te permettre de recommencer. Si tu crois que je pourrais t'associer à mon travail, tu fais erreur.

Avec un gracieux balancement des hanches, la jeune femme vint nouer ses bras au cou de Kane.

— Je n'ai jamais dit que nous devions nous associer pour traquer des gangs sanguinaires, assura-t-elle avant de se lover plus intimement contre lui. En revanche, je pense que nous pourrions infiltrer cette compagnie ferroviaire et...

— Non, la coupa-t-il d'une voix ferme.

— Je sais éplucher des livres de comptes, désormais. Je pourrais me rendre très utile...

Elle passa une main sous sa chemise pour caresser son torse musclé.

— Non, répéta Kane d'une voix plus faible.

Les caresses de Célia commençaient à saper sa détermination.

— Tu es incroyablement entêté, murmura-t-elle en lui déboutonnant sa chemise. Et tu sais très bien que tous les deux nous aimons les frissons. C'est ce qui rend la vie si palpitante, ajouta-t-elle avant de laisser courir ses lèvres sur son torse.

Kane soupira, autant de plaisir que de résignation. Il savait qu'il avait perdu la partie. Dès lors que Célia usait du pouvoir magique qu'elle détenait sur lui, il n'était plus capable de lui refuser quoi que ce fût.

Soudain, la porte de la pièce s'ouvrit sur Noah et Gédéon. Ce dernier avait été chercher Noah à la gare, le jeune homme revenant tout juste d'une mission en Louisiane.

Le regard perspicace de Noah remarqua la chemise ouverte de Kane, la lettre sur la table et enfin l'expression déterminée de sa belle-sœur. Il comprit instantanément que Célia essayait d'obtenir quelque chose de Kane, et de toute évidence, elle semblait merveilleusement y réussir.

— Nous étions... euh... nous évoquions la possibilité de nous associer pour mener une enquête à Chicago, tenta d'expliquer Kane d'une voix moins assurée qu'il ne l'aurait souhaité.

Gédéon leva les yeux au ciel. Il s'attendait hélas à une initiative de ce genre. Il était déjà extraordinaire que ces deux courants d'air aient réussi à tenir en place pendant quatre mois !

— Referme la porte derrière toi, Gédéon, demanda Kane. Je pense qu'il est préférable que Célia et moi nous poursuivions notre conversation en privé.

Avant que le serviteur ait eu le temps de s'exécuter, Noah bondit dans la pièce et s'empara de la pile de courrier.

— Vu la situation, vous n'allez pas lire ces lettres tout de suite, conclut-il avec un grand sourire. Je vais les parcourir pendant que vous continuez votre... hummm... discussion privée.

— Puisque tu es devenu un bon détective, petit frère, j'ose espérer que tu sauras vite trouver le moyen de te rendre invisible... et emmène Gédéon avec toi ! gronda Kane.

Quand le domestique eut refermé la porte, il ne put s'empêcher de soupirer.

— Je me doutais que, tôt ou tard, cela finirait par arriver. Célia et Kane sont bien de la même étoffe ! Et j'ai peur que d'ici quelques années, cette maison ne grouille de petits détectives en herbe qui courront dans toutes les pièces ! J'espère au moins que le canapé de ce bureau sera plus solide que le fameux lit de la cabane sur lequel...

Gédéon s'interrompit brutalement en réalisant sa gaffe.

— Ne t'inquiète pas, Gédéon, le consola Noah. Tu n'as pas trahi de secret. J'ai mis longtemps à me douter de ce qui s'était passé dans la cabane, mais je suis moins naïf aujourd'hui. Avec l'âge, je commence à mieux comprendre mon frère. Quant à sa merveilleuse femme... ajouta-t-il en jetant un regard vers la porte du bureau, à tous les deux, ils formeront un extraordinaire tandem de détectives ! Mais rassure-toi, le jour viendra où Kane et Célia sauront rester à la maison pour élever leurs enfants.

Gédéon sourit.

— Vous avez sans doute raison. Sachant ce que Kane pense de l'éducation que vous avez reçue, je suis prêt à parier qu'il mettra un point d'honneur à faire profiter ses enfants d'un foyer stable.

— Oui. Il ne permettra jamais qu'ils soient malheureux comme nous l'avons été. Cela dit, ils ne verront pas souvent leurs parents, si Kane et Célia continuent de ne pouvoir tenir plus de deux heures sans se jeter dans les bras l'un de l'autre.

Noah soupira avant de reprendre :

— J'espère qu'un jour, moi aussi je trouverai...

Gédéon lui donna une tape affectueuse sur l'épaule.

— Vous trouverez, j'en suis certain. Et quand vous aurez trouvé, vous comprendrez encore mieux votre frère. L'amour élargit les horizons.

Noah fronça les sourcils, interloqué.

— Où donc as-tu appris toutes ces choses sur l'amour ?

Un sourire entendu éclaira le visage du serviteur.

— De voir votre frère se marier m'a donné des idées. Cela fait déjà plus de deux ans que je fréquente la gouvernante des Dunbar et j'envisage de pousser cette relation plus loin. J'aurai beaucoup plus de temps libre, désormais, si vous vous mettez tous les trois à partir en mission...

Kane regarda tendrement sa femme. Dès l'instant où Célia avait entrouvert sa chemise, il avait compris qu'il ne pourrait lui refuser ce qu'elle désirait. Elle savait se montrer très persuasive, quand elle le voulait.

Toutefois, il était décidé à la surveiller étroitement à Chicago. Il ne voulait pas risquer de la perdre.

— Promets-moi une chose, lui chuchota-t-il dans l'oreille. Lorsque nous serons en mission, il faudra te conduire très prudemment. Pour l'amour de Dieu, ne cède plus à tes impulsions qui t'ont si souvent mise en situation délicate.

— Je me conduirai sagement, acquiesça Célia en posant un baiser sur ses lèvres.

— Et je ne veux pas davantage que sous prétexte de recueillir des informations, tu utilises avec un suspect les mêmes méthodes de persuasion que tu emploies avec moi. C'est bien clair ?

— Je n'avais pas l'intention d'utiliser ces méthodes sur un autre, dit-elle en se lovant contre lui. Et toi, je t'interdis de les utiliser avec une autre femme, ajouta-t-elle en lui jetant un regard suspicieux. Je ne serais pas étonnée que tu les aies employées dans le passé, sinon tu n'aurais pas songé à m'en parler.

Kane la serra dans ses bras.

— Mettons que je n'ai rien dit et oublions tout.

Une seule chose lui importait, à présent : il voulait encore et encore faire l'amour à cette délicieuse créature qui était devenue sa femme.

— Célia... chuchota-t-il, soudain submergé par une vague d'émotion, je t'aime tant que l'idée de te perdre me terrifie.

— Alors viens plus près de moi, mon chéri, dit-elle avec un sourire provocant. Je vais dissiper tes craintes grâce à mon amour.

— Bon sang, Célia, il faut toujours que tu aies le dernier mot !

— Quelle importance, tant que le dernier mot sera amour ? Et je t'aime, Kane. Plus que tu ne peux l'imaginer.

Kane l'enlaça en souriant. Les mots lui manquaient devant tant de bonheur. C'était Célia qui donnait un sens à sa vie, et finalement, il se moquait de savoir qui avait le dernier mot. Kane avait gagné l'amour de Célia, et c'était la seule chose qui comptait à ses yeux.